HILAIRE DE POITIERS

CONTRE CONSTANCE

SOURCES CHRÉTIENNES

N° 334

HILAIRE DE POITIERS

CONTRE CONSTANCE

*INTRODUCTION, TEXTE CRITIQUE, TRADUCTION
NOTES ET INDEX*

PAR

André ROCHER

*Ouvrage publié avec le concours
du Centre National des Lettres*

LES ÉDITIONS DU CERF,
29, Bd de Latour-Maubourg, PARIS
1987

*La publication de cet ouvrage a été préparée avec le concours
de l'Institut des Sources Chrétiennes
(U.A. 993 du Centre National de la Recherche Scientifique)*

INTRODUCTION

I. PROBLÈMES HISTORIQUES

II. LA DOCTRINE DU LIVRE CONTRE CONSTANCE

III. LA TRADITION MANUSCRITE

CHAPITRE I

PROBLÈMES HISTORIQUES

A. HILAIRE AVANT SON EXIL

De la naissance à l'épiscopat La vie d'Hilaire de Poitiers comporte beaucoup de points obscurs. Nous ne savons presque rien de ses origines, de son éducation, de sa « naissance à la foi[1] », des circonstances de son élévation à l'épiscopat. Nous ne reprendrons pas la critique des témoignages anciens qui a été faite par J. Doignon[2]. Qu'il nous suffise de rappeler l'essentiel de nos connaissances. Né à Poitiers entre 310 et 320, de parents païens[3], Hilaire fait de solides études à l'école des rhéteurs

1. HILAIRE, *De Trin.* I, 11, (*CCL* LXII, p. 11) « non ortu carnis sed fidei » ; *ibid.* 12 : « in nouam natiuitatem per fidem uocata » (*CCL*, p. 12).

2. J. DOIGNON, *Hilaire de Poitiers avant l'exil,* (Études Augustiniennes), Paris 1971. Nous citerons désormais cet ouvrage capital sous le titre abrégé : DOIGNON, *Hilaire...*

3. Sur la date, voir les indications bibliographiques de M. MESLIN, « Hilaire et la crise arienne », dans *Hilaire et son temps, Actes du colloque de Poitiers 1968,* Paris 1969, p. 20. Que les parents fussent païens c'est l'opinion la plus commune. Pour la discussion des témoignages anciens (Jérôme, Augustin, Venance Fortunat...), voir DOIGNON, *Hilaire...* p. 49-73. Faut-il ajouter, à la suite de Venance Fortunat, dans la *Vita sancti Hilarii,* qu'il était d'une famille noble ? C'est vraisemblable, mais non certain.

gaulois[1]. Parvenu à l'âge adulte, il découvre la Bible.
Il devient chrétien.

A quelle date reçut-il le baptême ? Nous en sommes
réduits aux conjectures. Quand devint-il évêque de
Poitiers ? En nous référant à l'indication assez vague
qu'il en donne lui-même, il se trouvait dans ses fonctions
d'évêque quelques mois avant son exil, alors qu'il était
baptisé depuis assez longtemps, c'est-à-dire plusieurs
années auparavant. Le baptême se placerait vers 345
et l'épiscopat vers 350.

**Constance
et les évêques
d'Occident**
C'est à cette date que Constance II,
fils de Constantin, après l'élimination
de l'usurpateur Magnence, devient le
seul maître de l'empire romain.
Acquis aux doctrines d'Arius, ce prince veut établir
l'unité dans ses États et il pense que l'unité de croyance
est la garantie de l'unité politique. Cette confusion des
pouvoirs avait entraîné les persécutions sanglantes de
Dèce et de Dioclétien. La persécution se déchaîna, non
plus contre les chrétiens en général, mais contre les
évêques et les prêtres, fidèles à la foi définie à Nicée
en 325, c'est-à-dire partisans de l'*homoousios* (le Fils
est consubstantiel au Père).

Sous l'influence d'Eusèbe, évêque de Nicomédie,
Constantin avait déjà en 335 simultanément rappelé
Arius et exilé Athanase au Synode de Tyr. Après la
mort de Constantin, le 22 mai 337, son fils Constance,
qui régnait en Orient, fit subir bientôt aux Nicéens

---

1. La formation rhétorique d'Hilaire est évidente. Mais nous ne
savons s'il a étudié à Poitiers ou à Bordeaux. L'expression de Jérôme,
« Hilaire Rhône de l'éloquence latine », est bien connue. C'est, du
reste, un éloge assez mitigé de la part de Jérôme. Cf. DOIGNON,
Hilaire... p. 51 s. et P. ANTIN, dans *Latomus*, vol. XCV, 1968.

maints sévices. Outre Athanase d'Alexandrie, cinq fois exilé, il faut citer Paul de Constantinople, deux fois détrôné par des évêques ariens, deux fois rétabli. Exilé à Cucuse, il y mourut, étranglé. Et à combien de violences se livrèrent les compétiteurs des sièges épiscopaux, à Constantinople, Ancyre, Alexandrie, pour ne citer que les villes les plus importantes[1] ! Nicomédie, Césarée de Palestine, Antioche étaient, d'autre part, les fiefs imprenables des ariens[2].

Or, à partir de 353, Constance prétend imposer ses convictions personnelles, non plus seulement aux évêques d'Orient, mais aussi à ceux d'Occident. Entré à Lyon le 6 septembre 353, après la mort de Magnence, il réside en Arles pendant l'automne et l'hiver suivants. Sous l'influence des évêques illyriens Germinius de Sirmium, Ursace de Singidunum et surtout Valens de Mursa[3], il va soumettre tout l'épiscopat, en exilant les quelques personnalités récalcitrantes.

1. Ancyre, en Galatie Première, fut disputée par Marcel et Basile durant un quart de siècle. Nous savons, par ailleurs, que par deux fois on donna un successeur à Athanase d'Alexandrie : en 339, Grégoire, en 357, Georges, tous deux originaires de Cappadoce. Le premier mourut en 345, le second fut massacré par le peuple d'Alexandrie le 24 décembre 361.

2. Eusèbe de Nicomédie, chef du parti arien, baptisa Constantin à son lit de mort en 337. Eusèbe de Césarée, le célèbre historien et biographe de Constantin, eut pour successeur Acace, un des chefs du parti homéen. A Antioche se succédèrent des ariens notoires, Étienne, Léonce, Eudoxe. C'est encore l'évêque arien d'Antioche Euzoïus qui baptisa l'empereur Constance II, juste avant sa mort le 3 novembre 361.

3. Singidunum est l'actuelle Belgrade (Beograd). Sirmium, sur la Save (Sremska Mitrovica), était l'une des capitales de l'empire, depuis l'institution de la tétrarchie par Dioclétien. Mursa (Eszeg ou Osijek), sur la Drave, se rattache à l'Illyrie. L'évêque Valens avait astucieusement conquis la faveur de Constance, en lui annonçant le premier la victoire de Mursa, le 28 septembre 351. Voir SULP. SÉV.,

Déroulons le fil des événements avec leurs dates probables. Fin 353, synode d'Arles : tous les évêques présents signent la condamnation d'Athanase, y compris les deux délégués du pape Libère, Vincent de Capoue et Marcel, un autre évêque italien. Seul Paulin de Trèves refuse ; il est exilé en Phrygie où il mourra. Début 355, synode de Milan : même scénario. Sous la pression impériale les évêques signent. Trois évêques résistent : Lucifer de Cagliari, Eusèbe de Verceil, Denis de Milan, ils sont exilés en Asie Mineure. A la fin de la même année, le pape Libère est exilé à Bérée en Thrace et remplacé par l'archidiacre Félix.

Hilaire entre en scène   Une réaction se dessine alors en Gaule, sans que nous puissions y mesurer l'importance du rôle d'Hilaire[1]. Nous savons seulement par ses déclarations explicites que, vers la fin de 355, « il s'est séparé, avec les évêques des Gaules, de la communion de Saturnin, d'Ursace et de Valens[2] ». D'après J. Doignon, « Hilaire s'est chargé de rendre publics les décrets d'excommunication de Saturnin et de ses alliés », mais en offrant la possibilité du pardon aux évêques qui reconnaîtraient leur erreur. Seule leur obstination dans le mal exigerait une opération chirurgicale : on les retrancherait du corps, comme on coupe les membres gravement infectés et pourris. Mais, auparavant, on ferait ratifier « les

Chron. II, 38, *PL* 20, 150 D. Sur cette sanglante bataille, nous avons deux récits du futur empereur Julien : 1. *Eloge de Constance*, n° 29 ; 2. *Constance ou de la Royauté*, n° 6-10 ; (« Les Belles Lettres », 1932).

1. Etude et critique des témoins dans DOIGNON, *Hilaire...* p. 423-432. Cf. M. MESLIN, *Hilaire de Poitiers,* Paris 1959, p. 17 et « Hilaire et la crise arienne », dans *Hilaire et son temps*, Paris 1969, p. 22.

2. *In Const.* 2.

décrets par les bienheureux confesseurs de la foi »,
c'est-à-dire les exilés d'Arles et de Milan : Paulin de
Trèves, Lucifer de Cagliari, Eusèbe de Verceil, Denis
de Milan. En réalité, cette procédure ne put aboutir,
« un décret impérial tout récent imposant aux évêques
qui avaient des plaintes à formuler contre des confrères
l'ouverture d'un débat qui, opposant les évêques eux-
mêmes, donnerait lieu à une information complète.
C'est ainsi que la *cause* de Saturnin, Ursace et Valens
fut portée au printemps de 356 devant un synode réuni
à Béziers [1] ».

B. HILAIRE CONDAMNÉ ET EXILÉ

**Marche vers l'exil :
de Gaule en Phrygie**
En réalité, Hilaire, « contraint d'y assister », ne put
s'exprimer. L'audience lui fut
refusée par son adversaire Saturnin d'Arles. Non seulement il lui fut impossible de faire « confirmer » les
décrets d'excommunication, mais, « débouté de sa
plainte », il fut victime d'un « faux rapport » de la part
de ses ennemis et, de ce fait, frappé d'une sentence
d'exil [2].

Julien, nommé César à Milan le 6 novembre 355,
avait dû transmettre, de Vienne où il résida tout l'hiver,
aux évêques réunis à Béziers, les ordres de Constance
Auguste. Saturnin dut, à son tour, lui communiquer la
sentence portée contre Hilaire. De Béziers à Vienne,
la distance n'est pas si longue. Mais la transmission du

---

1. DOIGNON, *Hilaire...*, p. 458-461.
2. *In Const.* 2. Les mots entre guillemets sont empruntés à
DOIGNON, *Hilaire...* p. 466-468.

décret à Constance, qui se trouvait à Milan, dut exiger
un certain délai. Il fallait ensuite franchir la distance
de Milan à Poitiers. On suppose que le synode de
Béziers fut achevé en avril-mai. Il est probable que la
sentence d'exil ne parvint à Poitiers que durant l'été
356.

Cette donnée s'accorderait avec l'indication de Sulpice
Sévère dans sa chronique (II, 42). Dom Coustant
raisonne ainsi : « D'après le témoignage (de Sulpice),
Hilaire en était déjà à sa quatrième année d'exil quand
il fut convoqué au synode de Séleucie. Or c'est en
septembre 359 que se tint le synode de Séleucie. Donc
Hilaire fut relégué avant septembre 356[1] ». Le même
raisonnement a été repris par d'autres auteurs[2].

Le prisonnier devait, ensuite, être conduit sous bonne
escorte jusqu'à son lointain exil. Est-ce qu'on emprunta
la route maritime de Marseille (ou Arles ? ou Nar-
bonne ?) jusqu'à Constantinople ?[3] Nous pensons plutôt qu'on prit la route terrestre. Il y avait une route
directe de Poitiers à Lyon, d'où l'on gagnait l'Italie du
Nord, puis l'Illyrie, la Mésie et la Thrace. Il fallait
compter environ trois mois pour relier Poitiers à
Constantinople, les étapes n'excédant guère quarante
kilomètres par jour[4]. Dans ces conditions, Hilaire serait

1. P. COUSTANT, *Vita sancti Hilarii...* 38, PL 9, 142 B.
2. Ch. KANNENGIESSER, art. *Hilaire de Poitiers* dans DSp., XLIV-
XLV, col. 469, Paris 1968, et M. MESLIN, « Hilaire et la crise
arienne », dans *Hilaire et son temps,* p. 25.
3. Cf. D. GORCE, *Les voyages, l'hospitalité et le port de lettres
dans le monde chrétien des IVe et Ve siècles,* Paris 1925. L'auteur
note, p. 110, que la traversée de Césarée (Palestine) à Rome
demandait vingt jours. Il en fallait davantage au départ de la Gaule
pour l'Orient.
4. Sainte Mélanie mit quarante-quatre jours pour aller de
Constantinople à Jérusalem. La distance était de 1164 milles, soit
1730 km. Et ce fut un voyage à marche forcée. Cf. D. GORCE, *Vie*

arrivé en Phrygie à l'automne 356, sans que nous puissions préciser davantage.

Conditions de vie de l'exilé Nous aimerions connaître le lieu où Hilaire séjourna durant son exil. Si Jérôme, Sulpice Sévère et Venance Fortunat s'accordent pour désigner la province de Phrygie[1], Hilaire lui-même dit, plus vaguement, qu'il se trouve « dans les limites des dix provinces d'Asie »[2]. Cela s'entend du diocèse d'Asie, récemment réorganisé par Dioclétien et ses successeurs Constantin et Constance. Vers le milieu du IVe siècle, trois provinces avaient à leur tête un personnage consulaire (*consularis*) : l'Hellespont, la Lydie, la Pamphylie, sept avaient un gouverneur (*praeses*) : la Carie, les Iles, la Lycie, la Pisidie, la Lycaonie, la Phrygie Première ou Pacatienne et la Phrygie Seconde ou Salutaire[3]. Hilaire dut changer plusieurs fois de résidence puisqu'il écrit à ses collègues gaulois « de plusieurs villes des provinces romaines », en précisant qu'il s'agit « des contrées d'Orient »[4]. Etant donné ce qu'il dit des évêques orientaux, on suppose qu'il put parcourir assez librement le diocèse d'Asie et rencontrer plusieurs évêques. Mais

de sainte Mélanie, Paris 1962, *SC* 90, p. 274. La distance est bien plus grande de Poitiers à Constantinople. Voir l'*Itinerarium Burdigalense,* éd. Geyer, p. 4-8 et D. GORCE, *Les voyages...* p. 58 et 76 ; O. PERLER, *Les voyages de S. Augustin,* Paris 1969.

1. JÉRÔME, *Liber de uiris inlustribus* 100, *PL* 23, 699. SULP. SÉV., *Chron.* II, 42, *PL* 20, 153 A, *CSEL* 1, p. 95 ; VEN. FORTUNAT, *Vita sancti Hilarii,* 5, *PL* 9, 188 B.

2. HILAIRE, *De Syn.* 63, *PL* 10, 522-523.

3. Cf. O. SEECK, *Notitia dignitatum,* Berlin 1876, rééd. Francfort-sur-le-Main 1962 ; V. CHAPOT, *La province romaine proconsulaire d'Asie depuis ses origines jusqu'à la fin du Haut-Empire,* Paris 1904, p. 87.

4. HILAIRE, *De Syn.* 1, *PL* 10, 479-480 ; 485 B.

il ne fait l'éloge que d'un seul, Eleusius de Cyzique, peut-être parce qu'il le connut plus particulièrement[1].

La situation des évêques exilés n'était pas identique. Hilaire ne semble pas avoir subi de violences. Il se plaint seulement des lenteurs du courrier, de la rareté des lettres et du contrôle de sa correspondance[2]. On n'a pas lieu de s'en étonner. La relégation n'est point une villégiature. D'autres évêques furent moins bien traités, tel Lucifer de Cagliari, qui changea quatre fois de résidence et fut en butte aux persécutions des évêques ariens ; il est vrai que son caractère rugueux ne devait pas attirer la sympathie. Mais pourquoi les sévices exercés contre Paulin de Trèves ? Au témoignage d'Hilaire, il « fut changé d'exils et fatigué jusqu'à ce que mort s'ensuivît »[3]. Du reste, sur les six évêques occidentaux exilés dans les années 353-356, trois moururent en exil : Paulin de Trèves, Denis de Milan et Rhodanius de Toulouse.

Travaux de l'exilé Eloigné de son diocèse par une simple mesure de police sans qu'il y ait eu sentence de déposition, comme ce fut le cas pour Denis de Milan[4], Hilaire occupa ses loisirs forcés à compléter ses études théologiques et à composer ses ouvrages. Ne pouvant prêcher, il écrivit[5]. Il déploya une grande activité, puisque datent de cette

---

1. *Id.* 63, *PL* 10, 522 C : (Ch. KANNENGIESSER, art. *Hilaire*, dans *DSp,* col. 476, parle « d'une sorte de liberté surveillée dans les limites administratives d'une vaste région de l'empire »). Ailleurs, Hilaire nomme avec Eleusius, Basile d'Ancyre et Eustathe de Sébaste, *id.* 90.

2. *Ib.* 2, PL 10, 481 A.

3. *In Const.* 11.

4. SULP. SÉV., *Chron.* II, 39, *PL* 20, 151 B.

5. HILAIRE, *De Trin.* X, 4, *PL* 10, 346 B ; *CCL* 62, p. 461.

période ses œuvres les plus importantes : le *De Fide,* plus tard appelé *De Trinitate* et le *De Synodis*[1]. Ces deux ouvrages sont intimement liés, au point que plusieurs manuscrits présentent le *De Synodis* comme le *livre XIII* du *De Trinitate*[2].

Il continua aussi de recueillir les documents du vaste ouvrage historique dont il ne nous reste que des fragments. Jérôme parle d'un *Livre contre Ursace et Valens.* On n'est pas encore d'accord sur le contenu et le plan de cette œuvre. Mais les travaux de B. Marx, A. Wilmart et A. Feder aboutissent à une « reconstruction aujourd'hui largement admise »[3]. Cet *Opus historicum* est précieux pour connaître les événements de 355 à 367 et aussi pour saisir la pensée théologique d'Hilaire et ses sentiments à l'égard de l'empereur et des évêques.

Correspondance avec l'Occident Les premiers mois furent sans doute pénibles et sa connaissance médiocre de la langue grecque[4] ne facilitait pas les échanges avec le clergé oriental. Il avait beau se tuer de travail, il souffrait d'être coupé de sa patrie. Il resta sans nouvelles durant de longs mois, malgré les lettres nombreuses qu'il expédia en Gaule. Au cours de l'été 357, un événement le bou-

---

1. Sur les œuvres d'Hilaire, voir la notice de JÉRÔME, *De uiris inl.* 100, *PL* 23, 699. – Sur le titre de ces deux ouvrages, voir la notice de dom COUSTANT, reproduite dans *PL* 10, 10 B.

2. Ainsi les *Parisini BN lat. 8907* de la première moitié du Vᵉ siècle (Carnutensis vetus chez Coustant) et *2630* (ol. *Colbertinus 825, Regius 3982,1*) du V/VIᵉ siècle. Voir réflexion de Coustant, *PL* 10, 471 B.

3. DOIGNON, *Hilaire...* p. 428.

4. Si l'on en croit JÉRÔME, *Lettre 34 à Marcella* : « Graecarum... litterarum quandam aurulam ceperat. »

leversa : il apprit qu'un nouveau synode se tenait à
Sirmium et bientôt il en connut les actes impies, sans
doute par ses amis orientaux, les évêques orthodoxes.
Aussitôt il les communiqua à ses collègues des Gaules.
Et il attendit anxieusement leur réponse. Il leur avait
plusieurs fois expliqué l'état des Églises d'Orient : les
préoccupations des évêques fidèles à la vraie foi, mais
aussi la contagion mortelle d'une doctrine impie vomie
par la bouche sifflante du diable [1]. Or le long silence
de ses correspondants lui faisait craindre une défaillance
de leur part.

De guerre lasse, il se disposait à se taire, à son
tour, quand il reçut enfin une lettre réconfortante, sans
doute à la fin de 357 ou au début de 358. Quel
soulagement après une année d'angoisse ! Les évêques
des Gaules persistaient dans leur attachement à la foi
et dans leur rupture avec l'hérétique Saturnin. Bien
plus, ils avaient presque unanimement réprouvé le
« blasphème de Sirmium » [2] où le Fils était déclaré
d'une nature différente du Père, où l'on affirmait que
c'était un être créé, et par conséquent ni éternel ni
immuable.

« La réponse d'Hilaire à ces heureuses nouvelles qui
comblaient son âme fut le *Liber de Synodis seu de fide
Orientalium*. Ce traité fut composé vers la fin de
l'année 358, avant la réunion du concile de Rimini et
après le tremblement de terre qui, le 24 août 358, avait
détruit Nicomédie [3]. » Hilaire met ses collègues des
Gaules au courant des formulaires de foi qui ont été
rédigés depuis le concile de Nicée. Il s'attache en même

1. Nous résumons le début du *De Syn.* 1.
2. *De Syn.* 2.
3. Cf. É. GRIFFE, *La Gaule chrétienne à l'époque romaine*, Paris
1964, t. I, p. 244, qui se réfère au *De Syn.* 8.

temps à rapprocher les épiscopats d'Orient et d'Occident. En cette période de violence et d'intransigeance, il apparaît comme l'homme de la modération et de la tolérance. Que les Occidentaux ne taxent pas trop vite d'hérésie les amis de Basile d'Ancyre qui préfèrent l'*homoiousios* à l'*homoousios* (le Fils est d'une nature semblable à celle du Père et non de la même nature que le Père). Mais, inversement, que les Orientaux cessent de considérer les Occidentaux comme infectés par l'hérésie de Sabellius qui ne distingue pas les Personnes divines. Face aux évêques d'Occident, Hilaire donne un sens acceptable à une formule qu'il n'approuve pas personnellement – de fait elle est à moitié hérétique, semi-arienne ! – mais dont les défenseurs apparaissent comme orthodoxes en regard des *anoméens*. Face à ceux d'Orient, il montre le vrai sens de l'*homoousios* de Nicée, bien différent de l'*homoousios* prôné par l'hérétique Paul de Samosate, un siècle plus tôt[1]. Ainsi, sans se décourager, Hilaire poursuit son œuvre d'information et de réconciliation.

Hilaire témoin des luttes doctrinales de l'Orient

Et pourtant le climat n'était guère favorable. Les excommunications mutuelles se multipliaient. Le « blasphème de Sirmium » avait soudé l'orthodoxie de l'Occident et provoqué un sursaut en Orient. Hilaire en attribue généreusement la paternité à ses amis, en particulier Phébade d'Agen. « Votre constance, leur dit-il, a obtenu cette double gloire, d'une conscience demeurée pure et d'un grand exemple donné. La renommée de votre foi invaincue a conduit plusieurs évêques orientaux à la honte tardive d'avoir entretenu et fomenté l'hérésie.

1. Voir notamment *De Syn.* 81 et 86.

Quand ils connurent la formule impie rédigée à Sirmium, ils publièrent plusieurs décrets pour s'opposer à l'audace des ennemis de la vraie foi[1]. » Est-ce tout à fait exact ? L'historien peut douter de l'influence des évêques d'Occident sur ceux d'Orient. Les évêques d'Alexandrie, d'Antioche, de Césarée et d'Ancyre étaient, depuis un siècle, rompus aux joutes théologiques, alors que leurs collègues des Gaules et de Bretagne ignoraient, jusqu'à une date récente, même l'*homoousios,* mot-clé du concile de Nicée. Hilaire en témoigne expressément[2] et les événements des années 353-356 confirment la médiocre compétence théologique de l'épiscopat occidental. « C'était là des problèmes qui, pastoralement, n'intéressaient pas les évêques de Gaule[3]. »

Quoi qu'il en soit, en Orient la réaction au « blasphème de Sirmium » fut menée par Georges de Laodicée, Basile d'Ancyre et quelques autres évêques d'Orient. Hilaire se réjouit de ce revirement. Sans doute beaucoup d'évêques sont-ils ariens. « L'autorité de l'erreur a grandi par la perversité de quelques-uns et les exils d'évêques dont vous savez la cause ont accru la puissance des impies. Je ne dis rien qui me soit étranger, je n'écris rien que j'ignore, j'ai entendu et vu les vices de ceux qui étaient devant moi : non pas des laïques, mais des évêques. A part l'évêque Éleusius et avec lui un petit nombre, la plus grande partie des dix provinces d'Asie où je suis ne connaît pas vraiment Dieu[4]. » Mais le mouvement amorcé au

1. *De Syn.* 3.
2. *Id.* 91.
3. M.J. Le Guillou, « Hilaire entre l'Orient et l'Occident » (conférence donnée à Poitiers, le 2 avril 1968) dans *Hilaire de Poitiers, évêque et docteur,* Paris 1968, p. 42.
4. *De Syn.* 63. Trad. É. Griffe, *La Gaule...* I, p. 246, complétée.

synode d'Ancyre à Pâques 358, quoique douteusement orthodoxe, laisse espérer le triomphe de la vraie foi. La condamnation des *anoméens* au synode de Sirmium (été 358) donne de l'espoir à Hilaire. Il peut considérer les *homéousiens* (ou *homoïousiens*) comme ses amis. Lui qui n'a jamais cessé de dialoguer même avec les hérétiques, et de fréquenter leur maison de prière [1], a une raison de plus de travailler au rapprochement des Églises, si tragiquement dressées les unes contre les autres. C'est dans cet esprit qu'il poursuit la rédaction du *De Trinitate* et rassemble l'abondante documentation du *De Synodis*.

Comment réagit-il aux mesures brutales prises contre les *anoméens* à l'initiative de Basile d'Ancyre ? Son âme pacifique dut en souffrir. Ce n'est pas ainsi que le Christ se comportait envers ses adversaires. Les dépositions d'évêques hérétiques appelaient une revanche [2].

Alors que le *De Synodis* était achevé, un nouveau revirement s'opéra en Orient. Les *anoméens* reprirent le dessus et, le 22 mai 359, à Sirmium, un nouveau formulaire était mis au point par l'évêque Marc d'Aréthuse. Ce *Credo daté* (comme on l'appela) traçait une sorte de voie moyenne entre l'*anoméisme* radical l'Aèce et l'*homéousianisme* de Basile d'Ancyre. On y définissait que *le Fils était semblable au Père*, sans préciser en quoi. Une formule aussi vague eut les faveurs de Constance, qui mit toute son énergie à l'imposer à l'épiscopat. Hilaire dut sentir l'inanité de ses efforts de conciliateur. La position adoptée dans le *De Synodis*

---

1. *In Const.* 2.
2. PHILOST., *Hist. eccl.* IV, 8, parle de 70 évêques déposés. On peut croire que le chiffre est exagéré par cet historien, dont toutes les sympathies vont aux anoméens. Mais le fait semble incontestable.

était dépassée. Désormais, il fallait combattre ce nouvel avatar de l'hérésie arienne. C'est ce à quoi il consacra son activité à partir de l'été 359.

Hilaire à Séleucie Les historiens expriment leur surprise en constatant la présence d'Hilaire au concile oriental de Séleucie. Sulpice Sévère « conjecture » que ce fut par manque d'instructions précises, de la part de Constance, que le vicaire du diocèse d'Asie et le gouverneur de la province de Phrygie convoquèrent un évêque gaulois et qui plus est, exilé, à un synode d'Orient. Il reçut son ordre de mission et son passeport pour se rendre en Isaurie, en utilisant la poste impériale, comme les autres évêques [1]. Faut-il prendre au pied de la lettre les appréciations suivantes de Sulpice Sévère ? Selon lui, cette erreur de l'administration fut commise « par une inspiration de Dieu, de manière qu'un homme si versé dans les choses divines fût présent au moment des discussions sur la foi. Dès son arrivée à Séleucie, il fut accueilli très favorablement et gagna l'affection de tous les cœurs [2]. » Les réminiscences de Tite Live ne sont pas une raison suffisante pour rejeter les affirmations de Sulpice, malgré le ton du panégyrique. Mais, écrivant quarante ans après les événements, l'historien est sans doute impressionné par la gloire posthume de son héros. Aucun témoignage contemporain ne fait écho à

1. SULP. SÉV., *Chron.* II, 42, *PL* 20, 153, *CSEL* 1, p. 95.
2. *Id.* « Dei nutu ita gestum ut uir diuinarum rerum instructissimus, cum de fide disceptandum erat, interesset. Is, ubi Seleuciam uenit, magno cum *fauore* exceptus *omnium* in se animos et studia conuerterat. » – cf. TITE LIVE, *Hist.* XXI, IV 1 : « Missus Hannibal in Hispaniam primo statim aduentu *omnem* exercitum *in se conuertit...* 2 Dein breui effecit ut pater in se minimum momentum ad *fauorem* conciliandum esset. »

un rôle quelconque d'Hilaire au concile de Séleucie. On peut s'étonner que le grand Athanase lui-même, soutenu si constamment par Hilaire, n'ait jamais prononcé le nom de son émule et défenseur[1].

Hilaire eut-il à blanchir ses collègues occidentaux du soupçon de sabellianisme ? Les évêques orientaux, satisfaits des explications données, l'admirent-ils ensuite dans leur communion et aux séances du Concile ? A lire le *De Synodis* et le *De Trinitate,* nous ne trouvons pas le fait invraisemblable[2], mais, encore une fois, aucun écrit du temps ne confirme les propos prêtés à Hilaire par Sulpice. La question est, d'ailleurs, secondaire : ce qui est sûr, c'est la présence d'Hilaire à Séleucie.

Hilaire à Constantinople   L'évêque de Poitiers nous a laissé des renseignements de première main sur les débats du synode, dans son *Livre contre l'empereur Constance*[3]. Mais avant d'écrire cet ouvrage, Hilaire voulut tenter un dernier effort en faveur de l'orthodoxie nicéenne. La minorité *homoousienne* (essentiellement les Égyptiens) ne put se faire entendre. La majorité *homéou-*

---

1. Hilaire a souvent défendu Athanase dans ses écrits antérieurs. « Choses singulière ! Ce grand champion de l'orthodoxie nicéenne, qui a tant combattu et tant souffert pour Athanase, semble lui être demeuré inconnu. Pas une seule fois il n'est nommé dans les ouvrages de l'évêque d'Alexandrie. » L. Duchesne, *Hist. anc. de l'Église,* t. II, p. 525.

2. V.g. *De Trin.* VI, 11, *CCL* 62, p. 207 ; *De Syn.* 81, *PL* 10, 534 (réfutation du sabellianisme).

3. *In Const.* 12. Souvent, Hilaire insiste sur le fait qu'il a vu et entendu, qu'il était présent, v.g. *ibid.* 13 : « Loquor autem uobis quod ego ipse... *audiui.* » *De Syn.* 63 : « *Audiui* ac *uidi* uitia praesentium, non laicorum, sed episcoporum » ; 90 : « *Non famae fabulam loquor* : litterarum fidem teneo, non a laicis sumptam, sed ab episcopis datam. »

sienne ayant imposé ses vues dès la première session, les partisans *anoméens* d'Acace et d'Eudoxe quittèrent très tôt Séleucie pour Constantinople, laissant les *homéousiens* régler entre eux les questions de personnes : réhabilitation des évêques déposés, excommunication des *anoméens*. Selon Sulpice, Hilaire suivit les délégués des *homéousiens*[1] jusqu'à Constantinople. On peut s'étonner, une fois de plus, de cette liberté qui lui est concédée. Indifférence ou complaisance de la police impériale ? Les deux hypothèses sont plausibles. Peut-être voulait-on l'ignorer. Peut-être aussi la dignité et la fermeté de son caractère en imposaient-elles. Peut-être, enfin, jouissait-il en haut lieu de puissantes protections.

Au dire de Sulpice, il composa « trois libelles » vers la fin de 359. Il n'est pas facile de savoir à quels opuscules il fait ainsi allusion. Sous le titre commun de *Livres à l'empereur Constance,* le *Corpus* hilarien, constitué dès le début du VIe siècle avec le manuscrit *D 182* de la Basilique Vaticane, porte, à la suite, l'*In Constantium,* l'*Ad Constantium I* et l'*Ad Constantium II.* Mais, nous savons que l'*Ad Constantium I* : « Benignifica... » doit être rattaché au *Fragment II* (= *CSEL 65, Series B,* de Feder), c'est-à-dire à la lettre des évêques d'Occident envoyée lors du synode de Sardique en 343. Dans ce cas le troisième *libelle* pourrait être le *Fragment* X, 2-4 (= *CSEL* 65, *Séries B* VIII, 2, p. 175-177), qui est une vigoureuse invective contre les délégués de Rimini[2]. Mais cette solution demeure très discutée. Sulpice Sévère doit-il être cru sur parole ?

---

1. SULP. SÉV., *Chron.* II, 45.
2. Nous renvoyons à É. GRIFFE, *La Gaule...* I, p. 254 et n. 48, pour cette discussion et pour la traduction du *Fragment* X, 2 et 4. La question de l'*Ad Constantium I* a été clairement exposée et résolue

Selon lui, Hilaire rencontre à Constantinople les délégués des Occidentaux et, parmi eux, ses ennemis de toujours, Ursace, Valens et Saturnin. « Il comprend la gravité du péril couru par la foi... et il sollicite l'audience du prince pour discuter de la foi en présence de ses adversaires[1]. » Cette indication de Sulpice nous montre qu'Hilaire, non content de publier « trois libelles », ne craint pas de se présenter devant l'empereur. Il n'avait aucune chance d'être reçu. Constance avait d'autres soucis que d'écouter cet évêque des Gaules. Il préparait l'inauguration de son dixième consulat. La paix religieuse devait à tout prix être proclamée à cette occasion. Or, les résistances, tant des évêques d'Occident à Rimini que ceux d'Orient à Séleucie, n'étaient pas encore brisées en cette fin de 359. L'empereur ne pouvait recevoir un nouvel évêque contestataire.

Hilaire essuya donc un refus. Le libelle qu'il présenta à l'empereur[2] lui parvint-il ? Constance n'en prit sans doute jamais connaissance, car nous n'avons aucun écho des réactions impériales dans les œuvres postérieures d'Hilaire. L'évêque de Poitiers resta ignoré de la chancellerie de Constantinople. Le *Livre à Constance* : « Non sum nescius... » fut rédigé vers la fin de 359.

par A. WILMART, « L'Ad Constantium Liber Primus de S. Hilaire de Poitiers et les Fragments historiques », dans *Rev. Bén.*, t. XXIV, 1907. A. FEDER reprend les mêmes conclusions avec quelques nuances, dans *Studien zu Hilarius von Poitiers,* I, Wien 1910.

1. SULP. SÉV., *Chron.* II, 45.
2. JÉRÔME, *De uiris inl.* 100, *PL* 23, 699 : « Est eius et ad Constantium libellus quem uiuenti Constantinopoli porrexerat. » La tradition manuscrite a repris cette mention de Jérôme concernant le *Liber II ad Constantium* : « Non sum nescius... » Nous lisons en effet la suscription : « Incipit Liber II eiusdem ad eundem quem et Constantinopoli ipse tradidit » dans les codd. B, C et avec quelques variantes, dans plusieurs de leurs descendants. Voir chap. III, *infra.*

Quant au *Liber in Constantium inperatorem,* Jérôme en
reporte la publication après la mort de Constance[1].
La question mérite examen.

C. LE RETOUR D'EXIL ET LE
« LIVRE CONTRE L'EMPEREUR CONSTANCE »

**Hilaire
quitte Constantinople** Après avoir célébré ses
decennalia, le 1ᵉʳ janvier 360,
Constance réunit, dans sa capi-
tale, une cinquantaine d'évêques. La formule, préparée
à Rimini par Ursace et Valens et acceptée par les
orientaux Acace et Eudoxe, fut proclamée doctrine
officielle : « Le Fils est semblable au Père selon les
Écritures ». Qu'on n'ajoute rien à cette phrase et
surtout qu'on proscrive les mots *ousie* et *hypostase,* car
ils sont inconnus du peuple et lui causent du scandale[2].
L'*homéisme* devenait la foi de l'Église. Hilaire ne
pouvait se satisfaire d'un *Credo* aussi vague, et très
équivoque. Il le dit à qui voulait l'entendre, tant et si
bien que « ce semeur de discorde et ce perturbateur
de l'Orient reçut l'ordre de retourner dans les Gaules,
sans être amnistié de son exil[3] ». Le départ dut
s'effectuer dès la fin de janvier ou au début de février,
car Hilaire n'avait plus de raison de s'attarder à
Constantinople après ses échecs répétés. Mais il
emprunta la voie de terre, car la navigation ne s'ouvrait

---

1. *Ibid.* : « et alius in Constantium quem post mortem eius
scripsit. »
2. Nous résumons le texte de SOZOMÈNE, *H.E.,* IV. 24, *PG* 67,
1189 A. Les derniers mots sont empruntés au *Credo* daté (22 mai
359) et rapportés par ATHANASE, *De Syn.* 8, *PG* 26, 693 B.
3. SULP. SÉV., *Chron.* II, 45.

qu'au printemps, à moins qu'il ait attendu dans un port de la Grèce un bateau en partance pour Rome. Nous savons par Sulpice Sévère qu'il passa par cette ville avant de regagner Poitiers.

Les motifs du départ d'Hilaire restent assez obscurs[1]. Les historiens trouvent peu vraisemblables les deux explications contradictoires fournies par Sulpice Sévère. Dans sa *Chronique*, il parle d'un *ordre* intimé par l'empereur d'avoir à vider les lieux. Mais comme la sentence d'exil n'est pas rapportée, c'est donc une nouvelle « résidence surveillée » qui est imposée à Hilaire. Cependant une objection surgit aussitôt : « Si réellement l'empereur et ses conseillers considèrent Hilaire comme un semeur de discorde et un fauteur de troubles, n'est-il pas très étonnant qu'il soit, par ordre, renvoyé dans les Gaules qui venaient de montrer une velléité de résistance à la politique d'unification religieuse, et où Hilaire, auréolé du martyre de l'exil, pourrait reprendre la lutte ? Ni la raison d'État, ni l'intérêt de la paix religieuse, ne poussaient à une telle opération : l'habileté manœuvrière de Constance et des évêques palatins n'a pu concevoir un acte aussi imprudent[2] ». L'objection est sérieuse.

Peut-on accepter la seconde explication de Sulpice, proposée dans sa *Vie de saint Martin* (6,7) ? Pris de « repentir », le prince aurait donné à Hilaire la « per-

---

1. *Vita S. Martini*, 6, 7. (*SC* 133, p. 266). Dans son commentaire (*SC* 134, p. 605-606), J. Fontaine ne croit pas du tout à un repentir (*paenitentia*) du prince, bien invraisemblable en effet.

2. L'expression « résidence surveillée » est de J. Fontaine, *SC* 134, p. 605. La longue citation qui suit est de M. MESLIN, « Hilaire et la crise arienne », dans *Hilaire et son temps*, p. 37. Mais la solution proposée par cet historien : la fuite précipitée d'Hilaire, ne satisfait guère. Cf. Y.-M. DUVAL, « La " manœuvre frauduleuse " de Rimini », *ibid.*, p. 52, n. 3.

mission » de retourner dans sa patrie. Lorsqu'on connaît le caractère intraitable de Constance, accessible aux soupçons et incapable de pardonner une offense[1], une telle mesure de grâce semble improbable. Ne pourrait-on chercher la solution de l'énigme dans la *Lettre à Constance* ? Hilaire y rappelle que son exil n'est pas dû à une faute personnelle, mais à une cabale : ce sont des hommes impies qui l'ont dénoncé à l'empereur par de faux rapports et non en raison de sa culpabilité... Or l'exécuteur ou l'instigateur de tous ces forfaits se trouve dans la capitale. Hilaire, sûr du témoignage de sa conscience, démontrera que l'Auguste a été circonvenu et qu'on s'est joué de son César (Julien)[2].

Ainsi l'auteur véritable de son exil est Saturnin d'Arles. Ne serait-il pas également l'auteur de son renvoi ? Une fois de plus, l'empereur aurait été « circonvenu » et, sur le conseil de ses flatteurs, Ursace, Valens et, en premier lieu, Saturnin, il se serait débarrassé du gêneur en le réexpédiant dans sa Gaule lointaine. Saturnin pensait bien régler sur place son compte à Hilaire, en le neutralisant comme il avait neutralisé à Rimini Servais de Tongres et Phébade d'Agen[3]. Le calcul se révéla faux. Mais pouvait-on prévoir en janvier 360 la révolte prochaine du César Julien et la situation favorable créée à l'orthodoxie par

---

1. Voir AMM. MARCELLIN, XIV, 5, 9 ; 11, 4-7 ; XV, 3, 9 ; XXI, 16, 19. Sur la cruauté de Constance, X. LUCIEN-BRUN, « Constance II et le massacre des princes », dans *Bulletin de l'Association Guillaume Budé*, (Suppl. *Lettres d'Humanités*), XXXII, 4, Paris 1973, p. 585-602.

2. *Ad Const. II*, 2, (*CSEL* 65, p. 198).

3. SULP. SÉV., *Chron.* II, 44 : JÉRÔME, *Dial. aduersus Lucif.* 18 ; HILAIRE, *Fragm. Hist.* X, 3 (= *CSEL* 65, Series B VIII, p. 176). Cf. l'art. de Y.-M. DUVAL, (cité *supra* p. 27, n. 2). Le rôle prépondérant de Saturnin est bien mis en relief par SULP. SÉV. *Chron.* II, 40. 45.

les événements du printemps 360 ? Telle est l'hypothèse
que j'aimerais proposer.

Date du « Livre contre l'empereur Constance »
Faut-il établir un lien entre le *Livre contre l'empereur Constance*[1] et le
renvoi d'Hilaire dans les Gaules ? Cela paraît douteux.
L'empereur n'avait pas lu la lettre qui lui était destinée
et il avait feint d'ignorer la demande d'audience. S'il
avait eu connaissance des pages violentes du nouvel
ouvrage, ce n'est pas un renvoi en Gaule, mais une
arrestation et une incarcération qui auraient puni l'audace d'Hilaire, en attendant une condamnation sévère.
Du reste, on s'accorde généralement pour croire à une
publication différée du libelle, comme nous pensons
pouvoir l'établir. Dissocions donc les deux ordres de
faits.

Sur quoi se fonde-t-on d'ordinaire pour dater le *Livre
contre l'empereur Constance* ? Sur l'indication chronologique donnée au chapitre 2 de ce même ouvrage :
« Après l'exil des saints personnages Paulin, Eusèbe,
Lucifer, Denis, voilà plus de quatre ans que je me
séparai, avec les évêques des Gaules, de la communion
de Saturnin, d'Ursace et de Valens. » Nous avons vu
que cette excommunication n'a pu intervenir qu'à la
fin de 355, après le synode de Milan[2]. Le *quinto
abhinc anno* suppose que la cinquième année est en
cours[3] au moment où Hilaire écrit ces lignes. D'où la

---

1. Nous justifions, *infra*, le titre de l'ouvrage dans l'étude de la
tradition manuscrite. En latin : *Liber in Constantium imperatorem*.
2. Voir plus haut, p. 12.
3. D'où les traductions un peu divergentes de cette expression :
« il y a quatre ou cinq ans de cela » (Griffe, p. 225) ; « il y a cinq
ans » (Blaise, *S. Hil. de P.*, p. 113) ; « il y a quatre ans » (Doignon,
p. 456 – mais, note 3 : « quatre ans et plus »).

thèse traditionnelle : rédaction dans les premiers mois de 360, après le synode de Constantinople, pour exprimer sa rancœur contre le prince hypocrite et persécuteur [1].

Les étapes d'une rédaction

Une telle interprétation nous paraît simpliste et discutable. Si l'on en croit Jérôme, le *Livre contre Constance* ne fut « écrit » qu'après la mort de l'empereur, soit, au plus tôt, en décembre 361. C'est le seul témoignage *externe* que nous livre, sur la composition de l'ouvrage, un écrivain de l'époque. Il doit être pris en considération, car il est de peu postérieur aux événements, une trentaine d'années environ [2]. Mais nous devons prendre garde au sens des mots. Pour Jérôme, un livre est « écrit » lorsque le scribe ou copiste (*librarius*) a établi une copie authentique du texte de l'auteur (*exemplar*) [3]. Cette copie peut être le point de départ d'autres copies faites par ou pour des amis. Il est possible et même probable que le texte

---

1. M. MESLIN, *op. cit.*, p. 38, résume bien ce que j'appelle la thèse traditionnelle. *L'In Constantium* est « le plus violent pamphlet qu'un évêque, doublement déçu, ait écrit contre l'Empereur, qui l'avait exilé sans le connaître et l'avait laissé revenir en continuant de l'ignorer. » C'est l'opinion de Largent, Duchesne, Batiffol, Bardy, Griffe. Il existe un autre courant, représenté par Coustant, Galtier, Blaise. Nous y reviendrons. Cf. *infra*, p. 41.

2. On date le *De uiris inlustribus* de 392. N'oublions pas que Jérôme a copié de sa main, à Trèves, le *Commentaire des Psaumes* et le livre *Des synodes*. Cf. *Epist.* V, 2, *ad Florentium*.

3. Cf. H.-I. MARROU, « La technique de l'édition à l'époque patristique », dans *Vigiliae Christianae*, Vol. III, janvier 1949, surtout p. 221 ; E. ARNS, *La technique du livre d'après saint Jérôme*, Paris 1953, notamment p. 66-67 ; 75-77 ; 82-85. Arns remarque (p. 85) qu'une « œuvre de longue haleine n'était pas toujours éditée en une seule fois, on la publiait au fur et à mesure que les parties en étaient terminées ».

du *Livre contre Constance* a été connu par un cercle d'amis, au moins dans quelques-unes de ses parties, avant décembre 361. Mais la rédaction définitive – qui seule permet de dire que le livre est « écrit » – ne serait intervenue qu'après le 3 novembre 361, date de la mort de Constance. Dès lors, on pouvait l'*éditer*, c'est-à-dire le publier, le diffuser dans le public. Cette supposition est fondée sur l'examen du *Livre contre Constance*. La critique *interne* nous semble fournir une sérieuse présomption en sa faveur.

D'abord, en étudiant la composition de l'ouvrage, nous découvrons des disparates qui suggèrent des états successifs de la rédaction, des raccords et des compléments. Les vingt-sept chapitres présentent deux sections que j'appellerais impersonnelles et deux sections personnelles, ou, si l'on préfère, une double section *il* : ch. 1-6 et 12-16, et une double section *tu* : ch. 7-11 et 16-27. Les sections 1-6 et 12-16 s'adressent aux évêques, comme l'indiquent le début du ch. 2 : *Ego, Fratres...* et celui du ch. 13 : *Loquor autem uobis...* Le parallélisme des deux sections impersonnelles est souligné par des expressions semblables au début du ch. 3 : *Si quis igitur...* et au début du ch. 12 : *si cui... si quis... si quis... si quis...* Dans les deux cas, l'auteur affirme qu'il proclame la vérité, sans céder au ressentiment et sans calomnier ses adversaires. Les mots *vérité, vrai, liberté apostolique, modération* sont claironnés face aux mots *mensonge, mentir, maudire, se plaindre, s'irriter.* Hilaire se défend d'exhaler une rancœur personnelle et il répète que seule la cause du Christ le pousse à parler[1].

---

1. Rapprocher (ch. 3) : « nunc demum fideli in Christo libertate testante » de (ch. 6) : « non sumus extra apostolicam libertatem » ; les mots : « rationem silentii mei » et « post longum haec silentium arguentes » ; « moderatum » et « modestiam », etc.

De tels accents se comprennent fort bien, s'ils sont une *justification* des reproches qui lui ont été adressés après la lecture de la section 7-11, la plus violente de tout le livre. Hilaire, à mon avis, aurait écrit, dès son arrivée à Poitiers, sans doute au cours de l'été 360, une vigoureuse invective contre Constance *l'Antichrist* et l'aurait communiquée à des collègues. Ceux-ci, ne voulant pas croire l'empereur capable d'une telle cruauté et d'une telle fourberie, auraient blâmé l'évêque de Poitiers. Pour les convaincre et se laver de tout soupçon, Hilaire leur aurait transmis alors les notes qu'il avait écrites, en Orient, peut-être dès la fin de 359, à son arrivée à Constantinople. C'était un résumé historique de son activité avant l'exil (2) et au concile de Séleucie (12-15). Il y ajouta les ch. 3-6 qui sont une réponse aux deux reproches principaux qu'on lui fait : pourquoi ces attaques virulentes après un *silence* pour le moins suspect ? pourquoi appeler Constance *l'Antichrist*[1] ? Il a dû présenter sa justification lors des « nombreux conciles »[2] réunis à son initiative dans plusieurs villes des Gaules.

Un parallèle éclairant

Pour achever la démonstration, il prépara la section 16-27, qui servit de compendium aux évêques réunis à Paris fin 360 ou début 361. Il est très remarquable en

---

1. Premier reproche, ch. 3 ; « Si quis... rationem *silentii* mei percipit... ad haec scribenda arguit incitatum » et la conclusion au ch. 6 : « ... post longum haec *silentium* arguentes ». – Second reproche au ch. 6 : « Sed *temerarium* me forte quisquam putabit, quia dicam Constantium antichristum esse ». Conclusion à la fin du ch. 6 : « Non est istud *temeritas*, sed fides ; neque inconsideratio, sed ratio ; neque furor sed fiducia ».

2. Sᴜʟᴘ. Sᴇ́ᴠ., *Chron.* II, 45.

effet que le *Fragment* XI (= CSEL 65, Séries A-I,
p. 43-46), qui est la lettre des évêques des Gaules à
leurs collègues d'Orient, fasse plusieurs fois l'éloge
d'Hilaire, leur « bien aimé frère et collègue dans le
sacerdoce », mais surtout reprenne les principaux points
du développement doctrinal contenu dans les ch. 16-22
du *Livre contre Constance*. La lettre s'ouvre par une
action de grâces « à Dieu le Père par notre Seigneur
Jésus Christ », formule traditionnelle dans les épîtres
de S. Paul. Les évêques des Gaules remercient Dieu
de la *lumière* qu'ils ont reçue par l'enseignement des
prophètes et des apôtres, échappant ainsi aux *ténèbres*
du siècle, et ils confessent les trois Personnes divines
« Dieu le Père tout puissant par son Fils unique le
Seigneur Jésus Christ dans le Saint Esprit ». Ils se
félicitent d'être libérés « de l'erreur du monde », mais
surtout « de ne plus être mêlés à la société impure
des hérétiques ».

C'est alors qu'ils soulignent que la lettre confiée ou
adressée [1] par les évêques d'Orient à leur « cher frère
et collègue Hilaire » leur a fait connaître « la fraude
du diable et le génie des hérétiques qui conspire contre
l'Église du Seigneur ». J'y verrais volontiers l'écho du
ch. 17 du *Livre contre Constance* où Hilaire écrit : « Je
ne tairai pas la subtilité trompeuse de ton génie
diabolique ». La lettre fait ensuite état de la tromperie
dont les Occidentaux furent victimes à Rimini et à
Nikê, où, sur la foi des Orientaux, ils consentirent à
supprimer le mot *ousie* (substance), alors qu'ils l'avaient
adopté et fidèlement gardé depuis Nicée pour combattre
l'hérésie des Ariomanites. Ils emploient le terme d'*Ario-*

---

1. *Fragm.* XI, 1 : « credidistis (*var.* direxistis) ». (*CSEL* 65, p. 44,
19). Le mot est mal assuré.

manite, qu'ils avaient sans doute lu dans les œuvres d'Hilaire [1].

Mais c'est surtout au ch. 2 (du *Fragment* XI) que les évêques des Gaules semblent avoir sous les yeux le *Livre contre Constance.* Ils utilisent les textes scripturaires allégués par Hilaire au ch. 18 en faveur de « l'unité de substance » (*omousion*) du Père et du Fils, essentiellement *Jn* 10,30 et *Jn* 10,38, avec une allusion à *Col.* 1,15 (texte expliqué au ch. 21). Ils insistent, comme Hilaire aux ch. 18 et 22, sur l'opposition entre l'unicité de personne (*unio*), qui est l'hérésie sabellienne, et l'unité de nature (*unitas*), qui est la doctrine catholique. Le ch. 3 de la lettre s'inspire de ch. 22 du *Livre contre Constance,* pour rejeter l'épithète d'*innascible,* attribuée, selon les ariens, par les catholiques, au Fils unique de Dieu.

De telles rencontres d'expression seront peut-être jugées insuffisamment probantes. Mais l'insistance du ch. 4 sur le rôle d'Hilaire « notre frère, fidèle prédicateur du nom du Seigneur », sur « la profession de notre frère Hilaire qui a refusé de faire la paix avec les sectateurs de l'hérésie », invite à y déceler une intention très nette de se référer aux paroles et aux écrits de l'évêque de Poitiers. Ce, d'autant plus que la lettre se termine par une déclaration d'orthodoxie et la condamnation de Saturnin, de nouveau excommunié. Or cette phrase rappelle expressément la sentence portée cinq ans auparavant à l'initiative d'Hilaire et

1. *De Trin.* VII, 7, *CCL* 62, p. 266 et *PL* 10, 205, note a, où l'étymologie est expliquée ; *Fragm.* II, 3, *PL* 10, 634 *CSEL* 65, p. 44, 2 (execrabilem heresim Ariomanitarum) ; cf. PHÉBADE, *Liber contra arianos* XIX, *PL* 20, 27 (uesana Ariomanitarum doctrina). Il est possible que Phébade ait été le chef et l'animateur du concile de Paris, en l'absence d'Hilaire. Car la lettre fait l'éloge d'Hilaire comme d'un absent. Cf. *PL* 10, 709-710, *note d.*

mentionnée au ch. 2 du *Livre contre Constance*. L'ouvrage n'était certainement pas inconnu des évêques réunis au synode de Paris (fin 360 ou début 361) et nous croyons qu'il a inspiré les décisions qui furent prises contre Saturnin, car Paris est la revanche de Béziers.

Hypothèse proposée

Résumons. Hilaire emporte dans ses bagages la lettre de ses collègues orientaux[1] et (cela prendra place dans le *C. Const.*) une relation de son activité avant l'exil (ch. 2) et à Séleucie (ch. 12-15). Après son escale à Rome, à la fin du printemps 360, et après son passage à Toulouse[2], au début de l'été, il rédige à Poitiers une violente invective contre l'empereur (ch. 7-11), en s'inspirant de Lactance[3]. Ce passage, où il démontre notamment que Constance est un *Antichrist,* n'est relié en aucune façon au ch. 6 et au ch. 12, ce qui nous

1. *Fragm.* XI, 1, *CSEL* 65, p. 43.
2. *In Const.* 11. Quelle que soit l'interprétation donnée à la notice sur le pape Libère, Hilaire n'a pu l'écrire qu'après son passage à Rome. D'autre part, les violences exercées sur l'Église de Toulouse paraissent être décrites par un témoin auriculaire qui a recueilli sur place des informations précises.
3. S'inspirant de LACTANCE, *De mort. persec.* II, 8, (antichristi praecedat aduentum, *SC* 39, p. 81), Hilaire, au début du ch. 7, reprend le thème du « théomachos » (contra Deum pugnas) et emprunte les expressions de son modèle : « antichristum praeuenis ». La mention du diable (de diabolo uincis) est l'écho de Lactance : « ut praecursor diaboli ». Il évoque le trio des grands persécuteurs, les plus odieux, selon Lactance : Néron (II, 7), Dèce (IV, 1), Maximien Galère (XXV, 2 ; cf. IX, 4 ; XXXII, 8). Ce sont les trois seuls qui sont traités de *bête* (bestia, animal), parmi les neuf tyrans nommés par Lactance.

pousse à croire qu'il forme un tout indépendant[1]. Les collègues d'Hilaire, après avoir lu ce pamphlet, lui font des remontrances assez vives. Saturnin n'y est sans doute pas étranger[2]. Alors il leur montre ses notes (ch. 2 et ch. 12-15) et il rédige sa justification. Il prouve, en particulier, qu'il n'est pas « impertinent »[3] en appelant Constance un *Antichrist* (ch. 3-6).

Satisfaits de ces explications, les évêques gaulois lui demandent ensuite une réfutation en règle du formulaire de Nikê qu'ils ont eu la candeur[4] de signer à Rimini. Il écrit ce sommaire (ch. 16-22), en y ajoutant des compléments sur les « variations » de l'empereur, sur ses inconstances doctrinales et son infidélité envers son père Constantin (ch. 23-27). Le livre est donc connu, mais ses éléments divers ne sont pas encore réunis et raccordés. Quand Hilaire apprend la mort de Constance, il rassemble les morceaux disparates et leur donne « un chapeau », c'est-à-dire le prologue (ch. 1). Afin de sauvegarder un certain ordre chronologique, il insère son pamphlet primitif (ch. 7-11) entre la séquence historique du ch. 2, flanquée de l'apologie de sa conduite (ch. 3-6), et l'autre séquence historique, celle des ch. 12-15.

---

1. Hilaire démontre que Constance est un *antichrist,* parce qu'il emploie la tactique hypocrite du *père du mensonge* (cf. *Jn* 8,44), le diable (ch. 7). Constance persécute en flattant : C'est l'objet des ch. 8 et 9. Ensuite, Hilaire traite Constance de *loup rapace, habillé en brebis.* Il conclut son développement (fin du ch. 11) par ces mots qui reprennent l'idée du début : « Si mes paroles sont mensongères, Constance, tu es une brebis ; mais si tels sont tes actes, tu es un Antichrist. » Remarquer l'absence de particule de liaison au début du ch. 7.

2. Cf. SULP. SÉV., *chron.* II, 45.

3. Voir *supra*, p. 32, n. 1 (temerarius, temeritas).

4. Cf. Frag. XI, 4 (*CSEL* 65, p. 45, 8) : « cum ex litteris uestris in usiae silentio fraudem se passam simplicitate nostra cognoscat... »

En effet, les événements relatés au ch. 11 ont précédé le concile de Séleucie.

Par une transition habile, l'auteur introduit sa démonstration théologique des ch. 16-22 en feignant de s'adresser à l'empereur. Pour cela, il cite, en style direct, une de ses paroles favorites : « Je ne veux pas de mots qui ne soient pas scripturaires[1] » ; par une figure familière à tous les orateurs, il l'apostrophe ainsi : « Je (te) demande *enfin* qui peut commander aux évêques... Dis en premier lieu... » etc. La démonstration achevée (fin du ch. 22), Hilaire reprend sa formule initiale, légèrement modifiée : « Et maintenant, je cherche ce que tu lui laisses en fait de ressemblance... ». Le lien avec le précédent développement est assuré par une reprise de la même figure oratoire : « Et maintenant, Constance, je te demande à quel symbole de foi tu crois *enfin* ». Remarquons le mot *enfin* (*tandem*) qui ouvre les deux passages symétriques ch. 16-22 et ch. 23-27[2].

Quant au prologue (ch. 1) dont le mouvement s'articule autour des mots antithétiques *parler, se taire,* il orchestre le ch. 3 qui oppose précisément la *parole* et le *silence* (4 fois *tacere*, 3 fois *loqui*, 2 fois *silentium*, 1 fois *dicere*).

Il nous semble qu'une telle hypothèse permet de concilier deux textes apparemment contradictoires : celui d'Hilaire au ch. 2 de son *Livre contre Constance*, où il écrit : « Voilà plus de quatre ans que j'ai excommunié Saturnin... » et celui de Jérôme, dans son *De uiris*

---

1. *In Const.* 16 : Cf. *De Syn. 81, PL* 10, 534 B et *Fragm.* IX, 1, *PL* 10, 703 B (*CSEL* 65, p. 87, 18) : PHÉBADE, *Liber contra arianos* VII, *PL* 20, 18.

2. *In Const.* 16 : « Hoc *tandem rogo* quis episcopis iubeat... » 22 : « Et iam *quaero* quid ei relinquas similitudinis... » ; 23 : « Hoc nunc a te, Constanti, *requiro* in qua *tandem* fide credas ».

inlustribus, 100, où il dit : « Hilaire écrivit un Livre contre Constance après la mort de cet empereur ». Le livre a été commencé effectivement aussitôt après le concile de Séleucie, mais sa rédaction définitive et, pour ainsi dire, son « assemblage » n'ont été achevés qu'en décembre 361.

PLAN DÉTAILLÉ de l'*In Constantium*

EXORDE : *Thème* : voici le temps de parler, car c'est le règne de l'Antichrist. (**1**)

Ire : PARTIE : DÉNONCIATION DE L'ANTICHRIST PERSÉCUTEUR (**2-11**)

1. *Narration :* silence et modération d'Hilaire du synode de Milan (355) à celui de Séleucie (359).
Motif : l'espoir de conversion des égarés. (**2**)

2. *Justification personnelle* : Hilaire parle et accuse.
Motif : défendre la cause du Christ. (**3**)

3. *Digression* sur le martyre. (**4-5**)
   A. Hilaire regrette les temps de Néron et de Dèce. (**4**) *Motif* : il aurait combattu *a)* contre des ennemis déclarés, *b)* à découvert.
   B. Au temps de Constance : (**5**) il combat contre un ennemi déguisé qui trompe et qui flatte, contre l'Antichrist.

4. *Justification personnelle, conclusion* : (**6**)
a) il a le droit de parler et d'accuser, à l'exemple des Apôtres.
b) il a le droit d'appeler Constance un Antichrist, à l'exemple des Martyrs.

5. *Confirmation-Réfutation* : pamphlet central contre l'Antichrist. (**7-11**)

A. *Proposition générale* : la persécution de Constance (**7**)

a) Ce qu'elle a de commun avec celle de Néron, Dèce, Maximien : c'est une théomachie (*contra Deum pugnas*).

b) Ce qu'elle a en propre : c'est une christomachie (*Christi nouus hostis es*) ; Constance est un précurseur de l'Antichrist.

B. *Nature* de la persécution : la cruauté (**8-9**, 1-14)

a) Celle de Néron, Dèce, Maximien est cruelle, mais elle fait des martyrs et augmente la foi.

b) Celle de Constance est plus cruelle ; car elle exclut le martyre et éteint la foi. Cette persécution sournoise enseignée par le diable, père de l'Antichrist, est démasquée par le Christ, Fils de Dieu.

C. *Victimes* du persécuteur (**9**, 15-26)

a) Celle de Néron, Dèce, Maximien (*patres tui*) visait le seul Christ, Fils de Dieu.

b) Celle de Constance vise le Père et le Fils.

D. *Actes* du persécuteur (**10-11**)

a) persécution par la flatterie (*falsa ouis*) (**10**) – annoncée par le Seigneur, – accomplie par le persécuteur Constance à l'égard des évêques.

b) persécution violente (*lupe rapax*) (**11**) – en Orient (Alexandrie), – en Occident (Trèves, Milan, Rome, Toulouse).

Conclusion : Constance est un Antichrist.

IIe PARTIE : RÉFUTATION DE L'HÉRÉTIQUE ET DE SA DOCTRINE. **(12-26)**

1. *Narration* : Hilaire dénonce l'anoméisme d'Acace **(12-14)** et d'Eudoxe **(13)** au synode de Séleucie (359) et à Constantinople (360). **(15)**

2. *Réfutation* de l'homéisme de Constance. **(16-26)**

A. *Discussion* de la doctrine impériale **(16-22)**
Thèse : le Christ est non pas semblable au Père, mais égal à Dieu, selon les Ecritures, en particulier :
a) l'évangéliste Jean **(17-18)**,
b) l'apôtre Paul **(19-21)**

B. *Attaque* de la personne impériale. **(23-26)**
Thèse : les variations doctrinales détruisent la foi.
a) variations de l'empereur, du synode d'Antioche à celui de Sirmium (341-357) : la foi est abolie **(23-24)**.
b) variations des évêques d'Orient et d'Afrique : ils se rendent coupables d'apostasie **(25-26)**

PÉRORAISON : la menace du châtiment pèse sur l'empereur hérétique, car il s'attaque même aux morts : **(27)**

a) aux évêques : ceux de Nicée (325) et leurs successeurs jusqu'aux synodes de Rimini – Séleucie (359).
b) à l'empereur Constantin, champion de l'orthodoxie.

Les destinataires La question du destinataire
paraît résolue après ce que nous
venons de dire. L'ouvrage n'est pas destiné à l'empereur
Constance. A. Blaise écrit très justement : « C'est aux
catholiques que ce livre est adressé ; les apostrophes à
l'empereur sont une figure oratoire [1]. » P. Galtier écrit,
de son côté, que le livre « n'a rien d'une vengeance
personnelle ou d'un pamphlet ». Et, après l'analyse de
l'ouvrage, il conclut : « On aurait donc tort de voir
dans le *Contra Constantium* un pamphlet personnel et
politique. Pour l'évêque de Poitiers, il s'agit d'un
message au peuple chrétien, destiné à le mettre en
garde, lui et ses évêques, contre la tentative impériale
de ruiner la foi au Christ, Fils de Dieu [2]. »

Ces auteurs se rallient ainsi à l'opinion déjà exprimée
par dom P. Coustant dès le XVIIᵉ siècle. Dans sa
« recension des œuvres de S. Hilaire », il écrivait (je
respecte l'orthographe du temps) : « C'est une lettre
adressée aux Églises et non pas une insulte adressée à
Constance même. Il y marque assez qu'il était animé
du zèle du martyre en l'écrivant. Il s'est trouvé des
gens qui ont blâmé cet ouvrage, mais s'ils avoient bien
examiné ses motifs, ils auroient été obligé d'avouer
qu'il ne se peut rien voir de plus pur, et de plus
désintéressé, et de plus embrasé d'un saint zèle pour
la *foy*. Il voioit bien que ce qu'il entreprenoit ne se
devoit faire que dans la dernière extrémité ; et c'est
pour cela qu'il insiste tant d'abor à justifier son

1. *Saint Hilaire de Poitiers – De Trinitate et ouvrages exégétiques*,
Textes choisis, traduits et présentés par Albert BLAISE, Namur 1964,
p. 113, note 2.
2. P. GALTIER, *Saint Hilaire de Poitiers, le premier docteur de
l'Église latine*, Paris 1960, p. 68 et 70.

entreprise [1] ». Le *Livre contre Constance* est donc destiné aux Églises des Gaules et plus particulièrement à leurs évêques.

Cependant, une objection subsiste. Comment se fait-il que ces manuscrits de l'époque carolingienne intitulent l'ouvrage : « Épître de saint Hilaire, évêque, envoyée à l'empereur Constance » ? La confusion entre les titres où l'écrit est traité de « livre » et ceux où il est traité de « lettre envoyée » sera expliquée plus bas, au chapitre de la tradition manuscrite, *infra*, p. 142 s. Mais on peut retenir la pensée de Coustant, quand il écrit : « L'épître... doit être censée transmise à ceux que son auteur interpelle au début, et non à ceux vers lesquels il tourne ensuite ses paroles par un langage figuré. Or dans tout l'exorde de son ouvrage Hilaire interpelle les *Frères*, et c'est à eux qu'il revient encore au ch. 12, etc. A Constance, il n'adresse donc que des paroles figurées. C'est par une figure semblable qu'il interpelle longuement et abondamment les Orientaux dans le livre des Synodes, bien qu'il soit destiné, non pas à eux, mais aux évêques des Gaules [2] ».

Ne prenons donc pas pour une adresse véritable ce qui n'est qu'une figure oratoire. Les invectives violentes des ch. 7-11 n'ont pas pour but d'effrayer, d'ébranler ou de convertir l'empereur ; elles visent à réveiller la foi hésitante, à relever le courage vacillant des évêques des Gaules encore sous le coup de la terreur de Rimini. Hilaire parle haut pour convaincre ses collègues, pour

1. *Paris, BN lat. 11621, Recensio operum B. Hilarii*, t. I, p. 18. On trouve la même idée en latin, dans la *Praeuia dissertatio in librum contra Constantium*, du même auteur, reproduite par *PL* 10, 574.
2. *PL* 10, 576 B.

leur révéler la fourberie et la cruauté de Constance. Il déploie toutes les ressources de la dialectique pour leur exposer la doctrine de l'égalité du Christ avec Dieu son Père. Mais son livre ne s'adresse pas à l'empereur, qui n'en eut pas connaissance et qui ne pouvait donc y répondre[1].

Rapports d'Hilaire et de Constance Si l'empereur Constance n'est pas le destinataire de l'ouvrage, que signifient ces invectives gratuites, de la part d'un évêque rempli jusque-là d'une grande déférence envers l'autorité civile ? Le problème est réel ; car Hilaire semble avoir une double attitude à l'égard de l'empereur : respect et soumission dans tous ses autres écrits, révolte et attaques injurieuses dans son *Livre contre Constance*. Nous allons examiner la première attitude, puis la seconde, enfin nous tenterons d'expliquer cette dualité.

Déférence et soumission

Dans les écrits antérieurs au *Livre contre Constance* Hilaire se comporte en citoyen loyal et obéissant. Sous les formules protocolaires, on pourrait même déceler une certaine sympathie à l'égard d'un prince ami de la religion. Comme on l'a justement remarqué, pour les évêques d'Occident « Constance était le fils du grand Constantin, l'empereur très pieux et très aimé de Dieu : il pouvait donc demander ce qu'il voulait, nul n'aurait l'audace de désobéir à ses ordres ou même à ses désirs[2] ».

1. En raison surtout de la situation nouvelle créée, au printemps de 360, par la proclamation en Gaule de Julien comme Auguste.
2. G. BARDY, dans *Hist. de l'Égl.* (Fliche et Martin) t. 3, Paris 1945, p. 141.

De fait, les lettres recueillies par Hilaire, tant celles des évêques occidentaux à Sardique et à Rimini que celles du pape Libère, font appel à la *bénignité*, à la *bonté*, à la *mansuétude*, à la *douceur*, à la *piété* de l'empereur, mais aussi à son *équité*, à sa *sagesse* et à sa *prudence*[1]. Ce sont là plutôt des qualités qu'on lui voudrait que celles qu'il possédait, du moins si l'on en croit l'historien Ammien Marcellin[2]. Hilaire ne s'abaisse jamais à de telles flatteries. Il garde les formules d'usage lorsqu'on s'adresse à l'empereur, sans plus. Dans la supplique qu'il lui présente à Constantinople en 359/360, les expressions « très pieux, très bon et très religieux empereur[3] » font partie du protocole[4], comme nous disons « votre Excellence » à un ambassadeur ou à un évêque, « votre Béatitude » à un patriarche oriental, « votre Sainteté » au pape de Rome. Elles n'ont pas de signification particulière pour ce qui concerne les qualités morales de la personne.

Pour connaître les vrais sentiments d'Hilaire envers l'empereur Constance, il faut négliger ces titres de politesse et voir comment il se comporte envers l'auteur de son exil. Or il est très remarquable que, jusqu'en 360, Hilaire semble excuser le prince et accuser ses mauvais conseillers, surtout les évêques courtisans

---

1. *Fragm.* II, 1, *PL* 10, 632 (*CSEL* 65, p. 103) ; *Ad Const. I*, 1, *PL* 10, 557 (*CSEL* 65, p. 182) ; *Fragm.* VIII, 2 et s. *PL* 10, 701 (*CSEL* 65, p. 80). Le pape Libère (*Fragm.* V, 1-6 ; *CSEL* 65, p. 89-93) en appelle à la mansuétude, à la clémence, à l'équité, à la tranquillité de Constance.

2. Cf. *supra*, p. 28, n. 1.

3. *Ad. Const. II*, 1 et 4 (*CSEL* 65, p. 197 et 199).

4. Cf. M. BASTIAENSEN, *Le cérémonial épistolaire des chrétiens latins*, coll. « *Graecitas et latinitas christianorum primaeua* », Supplementa fasc. II. Les épithètes *religiosissimus, beatissimus, gloriosissimus, sanctissimus* sont réservées à l'empereur ou à l'évêque, *piissimus*, au seul empereur.

Ursace, Valens et Saturnin. Nous avons vu le rôle que l'évêque de Poitiers attribuait à Saturnin d'Arles. C'est lui l'« auteur » ou le « ministre » de la sentence d'exil fulminée par l'empereur après le synode de Béziers[1]. Constance a été « circonvenu » et Julien « trompé » par les faux rapports d'hommes impies. Dans son *De Synodis*, Hilaire revient à deux reprises sur cette manœuvre « enveloppante »[2] exécutée par d'habiles flatteurs à l'encontre d'un prince encore catéchumène, ignorant tout du mystère de la foi[3]. Constance, « accaparé par les guerres », a imposé une forme de croyance aux Églises, c'est-à-dire la « foi de la perfidie » arienne[4]. Mais Hilaire est convaincu que l'empereur n'est pas responsable des sentences d'exil portées contre les évêques d'Occident.

Après Rimini, on s'attendrait à un changement d'attitude. Eh bien non ! Hilaire persiste à croire que le « naufrage »[5] de l'orthodoxie est l'œuvre des mauvais conseillers de l'empereur. Dans sa *Lettre à Constance* il ne met pas en doute la sincérité d'un prince qui « désire garder une foi fondée sur l'Écriture ». Il veut se persuader que Constance n'a qu'une hâte, celle d'aller droit aux paroles mêmes du Fils unique de Dieu, de revenir à la seule foi évangélique professée au baptême, au-delà des formulaires et des symboles

1. Cf. *supra*, p. 13.
2. *De Syn.* 2, *PL* 10, 481 : « *circumuento* imperatore » ; (même mot que dans *Ad Const. II*, 2 : « *circumuentum* te Augustum ») ; *De Syn.* 78.
3. *De Syn.* 78, *PL* 10, 531. Le dernier membre de phrase est traduit de Sulp. Sév, *Chron.* II, 39, *PL* 20, 151. On sait que Sulpice a lu Hilaire et s'inspire de ses écrits. Nous avons déjà eu l'occasion de le remarquer.
4. *De Syn.* 78.
5. *Ad Const. II*, 7 : « inter haec fidei naufragia ». Citation de I *Tim.* 1, 19.

de foi qui changent chaque année et même chaque mois. Hilaire a l'audace – ou la naïveté ! – de croire au succès de l'entretien qu'il compte avoir avec l'empereur et où il lui expliquera les textes évangéliques concernant le vrai Dieu et son envoyé Jésus Christ. En tout cela se manifeste l'attitude loyale d'un sujet envers son souverain, avec le désir visible d'excuser des erreurs commises, à l'insu du chef suprême, par des sous-ordres pleins de duplicité. Quel subordonné n'a pas, un jour, outrepassé ou infléchi les ordres de son supérieur ? Dans l'administration bureaucratique du IVᵉ siècle, le fait a dû maintes fois se produire.

Attaques injurieuses ?

Même si le *Livre contre Constance* n'est pas destiné à l'empereur, le changement de ton y est très net avec les écrits précédents. Les formules respectueuses font place à des attaques violentes. Au lieu des expressions : *très pieux empereur, très bon et très religieux empereur*, nous lisons : *fausse brebis, loup rapace, antichrist*. Les appels *à la piété, à la volonté heureuse et religieuse, à la foi du prince* sont remplacés par des accusations d'*impiété, d'infidélité, de volonté persécutrice*. Le contraste est éclatant. Hilaire reproche à Constance trois vices principaux : la fourberie, la cruauté et l'impiété, il est *une fausse brebis, un loup rapace, un antichrist*.

Le rhéteur fait-il tort à l'évêque ?

On peut douter, sinon de la bonne foi, du moins de l'information d'Hilaire, quand il oppose le *bon* Constantin au *mauvais* Constance, le père si attaché à la foi de Nicée et le fils rebelle à la religion de son père[1]. Car enfin, les Eusébiens étaient vite rentrés en

1. *In Const.* 27.

grâce après Nicée, et Constantin avait bel et bien condamné Athanase et réhabilité Arius en 335. Les *variations*[1] dans la foi, si vivement reprochées au fils, n'étaient pas moins réelles chez le père. Certes, en raison de son âge et de son éloignement des lieux, Hilaire était excusable de mal connaître les événements des années 325/350. Mais un séjour de trois ans en Asie Mineure aurait dû lui permettre de se renseigner avec plus d'exactitude. Il ignorait l'*homousios* avant son exil[2]? D'accord ! Mais, après son exil, pouvait-il montrer une connaissance aussi sommaire et simpliste de la question ? Dès lors, on ne peut s'empêcher de penser qu'il obéissait à une intention déterminée et qu'il avait une raison précise de durcir ainsi l'opposition entre Constance et Constantin et d'attaquer si fort Constance.

Remarquons d'abord qu'il n'était pas dans son caractère de s'en prendre à l'autorité impériale et de prêcher la révolte : ses écrits antérieurs l'avaient abondamment prouvé. L'homme qui a excusé l'empereur, en attribuant sa sentence d'exil à la faction de Saturnin, d'Ursace et de Valens, aurait-il fait brusquement volte-face par dépit et par vengeance ? Plusieurs historiens l'admettent. Ce serait a priori assez naturel. Mais cette explication concorde-t-elle avec les témoignages des contemporains, avec l'attitude constante d'Hilaire et ses propres déclarations, avec tout ce que ses œuvres nous laissent entrevoir par ailleurs de son caractère ? Je ne le pense pas.

En effet, Hilaire nous est présenté par Rufin comme un homme « naturellement doux et paisible »[3]. Aux

---

1. Les mots *demutatio, demutare*, reviennent plusieurs fois, ch. 23, 24, 25, pour indiquer ces changements, ces variations de la foi.
2. *De Syn.* 91.
3. RUFIN, *Hist. eccl.* I, 31, *PL* 21, 501.

yeux de Sulpice Sévère, il est le médiateur entre l'Orient
et l'Occident, au concile de Séleucie en 359[1]. C'est
l'homme de la paix et de la conciliation. Tout au long
de son *De Synodis*, il s'ingénie à favoriser la compré-
hension réciproque des deux épiscopats d'Orient et
d'Occident, à tel point qu'il s'attire les foudres de
l'intransigeant Lucifer de Cagliari. Ce pacificateur aurait-
il pu devenir si subitement un polémiste outrancier ?
Les déclarations d'Hilaire rendent un son tout différent.
Il affirme ne s'être jamais abaissé à diffamer ses
adversaires, n'avoir pas cédé à la rancœur ni à un
quelconque mouvement de colère. Seule la cause du
Christ le pousse à parler[2]. S'il s'est décidé après un
long silence, il ne s'est jamais départi de la modération
et de la liberté apostolique[3]. Nous n'avons par ailleurs
aucune raison de mettre en doute la sincérité de telles
paroles.

Dès lors, ces attaques violentes contre l'empereur
visent peut-être moins à ternir sa réputation et à ruiner
son autorité, (elles ne lui sont pas destinées !) qu'à
défendre la foi au Christ et à éclairer les évêques
défaillants. Et comme Hilaire se souvient des leçons
de ses maîtres, il compose un discours polémique dans
toutes les règles de l'art, avec les figures gorgianiques
usuelles : interrogations, exclamations, apostrophes,
dilemmes, antithèses, chiasmes, anaphores, rimes et
assonances, allitérations et homéotéleutes. Mais il reste
relativement modéré, même dans la polémique. Pour
s'en convaincre, il suffit de mettre en regard les
invectives d'Hilaire avec celles de Cicéron, de Lactance

---

1. Sulp. Sév. *Chron.* II, 42, *PL* 20, 153.
2. Cf. Sancti hilarii, *Apologetica ad reprehensores libri de
synodis responsa* IV, *PL* 10, 547 B.
3. *In Const.* 3.

et de Lucifer de Cagliari[1], pour ne citer que quelques exemples significatifs.

Les injures théologiques[2] d'Hilaire sont bien pâles en comparaison. Est-ce une insulte, de dénoncer l'hypocrisie et la duplicité de Constance ? Ammien Marcellin est bien plus sévère à son égard ! Il fallait éclairer les évêques d'Occident sur le double jeu d'un prince qui les avait bernés depuis Arles jusqu'à Rimini. Il fallait mettre sous leurs yeux les persécutions violentes déchaînées sur son ordre contre les Églises d'Alexandrie, de Rome, de Milan, de Trèves, de Toulouse. Il fallait dévoiler l'impiété réelle d'un prétendu protecteur de la foi. Et pour cela les ressources de la rhétorique n'étaient pas superflues.

Mais on pourra nous objecter qu'Hilaire use de termes injurieux, lui aussi : il traite Constance de « lion en furie, de loup rapace, de chien qui retourne à son vomissement »[3]. Il n'est pas seulement pour lui, « un infidèle, un impie », mais encore « une corruption, une nuit »[4] et pour tout résumer, « un Antichrist et un messager de Satan »[5].

Hilaire a répondu lui-même à l'objection. Il parle avec la liberté du fidèle dans le Christ ; il ne sort pas des limites de la liberté et de la modération des apôtres. Autrement dit, son langage est celui du Christ

---

1. *Cicéron, In Pisonem. De signis* XLIII, 95 (Verrès le verrat). LACTANCE, *De mort. persec.* II, 6-7 ; IV, 1 ; IX, 4 ; XXV, 2 ; XXXII, 8. LUCIFER DE C., *De sancto Athanasio, CSEL* 14, p. 100-101, 113-114, etc.

2. *Antichristus, inpius, infidelis, angelus satanae.*

3. *In Const.* 1, 10-11, 25 ; 1, 10-11, 25.

4. *In Const.* 9 : Sur le sens de *corruptio = corruptor*, voir I. OPELT, *Hilarius von Poitiers als Polemiker*, dans *Vig. Chr.*, vol. 27, 3, 1973, p. 212, n. 38.

5. *In Const.* 1.

qui a mis ses disciples « en garde contre les faux prophètes qui viennent habillés en brebis, mais qui sont, au-dedans, des loups rapaces ». Il reprend les paroles de l'apôtre Pierre, qui nous demande la résistance au « diable qui, tel un lion furieux, rôde à la recherche d'une proie » ; qui applique aux faux docteurs « le véridique proverbe : Le chien est retourné à son propre vomissement ». Il ne fait que citer l'apôtre Paul en appelant Constance « le messager de Satan » ; les fameuses antithèses *vie/corruption, nuit/lumière* sont encore des réminiscences de Paul dans ses épîtres aux Galates et à Timothée. Enfin le mot *Antichrist* est tiré des épîtres de Jean [1].

En somme, Hilaire peut affirmer qu'il n'injurie en aucune manière l'empereur Constance, car il ne lance contre lui aucune attaque infamante et calomnieuse et, de plus, il s'autorise uniquement du langage utilisé par le Christ, les apôtres et l'A.T. Persuadé, en outre, que la vérité est la première des charités, il n'a pas craint de la proclamer dans le style chatoyant des rhéteurs qui plaisait à ses contemporains [2], mais surtout dans le style vigoureux de l'évangile et des épîtres. Heureusement pour nous, il n'a pas dédaigné l'éclat et la splendeur du style et n'a pas cru que la charité chrétienne dût employer un insipide jargon ou des expressions tellement nuancées qu'elles en devinssent

---

1. On reconnaîtra dans ce paragraphe les termes mêmes du *Livre contre Constance* et les citations de l'Écriture qu'Hilaire lui-même a employées. Noter, pour I Pierre 5, 8, l'expression *leo saeuiens*, et non *leo rugiens* comme la Vulgate. Au sujet de l'antichrist, on trouve dans le *Contra Auxentium*, 2 : « Nominis Antichristi proprietas est Christo esse contrarium. »

2. J. STEINMANN, (*Tertullien*, Paris 1967, p. 40) observe, à propos de l'*Ad Martyras*, que « la sincérité du cœur peut passer à travers l'exercice le plus scolaire et apparemment le plus conventionnel ».

incompréhensibles et inoffensives. Je crois même que l'empereur Constance, « qui se prétendait volontiers cultivé »[1], n'eût pas tenu rigueur à l'évêque de Poitiers, s'il avait connu le livre qui le malmenait, à condition, bien sûr, qu'il fît preuve d'un minimum d'humour !

Les violences verbales d'Hilaire n'ont pas de commune mesure avec les attaques personnelles et les injures parfois grossières, proférées par les orateurs classiques, qu'ils s'appellent Démosthène ou Cicéron, ni même avec celles que répandent dans leurs ouvrages des auteurs chrétiens tels que Tertullien, Lactance, Lucifer de Cagliari et, plus tard, Jérôme. Si la foi ardente d'Hilaire et son amour passionné du Christ le poussent à employer des images bibliques dont le caractère réaliste choque les délicats, nous savons que son cœur reste tendre et plein de bienveillance, même pour ses persécuteurs, à l'égard desquels il ne nourrit aucun sentiment de rancune ou de vengeance. Un polémiste ? Certes ! et un rhéteur qui s'enivre un peu de belles formules et de traits parfois acérés ; mais surtout un homme doux, ami de la paix et de la concorde, tel est saint[2] Hilaire.

Hilaire et Julien   Et pourtant un malaise subsiste. Hilaire, avons-nous dit, a respecté l'autorité impériale. Les attaques contre l'empereur sont, en réalité, adressées aux évêques et ne furent pas répandues dans le public du vivant de Constance. Soit. Mais le livre est connu dès la mort de Constance. Est-

---

1. AMM. MARC, XXI, 16, 4. Trad., A. Chastagnol, *Le Bas-Empire*, Paris 1969, p. 127.

2. Nous croyons avec M. DOIGNON (*Hilaire...*, p. 510, n. 3) que l'épithète *sanctus* est « plus qu'un titre officiel » sous la plume de Sulpice Sévère et de Jérôme.

il loyal d'accabler un mort qui ne peut se défendre ?
Est-il courageux d'attendre la disparition d'un adversaire
pour l'attaquer ouvertement ? Ne pourrait-on voir dans
le pamphlet d'Hilaire une flatterie à l'égard du nouveau
maître de l'Occident, l'empereur Julien ? Allons plus
loin, le *Livre contre Constance* ne serait-il pas dédié,
en hommage de reconnaissance, au prestigieux bienfai-
teur et libérateur des Gaules ?

Cette hypothèse, à première vue séduisante, doit être
vérifiée sur pièces. Or l'unique source de notre information est un court passage du *Liber II ad Constantium*.
Le voici : « Mon exil n'est pas dû à une faute personnelle, mais à une cabale ; des hommes impies m'ont
dénoncé à toi, pieux empereur, par les faux rapports
d'un synode, sans que j'aie aucune conscience de mes
fautes. Pour ma plainte j'ai un témoin de poids, mon
maître intègre, ton César Julien, qui du fait de mon
exil, a subi, de la part des méchants plus d'affronts
que moi d'injustice. En effet, la lettre de votre Piété
est étalée au grand jour ; or tous les mensonges de
ceux qui ont travaillé à m'exiler ne sont pas demeurés
dans l'ombre. L'exécuteur ou l'instigateur de tout ce
qui a été fait se trouve même en personne dans
l'enceinte de cette ville. Sûr du témoignage de ma
conscience, je dévoilerai que toi, Auguste, on t'a
circonvenu et qu'on s'est joué de ton César.[1] » Ce
texte nous pose les questions suivantes : quel rôle a
joué Julien dans l'exil d'Hilaire ? Auteur ou simple
exécutant ? A-t-il été hostile, neutre ou bienveillant ?

Julien fut proclamé César, à Milan, le 6 novembre
355, par l'empereur Constance. Au bout de trois
semaines il prit le chemin de la Gaule. A la fin de

---

1. *Ad Const. II*, 2. Nous suivons le texte de FEDER dans *CSEL*
65, p. 198.

décembre il s'établit à Vienne. Il y passa un « hiver laborieux » »[1] dans son palais des bords du Rhône. Il s'initia aux problèmes compliqués de l'administration, sous la conduite du questeur Salluste. Il s'endurcit aux exercices militaires[2]. Mais il était déjà détaché de la religion chrétienne à cette époque[3]. Aussi la préparation de sa prochaine campagne sur le Rhin a dû, semble-t-il, reléguer pour lui à l'arrière-plan les querelles théologiques qui agitaient les Gaules. Il ne paraît pas avoir porté d'intérêt, à cette date, aux luttes religieuses qui déchiraient l'Église. Son premier souci était de contenir les barbares et de les rejeter hors des frontières. Du reste, Constance gardait la haute main sur l'administration des Gaules. L'initiative de Julien était très réduite, étroitement contrôlée par Constance.

Dans ces conditions, il est vraisemblable que Julien ne fit qu'exécuter les ordres de Constance lorsqu'il convoqua le synode de Béziers. Fut-il l'auteur du décret d'exil frappant Hilaire ? Ce dernier en attribue toute la responsabilité à Saturnin d'Arles qui « a circonvenu Auguste et dupé Julien ». Même si les circonstances poussaient Hilaire à ménager la susceptibilité d'un prince aussi autoritaire que Constance et à le décharger de toute responsabilité dans l'exil des évêques, on ne peut douter de la sincérité de l'évêque de Poitiers au moment où il espérait encore une audience favorable à Constantinople[4]. Julien, selon lui, était la victime des intrigues de Saturnin au même titre que Constance. Pourtant, il avait, plus que Constance, à se plaindre des méchants

1. AMM. MARC., XVI, 2, 1, éd. Galletier-Fontaine, p. 148.
2. Cf. J. BIDEZ, *La vie de l'empereur Julien*, Paris 1965, 2, IIᵉ Partie, ch. II, p. 133-134 ; ch. III, p. 139-141.
3. *Id.*, p. 82-89.
4. La *Lettre II à Constance (Ad. Const. II)* d'où est tiré le passage cité plus haut a été écrite vers la fin de 359.

qui avaient condamné Hilaire. Car il avait subi l'affront
d'être dupé.

Plusieurs auteurs restent sceptiques. Julien a-t-il vraiment montré de la bienveillance pour Hilaire, comme
ce texte le laisse entendre [1] ? A-t-il exprimé, par la
suite, sa contrariété d'avoir signé une sentence inique ?
Aucune trace s'en subsiste dans les écrits de Julien et
de ses contemporains. Hilaire est le seul à mentionner
pareille attitude. Bien qu'il soit hasardeux de recourir
à l'argument *a silentio*, il semble exagéré de parler de
la bienveillance de Julien à l'égard d'Hilaire. J'inclinerais
à y voir simplement, avec M. Meslin, une sorte de
neutralité indifférente, du moins en 356 où le nouveau
César dissimule ses préférences pour l'*hellénisme* et n'a
pas encore formé le projet de détruire la secte des
Galiléens.

Mais lorsque Julien est proclamé Auguste par ses
troupes au printemps de 360, Hilaire ne profite-t-il pas
de la situation nouvelle ? En combattant Constance ne
fait-il pas indirectement la cour à Julien ? C'est peu
probable pour les années 360-361. Certes, Constance
était retenu en Orient par la guerre contre les Perses.
Mais il n'était pas à bout de ressources et la victoire

---

1. E. GRIFFE, *La Gaule chrétienne à l'époque romaine*, t. I, p. 227,
affirme que « Julien se montra certainement favorable à Hilaire, mais
on passa outre en s'adressant à l'empereur, si bien qu'Hilaire pourra
dire que, lorsque l'exil fut prononcé contre lui, Julien subit plus
d'affront de la part des faux évêques que lui d'injustice ». A l'opposé,
J.H. REINKENS (cité par DOIGNON, Hilaire..., p. 465, n. 4), considère
que « c'est par la faute de Julien qu'Hilaire a été contraint au
synode de Béziers ». Entre les deux, M. MESLIN, « Hilaire et la crise
arienne », dans *Hilaire et son temps*, 1969, p. 24, écrit : « A mon
sens, on ne peut, tout au plus, que songer à une neutralité de
Julien, qui se contenta de transmettre à l'empereur la lettre synodale
sans la charger d'un avis personnel défavorable ». C'est aussi l'opinion
de J. DOIGNON, *op. cit.*, p. 465, n. 4.

de Julien n'était pas acquise avec certitude. Un retournement de situation eût été possible si la mort n'avait brusquement terrassé Constance, le 3 novembre 361, alors qu'il profitait d'une trêve avec les Perses pour marcher contre Julien. Surtout, le *Livre contre Constance* ne fut connu, jusqu'à la mort de l'empereur, que par un petit cercle d'amis, si nos conjectures sont exactes.

En revanche, la publication du livre, à la fin de 361 ou dans les premiers mois de 362, a pu passer pour un témoignage de reconnaissance à l'égard d'un prince qui accordait l'amnistie aux évêques bannis et qui abolissait les sentences d'exil portées sous le règne de son prédécesseur [1]. S'il en est ainsi, comment ne pas être mélancolique à la pensée des échecs répétés d'Hilaire chaque fois qu'il a voulu s'adresser aux empereurs ? Que d'illusions brisées !

Il a cru aux bons sentiments de Constance, pendant quatre ans, malgré la sentence inique qui l'envoyait en exil. La violence avec laquelle il l'attaqua par la suite est à la mesure de son immense déception [2]. Il a sans doute applaudi à l'avènement de Julien. Celui-là serait un bon prince, à l'exemple du grand Constantin d'heureuse mémoire [3]. A-t-il déchanté lorsque la persécution contre les *Galiléens* fut ranimée par l'Apostat ? Ses écrits ne parlent plus de Julien et nous ignorons, par

1. AMM. MARC, XXII, 5, 2 s : PHILOSTORGE, *Hist. eccl.* VII, 4 – Cf. J. BIDEZ, *La vie de ... Julien*, p. 228.
2. Cf. H.-I. MARROU, « Hilaire et son temps », (Conférence donnée à Poitiers, le 14 février 1968) dans *Hilaire de Poitiers évêque et docteur*, Paris 1968, p. 25-26.
3. Cf. *Fragm.* III, 3, *PL* 10, 661 B (*CSEL* 65, p. 50, 20) : « ... sub praesentia beatissimae memoriae Constantini imperatoris... » Ainsi parlent les évêques orientaux au concile de Sardique – Philippopolis en 343. Mais Hilaire pense comme eux. Cf. *In Const.* 27.

conséquent, quelles furent ses réactions. Une troisième
tentative auprès d'un empereur devait se solder par un
nouvel et cuisant échec. En 364, Hilaire ne peut obtenir
de Valentinien Ier la condamnation et la déposition
d'Auxence, l'évêque arien de Milan. Hilaire fut alors
prié de regagner Poitiers et de ne plus se mêler de
cette affaire. Décidément, l'autorité épiscopale devrait
toujours céder devant le pouvoir impérial.

Hilaire et l'épiscopat de son temps   Si l'influence d'Hilaire fut à peu près nulle sur le pouvoir impérial, il n'en fut pas de même vis-à-vis de l'épisco-pat, du moins en Occident. L'étendue de sa science, la fermeté de son caractère, l'éclat de ses vertus lui valurent une renommée sans proportion avec son titre modeste d'évêque de Poitiers. Après sa mort, sa réputation fut durable grâce à ses ouvrages contre les ariens. Les témoignages de Jérôme, d'Augustin, de Sulpice Sévère, de Rufin, de Cassien, de Venance Fortunat, de Cassiodore sont, à ce sujet, très éloquents[1]. Or les écrits d'Hilaire nous permettent de voir son rôle dans les affrontements doctrinaux du IVe siècle. Le *Livre contre Constance* nous donne, en particulier, des indications précieuses sur ses rapports avec l'épiscopat de son temps.

A partir de 353 l'évêque de Poitiers se heurte constamment à l'évêque d'Arles, Saturnin. Ce personnage violent et peu recommandable[2] avait su gagner la confiance de Constance. Pendant son séjour de six mois[3] en Arles, l'empereur avait convoqué les évêques

---

1. Voir *PL* 9, 203-205 où sont rassemblés les témoignages des auteurs cités.
2. SULP. SÉV., *Chron.* II, 40-45.
3. Constance fut dans cette ville, d'octobre 353 à mars-avril 354. Cf. AMM. MARC., XIV, 5, 1.

des Gaules pour leur faire ratifier la condamnation
d'Athanase. Nous savons que seul Paulin de Trèves
eut le courage de résister aux pressions de l'empereur
et des évêques ariens Saturnin, Valens et Ursace.
Hilaire était absent du synode d'Arles, qui ne réunit
vraisemblablement qu'une partie de l'épiscopat des
Gaules. Lorsque le synode de Milan eut condamné, en
355, les trois évêques italiens Eusèbe, Lucifer et Denis,
Hilaire mobilisa les évêques des Gaules et fit excommunier Saturnin, Ursace et Valens[1]. La vengeance ne
se fit pas attendre. Saturnin obtint, à Béziers, en 356,
la condamnation d'Hilaire. A partir de ce moment,
Saturnin triomphe. Fort de l'appui impérial, uni aux
évêques illyriens Valens, Ursace et Germinius, il ter-
rorise les Gaules[2]. Mais peu d'évêques professent ses
opinions hérétiques. Hilaire, du fond de son exil, peut
féliciter ses confrères d'Occident d'avoir condamné le
« blasphème de Sirmium » de 357 et de maintenir
Saturnin hors de leur communion depuis trois ans[3].
Hilaire le trouve en face de lui à Constantinople[4].
Mais le règne de son ennemi tire à sa fin. La
proclamation de Julien Auguste, en février 360, détache
les Gaules de la domination de Constance. Saturnin,
qui a perdu son protecteur, est de nouveau excommunié
au synode de Paris[5], fin 360 ou début 361. Malgré sa
résistance, il est chassé de l'Église et déposé[6]. Hilaire
a triomphé de son plus dangereux ennemi.

Nous avons bien des fois rencontré les noms de
Valens et d'Ursace dans les luttes religieuses de cette

1. *In Const.*, 2.
2. *De Syn.*, 3, *PL* 10, 482. Cf. SULP. SÉV., *Chron.*. II, 40.
3. *De Syn.*, 2, *PL* 10, 481.
4. *Ad Const.* II, 2.
5. *Fragm.* IX, 4, *CSEL* 65, p. 46, 2s.
6. SULP. SÉV., *Chron.* II, 45.

période. Ils furent les plus ardents et les plus écoutés parmi les conseillers ecclésiastiques de Constance II. Ce qui intéresse notre propos, c'est l'attitude d'Hilaire envers les chefs de l'hérésie. Il mit toute son énergie à les combattre, mais, chose remarquable pour l'époque, avec une absence totale de haine et de vengeance à leur égard. Les évêques d'Orient n'hésitaient pas à emprisonner, à faire fouetter et à expulser par la force leurs adversaires vaincus. Les compétitions s'accompagnaient de bagarres. Le sang coula maintes fois à Constantinople, Ancyre et Alexandrie. La troupe intervenait contre le peuple pour chasser un évêque et introniser son successeur. C'est ainsi que Marcel et Basile à Ancyre, Paul et Macédonius à Constantinople, Athanase et Georges à Alexandrie ne reculèrent pas devant la force pour faire prévaloir leurs droits[1]. Hilaire relate les désordres sanglants qui éclatèrent, lors du bannissement de leurs évêques, dans les villes de Trèves, Milan et Toulouse[2].

Tout autre est la conduite d'Hilaire. Nous ne le voyons jamais employer la force, ni recourir au pouvoir séculier pour assurer le triomphe de sa cause. S'il en appelle à l'empereur dans sa *Lettre à Constance*, c'est pour obtenir une confrontation avec Saturnin et pour exposer la foi catholique au cours d'un débat contradictoire[3]. L'excommunication, en Gaule, de Saturnin d'Arles fut une peine spirituelle. Si cet évêque fut finalement privé de son siège, ce fut, nous dit Sulpice

1. Sur les violences réelles ou prétendues d'Athanase, Paul et Marcel, voir *Fragm. Hist.* III, 8-9 et SOZOMÈNE, *H.E.* III, 3. Sur les violences de Basile, voir PHILOST., *Hist. eccl.* IV, 8 et *Fragm. Hist.* II, 8 ; *In Const.* 11 ; ATHANASE, *Apol. de fuga*, 24 ; *Hist. Arian.* 51-58 ; *Apol. ad. Constant.* 27 ; ÉPIPHANE, *Haeres.* 76, 1.
2. *In Const.* 11.
3. *Ad. Const. II*, 8.

Sévère, « autant pour ses crimes nombreux et abominables que pour son hérésie infâme » [1].

Mieux que cela, Hilaire, malgré son aversion pour l'hérésie, ne rompit jamais ses relations avec les hérétiques. On a justement mis en relief comme une chose inouïe, en ce IVe siècle violent et sectaire [2], la déclaration du *Livre contre Constance* au chapitre 2 : « Depuis lors (= depuis 356, synode de Béziers), bien que retenu en exil durant tout ce temps, j'ai résolu de ne pas renoncer à confesser le Christ, et j'ai décidé de ne renoncer à aucun moyen honnête et recommandable de réaliser l'unité. Enfin, dans la suite, je n'ai écrit ou prononcé aucune malédiction contre les temps actuels, aucune parole diffamatoire et digne de leur impiété contre cette secte qui se donnait alors faussement pour l'Église du Christ, alors qu'en réalité c'est la synagogue de l'Antichrist. Et pendant ce temps, je n'ai fait grief à personne ni de s'entretenir avec eux ni de fréquenter leur maison de prière, malgré le lien de communion suspendu entre nous, ni d'espérer ce qui est souhaitable pour la paix, si par la pénitence nous préparons le pardon de leur égarement, leur retour de l'Antichrist au Christ ».

Nous voyons là Hilaire écartelé entre son attachement à l'orthodoxie, qui le pousse à excommunier les hérétiques, et son désir d'unir les croyants divisés, en ramenant au bercail les brebis égarées. Pour cela, il ne refuse jamais le dialogue avec les frères séparés et même la prière dans leurs églises. C'est le seul exemple chez les Pères de l'Église au IVe siècle, du moins

---

1. Sulp. Sév., *Chron. II*, 45.
2. Voir M.J. Le Guillou, « Hilaire entre l'Orient et l'Occident », (Conférence donnée à Poitiers, le 2 avril 1968) dans *Hilaire de Poitiers, évêque et docteur*, Paris 1968, p. 46.

d'après les textes que nous avons conservés. Ce souci d'unité fut le tourment et l'œuvre de sa vie. Nous avons vu comment son *De Synodis* fut une entreprise de rapprochement de l'Orient et de l'Occident. Il interprète avec bienveillance la doctrine des *homéousiens* et ne veut pas les ranger au nombre des hérétiques, quitte à s'attirer les foudres de son confrère et ami, l'intransigeant Lucifer de Cagliari.

Or son attitude ne change pas dans son *Livre contre Constance*. A Séleucie, dit-il, « parmi ceux qui proclamaient l'*homoïousios*, quelques-uns proposaient certaines formules orthodoxes : le fils procédait de Dieu, c'est-à-dire de sa substance et il avait toujours existé ». Face aux *anoméens*, Basile d'Ancyre, Sylvain de Tarse, Éleusius de Cyzique sont des défenseurs de la vraie foi. Mais dans sa polémique même contre les évêques hérétiques, il n'use d'aucune parole diffamatoire. Il parle de « l'hérétique d'Alexandrie »[1], de « la voix maudite »[2] de l'évêque d'Antioche, des « amplifications » et du « blasphème d'Ursace et de Valens »,[3] mais il cite leurs noms sans y accoler aucune épithète péjorative. Athanase et Lucifer n'ont pas les mêmes délicatesses et ne se privent pas de forger des calembours sur le nom de leurs adversaires : Photin, le Lumineux, devient Scotin, le Ténébreux ; Eudoxe, l'Honoré, devient Adoxe, le Décrié[4]. Hilaire se contente de les signaler comme hérétiques[5].

1. *In Const.* 12 : Il s'agit de Georges d'Alexandrie.
2. *Id.* 13 : sans doute Eudoxe.   3. *Id.* 23. 26.
4. ATHANASE, *De Syn.*, 26, *PG* 26, 732 ; LUCIFER, *De non parcendo in Deum delinquentibus* 18, 26, 28 (Scotin) ; *De Sancto Athanasio* I, 9, 30 (Adoxe). Cf. *CSEL* 14, p. 81, 117, 246, 265, 271.
5. Ce n'est pas Hilaire qui appelle Ursace et Valens « ces deux jouvenceaux ignorants et pervers » ainsi que traduit LARGENT, *S. Hilaire*, p. 31, d'après *CSEL* 65, p. 184, mais les évêques occidentaux dans leur *Epistula syn. Sardicensis ad Constantium imperatorem*.

A l'égard des évêques qui ont fléchi par faiblesse, Hilaire n'est pas dur non plus. Il les excuse autant que la chose est possible. Le vieil Ossius n'avait plus sa tête à lui quand il signa le formulaire anoméen de Sirmium en 357, il « divaguait », affirme Hilaire, et le mot sera repris par Sulpice Sévère [1]. Est-il moins indulgent pour le pape Libère ? Après les infinies discussions sur la « chute » de Libère, la question reste ouverte. Réservant à notre deuxième partie l'étude des doctrines, bornons-nous ici à examiner brièvement la phrase du *Livre contre Constance* qui mentionne le nom de l'évêque de Rome. Quelle que soit la leçon que l'on retienne, (le texte est fort corrompu !), le sens est le suivant : Hilaire se demande si l'impiété que Constance a commise en ramenant à Rome son évêque n'est pas plus grande que celle qu'il a commise en le reléguant à Bérée, en Thrace.

Or, au ch. 11, où nous lisons cette phrase, il est question des troubles semés par les armées impériales dans différentes Églises : Alexandrie, Trèves, Milan, Rome, Toulouse. Si l'on replace dans ce contexte la phrase que nous citons, « Hilaire peut faire allusion à ce que l'empereur a ramené Libère en maintenant Félix, l'impiété étant de partager le siège entre l'évêque légitime et un intrus » [2]. Dire que « cette *plus grande*

1. *In Const.* 23. Cf. SULP. SÉV., *Chron.* II, 40. Sur cette défaillance, voir aussi HILAIRE, *De Syn.* 11, 63, 87. Le pauvre centenaire retenu de force à Sirmium, loin de son Espagne natale, désirait mourir dans sa patrie. Cf. ATHANASE, *Apol. contra Arianos* 89, *PG* 25, 409 ; *Hist. Arian. ad monachos* 45, *PG* 25, 749 ; SOZOMÈNE, *H.E.* IV, 12, *PG* 67, 114 ; ÉPIPHANE, *Haeres.* 73, 14, *PG* 42, 429 ; PHÉBADE, *Contra Arianos*, 23, *PL* 20, 30.

2. Ainsi l'écrit P. BATIFFOL, *La paix constantinienne et le catholicisme*, p. 516. Nous savons que le retour de Libère fut marqué par de graves désordres à Rome. L'émeute fit couler du sang. Finalement,

impiété commise par l'empereur est la rançon payée par Libère pour rentrer à Rome »[1] nous paraît une interprétation forcée. Il est difficile de trouver dans le *Livre contre Constance* une allusion claire à « la défaillance morale de Libère » (Hamman). Bien plutôt, Hilaire, après son passage à Rome quand il revient de Constantinople à Poitiers, en 360, constate la division du clergé romain et le désarroi des fidèles. Il exprime sa tristesse et sa souffrance. L'exclamation qu'il pousse : « O misérable ! » est le cri d'exaspération d'un homme qui désire la paix et l'union et qui a sous les yeux le spectacle de la guerre et de la division. Chaque fois qu'il emploie, ailleurs, l'interjection : « O ! », c'est pour déplorer l'injure et la honte infligées à l'Église par un empereur hypocrite, violent et scélérat[2]. Encore une fois, nous ne prétendons pas trancher pour ou contre une « défaillance morale de Libère », mais nous n'en trouvons aucune confirmation dans le *Livre contre Constance*[3]. Au contraire, nous découvrons, là comme ailleurs, l'indulgence d'Hilaire qui cherche toujours à excuser ses frères dans l'épiscopat et à leur témoigner son amitié.

Envers ses collègues demeurés fidèles au *credo* de Nicée, on sent un véritable élan du cœur. Dans le *De Synodis*, déjà, l'adresse « aux frères et coévêques très chers et très saints », l'apostrophe : « Frères très

Libère, acclamé par le peuple, triompha de Félix l'intrus. Cf. Sozomène, *H.E.* IV, 15, *PG* 67, 1153.

1. A. Hamman, « Saint Hilaire est-il témoin à charge ou à décharge pour le pape Libère ? », dans *Hilaire et son temps*, p. 50.

2. *In Const.* 13, 20, 25, 27.

3. Pour la bibliographie, voir A. Hamman, *id.*, p. 47, n. 21. Sans prendre parti pour ou contre l'authenticité des quatre lettres attribuées à Libère dans les *Fragments historiques* ou *Collectanea antiariana parisina*, *CSEL* 65, p. 155-156 ; 168-170 ; 170-172 ; 172-173, il faut reconnaître que l'*In Constantium* doit être exclu du débat.

chers »[1] sont plus que des formules protocolaires, car elles s'accompagnent d'exclamations enthousiastes et ferventes ; Hilaire multiplie les félicitations pour leur foi indéfectible et pour leur aversion de l'hérésie, il ne sait comment dire sa joie en voyant leur fermeté et leur constance[2]. Il est prompt à s'émerveiller de tout acte de fidélité à l'Église et surtout du courage des confesseurs de la foi, dont plusieurs furent d'authentiques martyrs.

Le *Livre contre Constance* parle avec admiration des illustres exilés : Paulin, Eusèbe, Lucifer, Denis. Ce sont, dit-il, « de saints personnages... des bienheureux confesseurs du Christ » (2). Fait remarquable ! ces qualificatifs de *saints* et de *bienheureux* sont accolés aux noms des martyrs, évoqués tout au long du livre : les sept frères torturés par Antiochus Épiphane (6) et les innombrables victimes des grands persécuteurs Dèce, Néron et Maximien (7). Hilaire venge Athanase des attaques dont il est l'objet (11), mais il nomme avec une affection particulière ses collègues des Gaules, Paulin de Trèves et Rhodanius de Toulouse. Le premier a enduré « sa bienheureuse passion » dans cette rude Phrygie bien connue d'Hilaire. Les lignes qu'il lui consacre sont l'éloge funèbre et le dernier adieu à un ami très cher. Quelle émotion contenue quand il décrit les fatigues d'un « tel évêque », pourchassé d'exil en exil, obligé de mendier son pain « hors des frontières du nom chrétien » et mourant d'épuisement dans le « repaire de Montan et de Maximille » (11) ! Au contraire, c'est plutôt de l'horreur qu'il éprouve en face des violences sacrilèges subies par l'évêque de

1. *De Syn.* 1 : Sur ces formules protocolaires, voir plus haut, p. 44, n. 4.
2. *De Syn.* 2, 3, *PL* 10, 481-482.

Toulouse, vivante image du Christ souffrant et bafoué (11). Tels sont les sentiments d'Hilaire envers les évêques fidèles.

D. LE CARACTÈRE D'HILAIRE D'APRÈS LE « LIVRE CONTRE L'EMPEREUR CONSTANCE »

Par ses dimensions, le *Livre contre Constance* occupe une place modeste dans l'œuvre hilarienne ; elle est cependant loin d'être négligeable. Nous montrerons son importance doctrinale. Les renseignements qu'il donne sur une période cruciale pour la foi catholique au IVᵉ siècle ne sont pas moins précieux. Nous disposons là d'une documentation de première main concernant les années 355 à 360. Sans doute, plusieurs allusions restent pour nous énigmatiques, et beaucoup de notations fugitives demandent un supplément d'information puisé à d'autres sources. En revanche, c'est le *Livre contre Constance* qui nous découvre le mieux le caractère de son auteur.

Intransigeant sur la foi, intrépide en face des persécuteurs, Hilaire est indulgent pour les faibles, toujours prompt à pardonner et à excuser. Le *De Synodis* était un livre généreux. Mais certains estiment que l'évêque de Poitiers y est allé trop loin dans la voie de la conciliation. Ils jugent excessive, par exemple, son indulgence pour Basile d'Ancyre et les *homéousiens*. A propos d'Hilaire, Tillemont a dit : « Il excuse tout ce qui se peut excuser. Il donne un bon sens à tout ce qui en peut recevoir. Il justifie tout ce qui n'est pas absolument mauvais, tant pour ne pas aigrir les Orientaux et les pouvoir porter d'un état qui luy sembloit tolérable, mais dangereux, à un autre qui fust entièrement parfait, que pour empescher les évêques de

France de rompre sans nécessité avec des personnes qui pouvoient servir la vérité »[1]. C'est la pente naturelle de son esprit. Ce préjugé favorable est encore visible dans le *Livre contre Constance* où il considère les *homéousiens* comme des alliés de l'orthodoxie face aux anoméens[2].

Quant aux persécuteurs, l'empereur Constance et les évêques hérétiques, ce n'est pas la vanité blessée ou je ne sais quel ressentiment personnel qui allume sa colère à leur égard. Hilaire n'a qu'une ambition : à défaut de verser son sang pour le Christ, confesser son Nom par sa vie, ses paroles et ses écrits. Les mots *confession* et *confesser*, au sens de proclamer la Foi et rendre témoignage à la Personne du Christ, scandent la marche du livre comme un chant de victoire[3]. C'est pourquoi, ce que l'on appelle une « violente invective » contre l'Antichrist devrait plus justement s'intituler un hymne au Christ, une apologie enthousiaste de sa Divinité, une défense de son Honneur. Que l'on relise les souhaits enflammés du ch. 4 et les évocations triomphales de la geste des martyrs au ch. 8. C'est là que nous surprenons un Hilaire passionné du Christ, un spirituel dont la ferveur éclate en émouvantes protestations de fidélité. Sous les accents indignés que lui arrachent les attaques des hérétiques contre ce Christ qui est toute sa vie perce une sensibilité tendre et frémissante.

Mais l'âme d'Hilaire est plus complexe. Les remarques précédentes le montreraient, à tort, trop constamment sérieux, même guindé. Or il est capable

---

1. TILLEMONT, *Mémoires pour servir à l'histoire ecclésiastique des six premiers siècles*, t. VII, p. 445.
2. *In Const.* 12.
3. *Id.* 2, 4, 8, 19.

d'ironie souriante. Les *anoméens* se contredisent-ils, au synode de Séleucie ? Il « feint l'ignorance » et aborde innocemment l'un d'entre eux. Comment, lui dit-il, « eux qui avaient condamné l'unité de substance du Fils et du Père, qui leur avaient même refusé la similitude de substance, pouvaient-ils condamner la dissimilitude ? [1] » Tout empressé, son interlocuteur se lance en des distinctions subtiles qui laissent Hilaire « pantois et incrédule ». Ailleurs, son ironie se fait plus impatiente, surtout lorsqu'il flaire la mauvaise foi chez l'adversaire. A Constance qui répète : « Je refuse les mots qui ne sont pas dans l'Écriture ! » Hilaire rétorque : « Tu fais proclamer que le Fils est semblable au Père, ce qui n'est pas dans l'Écriture ; c'est que tu veux taire que le Christ est égal à Dieu, ce qui est dans l'Écriture » [2]. Persuadé, avant Pascal, que « l'éloquence continue ennuie », Hilaire est ainsi attentif à varier son discours et il révèle en même temps la finesse de son esprit.

Pourtant, c'est la générosité du cœur qui semble sa qualité dominante. Elle s'accompagne d'une parfaite rectitude morale et d'une indiscutable loyauté. L'élan d'amitié qui le pousse vers ses collègues a provoqué de leur part une réponse empressée. Nous avons noté les épithètes élogieuses, nuancées de respect admiratif, qu'il décerne « aux bienheureux confesseurs du Christ » [3]. Celle affection sincère et désintéressée aimanta vers lui l'épiscopat des Gaules, quand il revint de sa terre d'exil. Avec fermeté il fit excommunier les chefs de l'hérésie, Saturnin d'Arles et Paterne de Périgueux, mais il pardonna aux autres évêques, plus

1. *Id.* 14.
2. *Id.* 16, 17.
3. *Id.* 2.

faibles que coupables[1]. Aussi lui exprimèrent-ils leur reconnaissance en termes chaleureux. Le glorieux *confesseur du Christ, le fidèle prédicateur de son Nom* est appelé *notre collègue et frère très cher*[2]. Jérôme a pu écrire que « l'Église des Gaules embrassa Hilaire qui revenait du combat[3]. L'entrée à Poitiers de l'illustre banni fut saluée par des applaudissements unanimes, selon Venance Fortunat. Il mérita cette insigne faveur, « parce que l'église avait retrouvé son évêque, le troupeau son pasteur »[4]. L'action d'Hilaire, à la fois ferme et indulgente, lui attira rapidement la gratitude des chefs et des fidèles. « Tout le monde reconnaît que notre Gaule fut redevable à Saint Hilaire seul du bonheur qu'elle eut d'être délivrée du crime de l'hérésie »[5]. La réparation des ruines de Rimini est bien son plus beau titre de gloire. Sa vie devait connaître d'autres combats, notamment contre l'arien Auxence de Milan, mais le vaillant athlète du Christ pouvait d'ores et déjà recevoir sa récompense. Elle ne devait pas tarder, puisque Hilaire mourut dans la force de l'âge sans atteindre la soixantaine, le 1er novembre 367[6].

---

1. HILAIRE, *Fragm. Hist.* XI, 4 ; SULP. SÉV., *Chron.* II, 45. Après avoir mentionné l'excommunication de Saturnin et de Paterne, Sulpice ajoute : « ceteris uenia data ».

2. HILAIRE, *Fragm. Hist.* XI, 4 et 1, *CSEL* 65, p. 45, 17, 13, p. 43, 18.

3. JÉRÔME, *Dial. aduersus Lucif.* 19, *PL* 23, 173.

4. VEN. FORT, *Vita S. Hilarii*, I, 11, *PL* 9, 191.

5. SULP. SÉV., *Chron.* II, 45. Traduction de TILLEMONT, *Mémoires...* t. VII, art. XIV.

6. Cf. A.-J. GOEMANS, « La date de la mort de saint Hilaire », dans *Hilaire et son temps*, p. 107-111.

CHAPITRE II

DOCTRINE DU « LIVRE CONTRE L'EMPEREUR CONSTANCE »

A. UN ASPECT NOUVEAU DE L'HÉRÉSIE D'ARIUS : L'HOMÉISME

Le *Livre contre Constance* ne prétend pas offrir un exposé complet de la foi, comme les douze livres *Sur la Trinité*. Bien que ces deux ouvrages s'opposent principalement à l'hérésie d'Arius, on trouve dans le *De Trinitate* des développements et des explications détaillées, que ne peut comporter cet écrit de circonstance, du reste assez court, qu'est le *Livre contre Constance*. Ce traité veut seulement démasquer l'hérésie qui a triomphé à Rimini et à Séleucie, à la fin de 359, grâce à l'appui de l'empereur Constance II.

Apparition de l'homéisme à Sirmium (22 mai 359)

L'hérésie d'Arius condamnée au concile de Nicée ne fut pas éteinte pour autant. L'*homoousios* était loin de faire l'unanimité parmi les évêques. Même le champion de l'orthodoxie nicéenne, Athanase d'Alexandrie, se sert assez peu de ce terme toujours controversé[1]. La crainte du

---

1. Cf. G.C. STEAD, « "Homoousios" dans la pensée de S. Athanase », dans *Politique et Théologie chez Athanase d'Alexandrie*. Actes du Colloque de Chantilly, 25 septembre 1973, Paris 1974, p. 233.

sabellianisme en même temps qu'une sourde hostilité contre l'évêque d'Alexandrie, expliquent l'omission de ce mot dans les multiples synodes réunis de 325 à 360[1]. Hilaire, qui transcrit plusieurs symboles de foi dans son De Synodis[2], interprète avec indulgence les positions diverses de l'épiscopat d'Orient, tout en gardant fermement l'homoousios.

Mais l'attitude de Constance lui paraissant de plus en plus suspecte, il va démasquer ses agissements et il dénonce les « variations » de la foi impériale de 341 à 360[3]. Le symbole promulgué au synode des Encénies[4], à Antioche en 341, « est très loin d'être, au sens strict, un symbole arien[5] » ; mais il condamne l'hérésie de Sabellius, bien plus que celle d'Arius. La distinction des personnes divines, niée par Sabellius, y est plus nettement affirmée que l'unité de nature du Père et du Fils, niée par Arius.

En approuvant la condamnation de Marcel d'Ancyre par les évêques orientaux, au synode de Sardique en

1. Signalons les synodes de Tyr (335), Rome (340), Antioche (341), Sardique (343), Antioche (345), Milan (347 et 349), Sirmium (351), Arles (353), Milan (355), Béziers (356), Sirmium (357), Antioche, Ancyre et Sirmium (358), Sirmium, Rimini et Séleucie (359).

2. Symbole des Encénies (341), ch. 29-30 ; de Sardique (343), ch. 34 ; de Sirmium (351), ch. 38 ; de Sirmium (357), ch. 11 ; d'Ancyre (358), ch. 12-27 et 81.

3. In Const. 23. Pour le récit des événements, bibliographie par G. BARDY, dans l'Histoire de l'Église (Fliche-Martin), t. 3, Paris 1945, p. 97-98 ; 131-132, plus récemment, par H.-I. MARROU, dans la Nouvelle Histoire de l'Église, t. I, Paris 1963, p. 551-555.

4. Ce synode fut réuni pour célébrer la dédicace de l'église d'or, édifiée récemment par l'empereur Constance II. D'où le nom d'Encénies (ἐγκαίνια = dédicace) donné à ce synode.

5. G. BARDY, Hist. de l'Égl. (Fliche-Martin), t. 3, p. 122. Il s'agit du deuxième symbole d'Antioche, attribué au martyr Lucien.

343 [1], puis celle de Photin, par les évêques d'Orient et d'Occident [2] (au synode de Sirmium en 351), l'empereur Constance semblait toujours attaché à la foi de Nicée. Hilaire a pu juger avec bienveillance le synode de Sirmium de 351 et le considérer comme à peu près orthodoxe. « Mais, dit Bardy, il est le dernier d'une série : désormais les Orientaux vont, sous la pression de quelques chefs audacieux et intrigants, revenir aux formules plus intransigeantes d'un arianisme franc [3]. » Ces chefs étaient surtout Eunome et Aèce.

Les évêques d'Antioche Léonce, puis Eudoxe, favorisaient Aèce dont les opinions, professées et officialisées au synode de Sirmium en 357 [4], provoquèrent un tel scandale en Orient même que l'empereur Constance dut bientôt les désapprouver. Sous l'influence de Basile d'Ancyre, un nouveau symbole fut promulgué à Sirmium en 358. L'anoméisme d'Aèce fut condamné. L'*homoousios* de Nicée fut également rejeté. Un nouveau terme apparut, l'*homoïousios* : « le Fils a une substance semblable à celle du Père » [5]. En fait, cette multiplicité de formules entretenait la confusion. Soucieux de sauvegarder l'unité de l'empire, Constance projeta de réunir un grand concile général qui serait un nouveau Nicée. Nicomédie, l'ancienne capitale, fut choisie. Mais un

1. Cf. HILAIRE, *Fragm. Hist.* III, 2, *PL* 10, 660 (= *CSEL* 65, p. 50) ; *Ad. Const II*, 9, *PL* 10, 570 A (= *CSEL* 65, p. 204).

2. Sur les erreurs attribuées à Photin, évêque de Sirmium, voir ATHANASE, *De Syn.* 27, *PG* 26, 736-740 ; SOCRATE, *H.E.* II, 30, *PG* 67, 281-285 ; HILAIRE, *De Syn.* 38, *PL* 10, 510-512.

3. G. BARDY, *Hist. de l'Égl.* (Fliche-Martin), t. 3, p. 139.

4. Hilaire les appelle le « blasphème de Sirmium », *De Syn.* 10, 11, *PL* 10, 487-489.

5. HILAIRE, *De Syn.* 12 et 81, *PL* 10, 489 et 534 ; ATHANASE, *De Syn.* 41 s., *PG* 26, 765 s ; ÉPIPHANE, *Haeres.*, 73, 11-22, *PG* 42, 425-445.

terrible tremblement de terre détruisit cette ville le 24 août 358[1].

A la suite de tractations difficiles, après l'abandon de Nicée, deux villes furent choisies, Rimini en Occident, Séleucie d'Isaurie en Orient. C'était une décision sage, étant donné l'étendue de l'Empire romain. Constance voulait en finir avec les divisions doctrinales et les querelles interminables qu'elle provoquaient. Toujours préoccupé de la paix et de l'unité[2], il pensait y parvenir au moyen d'une formule de compromis, capable de satisfaire tout le monde.

Il fit donc élaborer à Sirmium un symbole de foi dont la rédaction fut l'œuvre de Marc, évêque d'Aréthuse. Ce nouveau symbole (le *Credo* dit *daté*, promulgué le 22 mai 359[3]) était destiné à contenter les nicéens en affirmant la génération éternelle du Verbe, les ariens en condamnant l'emploi du *consubstantiel*, les homéousiens en disant que le Fils était « en tout semblable au Père ».

En fait, il mécontenta tous les partis. Valens de Mursa voulut supprimer les mots « en tout » et ne les rétablit que sur l'ordre de l'empereur. Basile ne signa qu'après avoir précisé sa pensée : le Fils est semblable en *hypostase*, en *subsistance*, en *existence*[4]. Au lieu de

---

1. Description pathétique dans Sozomène, *H.E.* IV, 16, *PG* 67, 1156-1157. Cf. Libanios, Or. LXI ; Ammien Marcellin, XXII, 9, 3-5.

2. Cf. Lucifer De Gagliari, *De non conueniendo cum haereticis* 3 : « Pacem uolo firmari in meo imperio... Facite pacem cum Episcopis sectae meae Arrianis, et estote in unum ». Paroles attribuées à Constance. (*CSEL* 14, p. 9 et 14 = *PL* 13, 773 et 776).

3. Texte dans Athanase, *De Syn.* 8, *PG* 26, 692-693 ; Socrate, *H.E.* II, 37, *PG* 65, 305, 308. Hilaire, *Fragm. Hist.* XV, 3 cite la phrase finale essentielle : Filium similem Patri per omnia, ut sanctae dicunt et docent Scripturae », (*PL* 10, 722).

4. Épiphane, *Haeres.* 73, 22, *PG* 42, 444.

réconcilier les évêques divisés, ce formulaire créa un quatrième clan : les *homéens*. La confusion était à son comble. La difficile unité imposée de force à Sirmium allait-elle se maintenir ?

Les assemblées de Rimini, Séleucie et Constantinople (359-360)

Les évêques furent donc convoqués dans les deux villes désignées par l'empereur. Ceux d'Occident étaient à Rimini le 21 juillet 359. Ils y résidèrent jusqu'au 31 décembre de cette même année. Notre propos n'est pas de retracer les péripéties de ce synode, qu'on pourra connaître par les histoires générales de l'Église. Disons que les évêques finirent par signer le formulaire voulu par l'empereur et préparé par Ursace et Valens.

Ceux d'Orient, réunis à Séleucie d'Isaurie, à partir du 27 septembre 359, se divisèrent très tôt en plusieurs clans [1]. L'unanimité ne put se faire. Mais finalement, l'empereur vint à bout de toutes les résistances [2]. A l'Assemblée de Constantinople (janvier 360), il fit promulguer la doctrine officielle : « le Fils est semblable au Père, comme le disent et l'enseignent les divines Écritures » ; interdiction d'employer le mot *substance* (οὐσία), « absent des saintes Lettres », « ignoré du peuple » et « cause de scandale » ; défense de « faire mention du mot *hypostase* (ὑπόστασις), en parlant du Père, du Fils et du Saint-Esprit ». Toutes les hérésies, anciennes ou récentes, opposées à la présente profession de foi, sont rejetées [3].

1. *In Const.* 12-15.
2. Détail des débats dans G. BARDY, Hist. de l'Égl. (Fliche-Martin) t. 3, p. 163 s. et L. DUCHESNE, *Hist. anc. de l'Égl.*, t. 2, p. 247 s.
3. D'après SOCRATE, *H.E.* II, 41, *PG* 67, 349.

Se fiant à la lettre plus qu'à l'esprit de cette déclaration, tous les historiens l'appellent *homéenne*. N'est-elle pas *anoméenne* ? Le silence imposé sur les mots *ousie* et *hypostase* trahit l'intention délibérée d'exclure toute ressemblance autrement que morale entre le Père et le Fils. De fait, Hilaire nous rapporte les propos d'un anoméen. Son témoignage est celui d'un évêque présent aux débats de Séleucie ; il est confirmé par les historiens postérieurs Socrate, Sozomène et Théodoret. Que dit cet anoméen, partisan d'Acace ? Il déclare que « le Christ n'est pas semblable à Dieu, mais semblable au Père ». Comme Hilaire s'étonne, l'autre explique : « Je dis qu'il n'est pas semblable à Dieu, mais qu'on peut le comprendre semblable au Père, le Père ayant voulu créer une créature telle qu'elle eût une volonté semblable à la sienne ; c'est pourquoi le Fils est semblable au Père, parce qu'il est le fils de sa volonté plutôt que de sa divinité ; mais il n'est pas semblable à Dieu, parce qu'il n'est ni Dieu ni né de Dieu, c'est-à-dire de la substance de Dieu[1] ». Il s'agit donc d'un accord des volontés, sans plus.

C'est bien le sens que les partisans d'Acace donnaient à la phrase : *Le Fils est semblable au Père*, au dire de l'historien Socrate. Les amis d'Éleusius de Cyzique demandaient en quoi le Fils était semblable au Père. « Les Acaciens répondirent que le Fils était semblable au Père en volonté seulement et non en substance[2]. Sozomène, de son côté, affirme que les Acaciens ne condamnèrent Aèce que de mauvais gré et sous la pression impériale. « On les accusait en effet de penser

---

1. *In Const.* 14. Cf. *De Trin.* IX, 70, *CCL* 62, p. 450.
2. Socrate, *H.E.* II, 40 *PG* 67, 341 C.

comme lui[1]. Même son de cloche chez Théodoret.
C'est du bout des lèvres qu'ils consentent à écarter les
thèses impies d'Aèce, parce que l'empereur l'exige sous
la menace de l'exil. Silvain les presse de dire si oui ou
non le Fils est tiré du néant (ἐξ οὐκ ὄντων), s'il est
une créature (κτίσμα), s'il est *d'une autre substance*
(ἑτεροούσιος) que le Père. Acace et Eudoxe tergiver-
sent. Et comme Silvain et Éleusius persistent dans leur
attachement à l'*homoousios*, ils sont exilés[2]. Malgré
leur rétractation équivoque et contrainte, Acace et
Eudoxe restent donc partisans d'Aèce.

Constance pensait sans doute faire l'unité de foi par
une formule vague qui excluait les termes litigieux. En
réalité, il officialise une nouvelle version de l'arianisme.

Qu'on ne dise pas que les anoméens ont été
condamnés à Constantinople en janvier 360. Aèce fut
effectivement dépouillé du diaconat, frappé d'exil et
relégué en Phrygie. Il avait eu tort de dire tout haut
ce que pensaient tout bas ses amis et protecteurs de
la veille, Eudoxe d'Antioche et Acace de Césarée.
Eudoxe, suspecté par l'empereur, renia les propos
scandaleux qu'on lui prêtait et les attribua lâchement
à Aèce, pour conserver la faveur impériale et obtenir
le siège de Constantinople, à la place de Macédonius
déposé. Il écrivit même à Eunome, qu'il avait nommé
évêque de Cyzique, à la place d'Éleusius exilé, de ne
pas heurter les sentiments du peuple chrétien en affirmant que le Fils de Dieu est une créature, mais de
dissimuler sa pensée. « Quand l'occasion favorable se
présentera, nous prêcherons, dit-il, ce que nous cachons
maintenant, et nous enseignerons les ignorants. Quant
aux contradicteurs, ou nous les persuaderons ou nous

---

1. Sozomène, *H.E.* IV, 24, *PG* 67, 1189 A.
2. Théodoret, *H.E.* II, 23, *PG* 82, 1069.

les contraindrons ou nous les châtierons[1].» On ne
peut s'exprimer avec plus de cynisme.

Quant à l'exil d'Aèce, voici ce qu'en pensent les
amis de Silvain et d'Éleusius : « On prépare maintenant
une ruse : condamner Aèce l'auteur de cette hérésie
plutôt que les termes mêmes de son impiété. La
sentence semble portée contre un homme plus que
contre une doctrine »[2]. Enfin, faut-il ajouter, qu'à part
Aèce, les anoméens notoires Saturnin, Ursace, Valens
pour l'Orient, furent les triomphateurs, tandis que les
homéousiens furent déposés et exilés. L'homéisme est
bien l'hérésie d'Arius repeinte à la mode du jour, mais
plus voilée. L'homéisme est le fourrier d'un nouveau
subordinatianisme.

B. RÔLE D'HILAIRE
POUR DÉMASQUER L'HÉRÉSIE :
SON OBJECTIF

Le prince était peu versé en science théologique.
Cependant, une même ligne de conduite apparaît à
travers ses « variations » incessantes : la fidélité aux
positions ariennes de Valens et d'Ursace. Sans doute,
Constance semble se rapprocher de l'orthodoxie
nicéenne, lorsqu'il rétablit Athanase sur son siège en
346. Mais chaque fois qu'il le peut, il revient à la
doctrine d'Arius. Il ne saurait admettre les condamnations trop nettes de Sirmium en 351. Le Christ, selon
lui, est une créature tirée du néant. Il n'est pas né de

---

1. Théodoret, *H.E.* II, 25, 1073 C. Tous les détails rapportés
ici sont empruntés à Théodoret.

2. Hilaire, *Fragm. Hist.* X, 1. (*PL* 10, 706 = *CSEL* 65 II-A,
Series B-VIII).

Dieu, il ne peut être éternel. Sans doute, Constance fait un pas en arrière après le « blasphème » de Sirmium en 357. « Les divagations d'Ossius et les amplifications d'Ursace et de Valens » sont des déclarations hérétiques trop manifestes. Cependant, il ne peut admettre l'éternité du Fils, que le synode d'Ancyre, en 358, affirme trop clairement. Hilaire a percé à jour l'intention profonde de l'empereur : ne pas heurter de front le sentiment des catholiques, mais imposer avec persévérance les opinions d'Arius, professées par Ursace et Valens. Il avait, dès lors, le droit d'arracher le masque de l'hypocrite, de dépouiller le loup rapace de sa toison de brebis [1].

Pour bien comprendre le ton du *Livre contre Constance*, il faut se rappeler l'objectif que poursuit l'évêque de Poitiers, un objectif double : détruire dans l'esprit de ses collègues l'idée traditionnelle d'un prince attaché à la foi catholique, et dissiper l'illusion que la formule homéenne imposée à Rimini était inoffensive et indifférente à la foi. Si, comme nous le pensons, la lettre adressée aux évêques orientaux par les évêques de Gaule réunis au synode de Paris en 360-361, est l'écho du *Livre contre Constance*, nous constatons que l'objectif d'Hilaire a été pleinement atteint. Les évêques reconnaissent leur *simplicité* pour ne pas dire leur naïveté, quand ils ont accepté de passer sous silence le terme d'*ousie* [2]. La profession de foi trinitaire qui, dès le début de la lettre, s'allie à une condamnation des hérétiques, oppose la *lumière* qui jaillit de la science divine aux *ténèbres* qui enveloppent le siècle

---

1. HILAIRE, *In Const.* 10. Les expressions entre guillemets, citées plus haut, sont tirées du ch. 23.

2. HILAIRE, *Fragm. Hist.* XI, 4. Dans les mêmes termes, RUFIN D'AQUILÉE parle des évêques occidentaux « simplices et imperitos », dans son *Histoire ecclésiastique* (I, 25, *PL* 21, 494).

ignorant. Les accents pauliniens[1] des premières phrases
font bientôt place aux expressions, à peine démarquées,
d'Hilaire dans son pamphlet. L'allusion est très nette :
ils doivent leur illumination à leur « cher frère et
collègue dans l'épiscopat »[2]. Sans doute, le nom de
Constance n'est pas prononcé. Mais ses décisions sont
nettement désapprouvées. Les *Ariomanites* Auxence,
Ursace, Valens, Gaïus, Mégasius et Justinius, ainsi que
Saturnin et Paterne sont tenus pour excommuniés.
Surtout, la *similitude*, chère à Constance, n'est acceptée
qu'au sens précis que lui donne Hilaire : celle d'un
vrai Dieu à un vrai Dieu[3], autrement dit au sens
d'une égalité totale du Fils et du Père.

Vengeur de l'honneur du Christ face à l'impiété de
l'*antichrist* Constance, Hilaire veut essentiellement
démontrer ce que l'empereur s'acharne à nier, à savoir
que « le Christ est Dieu, tout comme le Père ». Ces
trois mots *Dieu*, *Père*, *Christ*, sont d'ailleurs les plus
souvent cités dans l'ouvrage[4]. Hilaire se pose en
champion de la divinité du Christ.

---

1. Cf. *Éph.* 4, 16-19 (les ténèbres) et 5, 8-14 (lumière et
ténèbres).

2. « Dilecto fratri et consacerdoti nostro Hilario ». Les mots qui
suivent reprennent *In Const.* 17.

3. HILAIRE, *Fragm. Hist.* XI, 2, *PL* 10, 711 (*CSEL* 65, p. 44).

4. Sauf erreur, le mot *Deus* revient 74 fois ; *Pater*, appliqué à
Dieu, 53 fois ; *Christus*, 40 fois ; *Filius*, appliqué au Christ, 35 fois.
Le mot *Iesus* n'apparaît que 3 fois et dans des citations scripturaires,
ch. 4 et ch. 19. Cf. *Ad. Const. II*, 9 - *PL* 10, 57 A.

C. ÉTAPES DU RAISONNEMENT

**Réfutation
des théories
d'Acace et d'Eudoxe**
Nous avons replacé dans leur contexte historique les traits principaux de l'hérésie arienne tels qu'Hilaire les voit dans son *Livre contre Constance* ; puis, nous avons mis en lumière l'objectif de ce traité : il nous reste à montrer les grandes articulations de son raisonnement, d'abord contre Acace et Eudoxe à Séleucie, puis contre Constance à Constantinople. En gros, réfutation de l'*anoméisme*, puis de l'*homéisme*, étant bien entendu que l'*homéisme* n'est que la forme voilée, hypocrite, de l'*anoméisme*.

Dans les ch. 12 à 15, Hilaire s'en prend aux partisans d'Acace et d'Eudoxe. Après avoir rapporté la thèse des *homéousiens* à Séleucie : *le Fils procède de Dieu, c'est-à-dire de la substance de Dieu et il a toujours existé,* il relate celle des *anoméens* : *rien ne peut ressembler à la substance de Dieu, il ne peut exister de génération en parlant de Dieu, mais le Christ est une créature ; ainsi, le fait qu'il a été créé doit passer pour une naissance, mais il est tiré du néant et, en conséquence, il n'est ni Fils (de Dieu), ni semblable à Dieu.* Eudoxe, à Antioche, aurait même été plus loin, dans un sermon dont l'écho parvint jusqu'à Séleucie. Pour avoir un fils, disait-il, Dieu aurait dû avoir une femme et engendrer à la manière d'un homme. Le propos est plus cru dans le texte original du ch. 13. Hilaire crie au blasphème, non pas à cause de la verdeur de l'expression, mais parce qu'on assimile Dieu à un homme. Il ne faut pas « définir le Père et le Fils à partir de leurs noms, mais à partir de leur nature[1], dit-il ; or cette nature est divine, donc spirituelle.

Reprenant ensuite les propos d'Arius dans sa *Thalie*[2], Eudoxe, l'ami d'Acace, va jusqu'à dénier au Fils la connaissance de son Père. Le Fils a beau *se tendre* pour connaître le Père, le Père se dérobe davantage pour rester inconnu du Fils[3]. C'est la comparaison du bambin qui se hausse sur la pointe des pieds pour atteindre le visage de son père et le geste du père qui se redresse pour accroître la distance entre lui et son fils. De tels propos sont dans la logique arienne : en refusant au Fils la *substance* du Père, on le dépouille de sa *science* infinie, au mépris de la déclaration évangélique : « Tout m'a été remis par mon Père et nul ne connaît le Fils si ce n'est le Père, comme nul ne connaît le Père si ce n'est le Fils, et celui à qui le Fils veut bien le révéler[4]. » On comprend l'émotion soulevée par de tels propos et le tumulte qui s'ensuivit, selon le témoignage d'Hilaire.

C'est alors que les amis d'Acace paraissent renoncer à une position extrême qui est inacceptable pour un chrétien. Ils décident de condamner en bloc l'*homoou-*

1. *In. Const.* 13. Hilaire reproche souvent aux hérétiques de se servir du *nom* sans la *nature* qui lui est attribuée. Cf. *De Trin.*, V, 25, *CCL* 62), p. 177.

2. Ouvrage connu par ATHANASE, *De Syn.* 15 (PG 26, 705 C - 707 C) et *Oratio I contra Arianos*, 5 (*PG* 26, 20 C - 21 D). Sur les problèmes posés par cet ouvrage, voir E. BOULARAND, *L'hérésie d'Arius et la « foi » de Nicée*, 1re Partie, Paris 1972, p. 54-61.

3. *In Const.* 13.

4. *Matth.* 11, 27. Selon ATHANASE, *Oratio I contra Arianos*, 6, Arius aurait dit : « Le Père est invisible, même au Fils. Le Verbe ne peut ni voir ni connaître parfaitement son propre Père. Mais ce qu'il connaît et ce qu'il voit, c'est proportionnellement à ses mesures qu'il le sait et le voit, comme nous aussi nous connaissons selon notre propre puissance ». Trad. E. BOULARAND, *op. cit.*, p. 59, n° 56.

sios, l'*homoiousios* et l'*anomoios*. Hilaire, étonné de cette attitude, reçoit d'un anoméen les précisions suivantes : « Je dis que (le Christ) n'est pas semblable à Dieu, mais qu'on peut le comprendre semblable au Père, le Père ayant voulu créer une créature telle qu'elle eût une volonté semblable à la sienne ; c'est pourquoi le Fils est semblable au Père, parce qu'il est le fils de sa volonté plutôt que de sa divinité[1]. »

Ce texte appelle quelques observations. On y trouve deux idées distinctes, mais connexes. D'abord, selon les amis d'Acace, le Fils est le produit de la volonté libre du Père. C'est une créature, amenée à l'existence, par la souveraine liberté du Créateur. Le Christ tient son être d'un acte de Dieu extérieur à sa substance. *Il diffère de Dieu, parce qu'il n'est pas né de la substance de Dieu.* Ce sont les propres termes du partisan d'Acace. Il n'est donc pas, comme le professe l'Eglise catholique, à la suite de Jean l'évangéliste (1, 18), *le Fils unique qui est dans le sein du Père*, qui existe de toute éternité, en vertu de l'unique nature divine ; celui pour qui la seule différence entre le Père et le Fils vient de ce que la même nature est donnée par le Père et reçue par le Fils, autrement dit de la relation entre le Père et le Fils, sans aucune infériorité du Fils par rapport au Père.

En second lieu, les propos d'Acace, rapportés par Hilaire, insinuent que le Fils, créature du Père, a une volonté pleinement accordée à celle du Père. Nous passons de l'ordre naturel à l'ordre moral, d'une ressemblance des natures à un accord des volontés, le Fils accomplissant parfaitement la volonté de son Père. On peut rapprocher cette opinion de celle d'Eunome, disciple d'Aèce, que présente ainsi P. Hadot : « De

1. *In Const.* 14.

même que Dieu nous révéla son propre nom dans le mot *Inengendré*, de même, il nous révèle le nom propre du Fils dans le mot *Monogène*. Ce mot signifie que le Christ est produit immédiatement et directement par la volonté et la puissance de Dieu. Il est évident que le Christ ne peut être engendré de la substance de Dieu, puisque cette substance est l'Inengendré et que l'Inengendré est par définition imparticipable. Mais Dieu peut avoir un acte extérieur à sa substance. C'est selon cet acte, identique à la volonté de Dieu et qu'on peut appeler le Père, que le Christ est produit. Il est l'*ergon* de cette *energeia* de Dieu. Et c'est seulement dans l'ordre de l'acte ou de la volonté que l'on pourra parler de ressemblance entre le Père et le Fils. Du point de vue de la substance, il y a entre eux dissemblance radicale [1] ». L'homéisme des partisans d'Acace rejoint donc directement l'anoméisme d'Aèce et d'Eunome.

Hilaire connaissait cette théorie quand il composait son *De Trinitate*. Nous lisons au Livre IX, 70 (Smuld. p. 450) : « Les paroles que le Seigneur a prononcées (c'est-à-dire *le Père et moi nous sommes un*, *Jn* 10, 30) pour signifier le mystère de sa naissance, les hérétiques ne pouvant les nier s'efforcent de les éluder, de manière à les rapporter à un accord de la volonté : il y aurait ainsi en Dieu le Père et en Dieu le Fils, non pas l'unité de la divinité, mais l'unité de la volonté ». C'est toujours cette négation de l'unité de substance. Pour les hérétiques ariens, le Fils est une créature, il ne saurait être mis sur un pied d'égalité avec Dieu le Père.

1. P. HADOT, *Marius Victorinus, Traités théologiques sur la Trinité*, t. I, Paris 1960, *SC* 68, p. 25-26. Cf. EUNOME, *Apol.* 12 et 24, *PG* 30, 848-860. *SC* 305, p. 256 et 282.

Hilaire ne peut retenir l'affirmation minimiste que la ressemblance du Père et du Fils est une simple ressemblance de volonté. C'est pourtant ce « blasphème » qui est imposé par l'empereur. La formule homéenne, chère à Constance, est réfutée *ex professo* par Hilaire à partir du ch. 16.

*
**

Réfutation de l'homéisme de Constance Une logique rigoureuse caractérise l'argumentation du *Livre contre Constance*. Hilaire pose quatre objections auxquelles s'opposent quatre séries de réponses.

Plan de la démonstration

Ch. 16. 1re OBJECTION : Constance dit qu'il ne faut pas enseigner ce qui n'est pas dans l'Écriture. Or le mot *substance (ousie)* en est absent. Donc, il faut exclure les termes *homoousios* et *homoïousios*.

RÉPONSES :
a) C'est un mot nouveau, mais tout à fait justifié par S. Paul (I *Tim.* 6, 20).
b) Constance préconise l'emploi du mot *innascible*. Or il n'est pas dans l'Écriture.
c) L'expression *le Fils est semblable au Père* ne se trouve nulle part dans l'Évangile.

Ch. 17. Après ces deux arguments ad hominem, Hilaire pénètre au cœur du débat : la formule non scripturaire *le Fils est semblable au Père* est un prétexte pour écarter la formule scripturaire : *le Fils est égal à Dieu.*

Ch. 18-19. La similitude vise, en réalité, à éliminer *l'unité de nature* du Père et du Fils, qui est démontrée d'abord par l'Évangile (*Jn* 10, 30).

Ch. 20. 2ᵉ OBJECTION : la formule : *le Fils est semblable au Père* est conforme aux Écritures, selon *Gen.* 1, 26.

RÉPONSE : le texte de *Gen.* 1, 26 : *Faisons l'homme à notre image et à notre ressemblance* ne s'applique pas aux relations du Père et du Fils.

Ch. 21. 3ᵉ OBJECTION : S. Paul dit que *le Fils est l'image de Dieu* (*Col.* 1, 15).

RÉPONSE : En disant qu'il est *l'image du Dieu invisible*, S. Paul, par cet adjectif (*invisible*) exclut toute ressemblance matérielle, sensible. Ce qui est confirmé par *Rom.* 8, 3, où il dit que le Christ n'a pris qu'une *ressemblance de la chair de péché* et non la réalité du péché.

CONCLUSION : Seul l'homme est à l'image et à la ressemblance de Dieu. Le Christ, lui, est égal à Dieu.

Ch. 22. 4ᵉ OBJECTION : Égal signifie innascible (inengendré).

RÉPONSE : *Égal* signifie *engendré*, mais en sauvegardant la *distinction des personnes* (contre Sabellius) et *l'unité de nature* (contre Arius).

Tel est le plan de la démonstration.

Un point cependant mérite quelques précisions. L'insistance des homéens à exclure toute expression non scripturaire dans les formules de foi doit être prise en considération.

Bien qu'il dise incidemment que le mot *substance* « est admis par l'autorité prophétique[1] », Hilaire n'en prend pas la défense au nom de l'Écriture, mais parce que l'Église en a fait l'expression de sa foi, d'abord à Nicée en 325, puis aux synodes de Sardique en 343 et

---

1. *In Const.* 25.

de Sirmium en 351[1]. Les Pères de Nicée, malgré leur désir de s'en tenir aux textes scripturaires affirmant la divinité du Fils, ont été contraints d'introduire le « consubstantiel » dans le symbole de foi. Hilaire justifie cette décision dans le *De Synodis*, quand il déclare : « L'*homousios*, admis au synode de Nicée déplaît-il à quelqu'un ? Si cela lui déplaît, il faut que lui plaise sa négation de la part des *Arius*, (Hilaire emploie *Arii* au lieu d'*Ariani*). Car la négation de l'*homousios* a eu lieu pour qu'on ne prêchât pas que Dieu le Fils est né de la substance de Dieu le Père, mais qu'il a été produit de rien à l'instar des créatures. Nous ne disons rien de nouveau, témoin la perfidie même des *Arius* divulguée par de très nombreux documents[2]. »

Pour Hilaire, les vocables nouveaux sont tout à fait légitimes, s'ils sont *pieux*, c'est-à-dire s'ils *garantissent la vraie foi*[3], s'ils l'expriment d'une manière plus nette et plus juste. C'est ce qui justifie les définitions conciliaires.

Pour ce qui concerne la discussion théologique des ch. 16-22, nous ne pouvons nous y attarder dans le cadre limité de cette introduction. Les notes de la traduction apporteront les éclaircissements indispensables.

1. Hilaire cite le Credo de Nicée dans le *De Synodis*, 84. Cependant, la traduction latine de ὁμοούσιον τῷ πατρί est *unius substantiae cum patre*. La traduction *consubstantialem patri* apparaît seulement dans le *Credo* de Constantinople en 381. Cf. DENZINGER-SCHÖNMETZER, 150. Hilaire n'écrit jamais le mot *consubstantialis*. Quant au mot *Trinitas*, il l'évite dans son *De Fide*, bien qu'il le connaisse par ailleurs. Il l'emploie, en effet, dans le *Fragment Historique* II, 31, *PL* 10, 656 (*CSEL* 65, p. 153). Les synodes de Sardique et de Sirmium anathématisent ceux qui disent que « le Fils est tiré d'une autre substance que Dieu » *ex alia substantia*. Voir *De Syn*. 31, 38 ; *In Const*. 23.

2. *De Syn*. 83, *PL* 10, 535 B.

3. *In Const*. 16.

CHAPITRE III

LA TRADITION MANUSCRITE

AVERTISSEMENT

La plupart des éléments de ce chapitre ont été recueillis par les soins de A. Rocher. Il lui revient d'avoir fourni les détails de la description codicologique, d'avoir patiemment collationné 25 manuscrits de l'apparat critique qui lui ont servi à établir le texte latin et d'avoir apporté maintes observations parmi celles qui vont suivre, spécialement celles qui rangent entre eux les manuscrits du XIIe siècle. Au signataire de ces lignes revient la mise en forme définitive de toutes ces données, la manifestation des phénomènes de dépendance entre les manuscrits les plus anciens et, par voie de conséquence, l'organisation du stemma.

L. DOUTRELEAU

VUE D'ENSEMBLE

Il sera fréquemment fait mention dans les pages qui suivent de P. Smulders et de A. Feder. Il s'agit, pour P. Smulders, de l'Introduction à son édition du *De Trinitate* d'Hilaire (*CCL* 62, p. 1-78, Turnhout 1979) et pour A. Feder, de ses *Studien zu Hilarius von Poitiers*, I, II, III (Vienne 1910-1912) ainsi que de son édition des *Opera S. Hilarii*, Pars 4[a], dans le *CSEL* 65 (Vienne 1916).

Pour le *Contre Constance*, nous avons la chance de posséder un manuscrit très ancien, du début du VIe siècle, conservé aujourd'hui à la Bibliothèque Vaticane, *Archivio di San Pietro D. 182*. Nous l'appelons B. (*Basilicanus*), comme l'ont fait nos prédécesseurs Feder et Smulders. Quoiqu'il existe d'Hilaire des manuscrits encore plus anciens, notamment le *Parisinus B.N. lat. 8907* de la première moitié du Ve siècle, le cod. B est le premier, pour nous, à contenir, en même temps que les autres opuscules antiariens de notre auteur, le petit libelle *Contre Constance*. Plus tard, au IXe siècle, on voit apparaître au Nord-Est de la France des manuscrits portant le *Contre Constance* isolé des autres œuvres d'Hilaire. Les caractéristiques de ces mss, spécialement l'orthographe, révèlent qu'ils ont été copiés sur des modèles d'une bien plus haute antiquité : il s'agit de I (*Monacensis 6311*), du premier quart du IXe siècle, de M (*Turonensis 313*), de la fin du IXe siècle, tous deux originaires de l'Abbaye de Saint Amand en Pévèle, et de Z (*Ambrosianus D 106 inf.*), originaire de l'Italie du Nord, Xe siècle. Quant au cod. O (*Paris, B.N. lat. 1687*), XIe siècle, provenant de Cluny, il appartient, quoique plus tardif, à la catégorie des trois autres, et se trouve très proche de Z. Avant d'en venir au détail, il faut encore mentionner ici le cod. C (*Paris. B.N. n. acq. lat. 1454*), qui est originaire de Cluny et qui peut être daté assez exactement des années 970-980 ; il en sera parlé abondamment en cours de ce chapitre. Au Moyen Age, les œuvres d'Hilaire ont été très répandues. Les manuscrits en sont nombreux : voir Smulders *CCL* 62.

Ne retenant maintenant que ceux que nous avons désignés plus haut et ceux du Moyen Age qui contiennent le *Contre Constance*, nous allons décrire, sans toutefois descendre au delà du XIIIe siècle, les vingt-six manuscrits qui nous ont servi à établir le texte. Les autres témoins du *Contre Constance* que nous n'avons pas collationnés – un peu plus d'une quinzaine – ne seront que mentionnés.

Voici, dans l'ordre alphabétique, la liste des sigles que nous leur avons donnés. Nous nous sommes conformé dans toute la mesure possible aux sigles de Feder (*CSEL* 65, p. 180). Celui-ci en emploie neuf : BCE GJL MOW ; nous n'avons pas pu éviter que M et O de Feder deviennent chez nous h et P. D'autre part, Smulders (*CCL* 62) utilise aussi cinq manuscrits qui sont communs avec les nôtres, c'est-à-dire selon nos sigles, BCIJM ; B et J portent le même sigle chez lui et chez nous ; mais C est appelé O chez Smulders, tandis que I et M, groupés avec notre Z, forment un consensus que Smulders appelle k. Smulders présente aussi (p. 9-33), mais sans sigles, la plupart des mss dont nous nous servons ; il ne faut en excepter que nos mss NOV. Cela nous permet, dans la description qui va suivre, de concentrer nos observations sur le *Contre Constance*. Nous en tirerons ensuite les conclusions nécessaires sur l'utilisation des mss.

Pour ne pas se perdre dans le foisonnement des manuscrits, il faudra se reporter au stemma partiel de la p. 130 et à celui de la p. 134.

Cela dit, voici donc au verso de cette page la liste des manuscrits.

Feder	Smuld.	S.C.	
	+	A	*Bruxelles, B.R. II 2561*, f. 124^v-127^v (129^v), s. XII
B	B	B	*Vatican, Archivio di San Pietro D 182*, f. 275^v-288, s. VI in.
C	O	C	*Paris, B.N. n. acq. lat. 1454*, f. 162-170 (164-165), s. X ex.
	+	D	*Douai, B.M. 220*, f. 125-129^v, (130^v), s. XII med.
E	+	E	*Berne, Burg. Bibl. 100*, f. 71b-75b (76b), s. XII ex.
	+	F	*Cambridge, Corp. Christi Coll. 345*, f. 152b-157b (159), s. XII
G	+	G	*Bordeaux, B.M. 112*, f 14^v-18 (19), s. XII ex.
O	+	H	*Munich, Clm 21528*, f. 106-112^v (113^v), s. XII ex.
M	+	h	*Munich, Clm 169*, f 98-101^v (102^v), s. XIII in.
	k	I	*Munich, Clm 6311*, f 59^v-69 (70), s. IX in.
J	J	J	*Salzbourg, B. Mon. S. Pierre a-XI-2*, f. 222-231 (233), s. XII in.
K	+	K	*Klosterneubourg, B. Abb. 206*, f. 132^v-138 (139), s. XII ex.
L	+	L	*Zwettl, B. Mon. 33*, f. 232^v-236^v (237^v), s. XII ex.
	k	M	*Tours, B.M. 313*, f. 94-104 (107), s.IX ex.
		N	*Vendôme, B.M. 189*, f. 39^v-50 (52^v), s. XII ex.
		O	*Paris, B.N. lat. 1687*, f. 21-29 (30^v), s. XI in.
	+	P	*Paris, B.N. lat. 1697*, f. 125-129^v (129^v), s. XII
	+	Q	*Reims, B.M. 371*, f. 168^v-174^v (176), s. XIII in.
	+	R	*Reims, B.M. 372*, f. 176-182 (183^v), s. XII ex.
	+	S	*Paris, B.N. lat. 15637*, f. 78-80^v (81^v), s. XII ex.
	+	T	*Paris, B.N. lat. 1699*, f. 137^v-143 (144), s. XII ex.
	+	U	*Vienne, Nat. Bibl. 730*, f. 100^v-104^v (105^v), s. XIII
		V	*Vienne, Nat. Bibl. 1067*, f. 18-22^v (23^v), s. XIII
W	+	W	*Vienne, Nat. Bibl. 684*, f. 115^v-120 (121), s. XII in.
X	+	X	*Troyes, B.M. 242*, f. 142-146 (147), s. XII
	k	Z	*Milan, Ambr. D 106 inf.*, f. 5-13 (14^v), s. X

+ indique que le ms est recensé (sans sigle) par Smulders dans son *Elenchus codicum*.

Les chiffres entre parenthèses indiquent la localisation de la « finale apocryphe » ; nous aurons à en reparler. Sous ce rapport, B est à mettre à part ; quant à C, voir la description du ms, ci-dessous p. 103 s.

A cette liste des mss ayant servi à établir le texte, ajoutons ceux que nous n'avons pas utilisés, soit en raison de leur affinité avec ceux que nous avions déjà, soit à cause de leur époque tardive.

Nous nous devons de remercier ici le P. Smulders qui nous a aidé à compléter notre liste et s'est complaisamment prêté à répondre à nos questions (lettre du 2.1.1974).

Aberdeen, Univ. libr. 587, s. XV
Admont, Stiftsbibl. 740, s. XIII (affin. avec C)
Bâle, Univ. O. II. 24, s. XII ex. (affin. avec IMOZ)
Bâle, Univ. A. V. 18a, s. XV
Barcelone, Bibl. centr. 578, s. XV
Florence, Laur. Conv. soppr. 193, s. XIII ex.
Florence, Laur. Med. Fesul. 51, s. XV
Lisbonne, B. Nat. Alcob. 206, s. XV
Londres, Br. Mus. Harley 4949, s. XV
Melk, Stiftsbibl. 156, s. XV
Milan, Ambr. D. 26 sup., s. XIII
Munich, Clm. 11408, s. XV
Vatican, Lat. 555, s. XV (affin. avec IMOZ)
Vatican, Urb. lat. 37, s. XV
Vatican, Ottob. lat. 3161, s. XVIII

Il faudrait aussi tenir compte des manuscrits qui n'ont pas pu être trouvés (Smulders, p. 33) et qui pouvaient comporter le *Contre Constance*, une dizaine.

Avant d'aller plus loin, il est bon d'avoir sous les yeux le nom des mss dont Coustant s'est servi pour le *Contre Constance*. Il en a donné la liste, qu'on trouve dans *PL.* 9, 222, et il a laissé des notes : *Variantes lectiones in Hilarium (B.N. lat. 11621 et 11622)* qui nous les rendent identifiables, mis à part le *Carnutensis* très ancien que ni Feder (*CSEL*, p. LXVIII) ni nous-même n'avons pu déterminer.

B   *Vaticanae Basilicae* = *Vat. Bas. S. Petri D 182*, s. VI
R   *Theodericensis* = *Reims, B.M. 372*, s. XII
Q   *Remigianus* = *Reims, B.M. 371*, s. XIII
N   *Michaelinus* = *Vendôme, B.M. 189*, s. XII
S   *Sorbonicus* = *Paris, B.N. lat. 15637*, s. XII
     Carnutensis = ? (ne peut être le *B.N. lat. 8907*, car
     celui-ci ne contient pas le *C. Const.*)
G   *Sylvae maioris* = *Bordeaux, B.M. 112*, s. XII
T   *Elnonensis* (dit aussi *Tellerianus*) = *Paris, B.N. lat.
     1699*, s. XII
O   *Colbertinus* = *Paris, B.N. lat. 1687*, s. XI
M   *Martinianus* = *Tours, B.M. 313*, s. IX

DESCRIPTION DES MANUSCRITS

La description des manuscrits ira des plus anciens aux plus récents :

1. B d'abord, **copie exceptionnelle** du début du VIe siècle ;

2. puis, formant le groupe α, les **mss carolingiens** du IXe siècle, IMZ (+ O, XIe siècle) ;

3. ensuite C, Xe siècle, **relais important** entre B et les autres ;

4. enfin les autres, de l'**époque romane** jusqu'au seuil du XIIIe siècle, beaucoup plus nombreux (une vingtaine).

Nous accorderons notre attention aux titres et à la place que tient le *Contre Constance* parmi les pièces d'un même codex.

Un témoin exceptionnel, B
(Feder : B ; Smulders : B)

B. VATICAN. *Archivio di San Pietro D 182*. 311 ff. 240 × 300 mm. Année 509/510 selon le colophon du f. 288.

Ce ms. en semi-onciale a fait l'objet de nombreuses études, auxquelles nous ne pouvons que renvoyer[1]. Il contient le *De Trinitate* d'Hilaire et un corpus hilarien de six opuscules que nous énumérerons plus bas. Il est initialement l'œuvre de deux copistes, dont l'un a travaillé, en bon calligraphe[2], jusqu'aux deux tiers de f. 288, c'est-à-dire jusqu'à la fin du *C. Const.*, et l'autre, en une écriture non moins appliquée mais plus épaisse, à partir de là jusqu'à la fin du ms. (aujourd'hui f. 311). Il faut toutefois noter que des destructions et des disparitions de folios, voire de quaternions entiers (liste dans Smulders, p. 29), ont donné lieu à des réparations et à de nouvelles copies : on reconnaît ainsi une écriture wisigothique du VIIIe et deux autres du IX/Xe s., que, contrairement à Dom Wilmart et à Feder (I, 138) qui les apparentent à des écritures italiennes du Nord, B. Bischoff (lettre du 8.9.1985) situe, sans

---

1. A. REIFFERSCHEID, *Bibl. Patr. lat. it.* I, 150. – A. WILMART, « L'odyssée du manuscrit de San Pietro qui renferme les œuvres de Saint Hilaire », dans *Classical and Mediaeval Studies in honor of E.K. Rand*, New York 1938, p. 301 s. – E.A. LOWE, *Codices Latini antiquiores I*, Oxford 1934, p. 38.– A. FEDER I, p. 138 et *CSEL 65*, p. LXIV. – P. SMULDERS, *CCL 62*, p. 28. – Voir dans E.A. LOWE, *Palaeographical papers 1907-1965*, Oxford 1972, les douze observations éparses (cf. Index) que lui suggère le ms. *D 182*.

2. Une liste de fac-similés de cette « canonical half-uncial » est indiquée par LOWE dans les *Cod. lat. ant.* I et dans *Palaeogr. Pap.* p. 153, n. 8. Y ajouter, entre autres, J. MALLON, *Paléographie romaine*, Madrid 1952, pl. XXIX, 3.

exclure la vallée du Rhône, dans le Sud de la France. Le *Contre Constance*, quant à lui, n'a pas eu à subir de réfection. Il est l'œuvre du premier copiste.

Le colophon[1] qui donne la date et le lieu de la copie (Cagliari, en Sardaigne) est en écriture cursive du VIe siècle. Celle-ci est exactement la même que celle qui a contrôlé la fin de chacun des Livres du *De Trinitate* et la finition des quaternions en inscrivant le mot *contuli* au bas des folios terminaux[2].

A partir de ces données et de quelques autres dont nous n'avons pas à parler, on a essayé de faire l'histoire du manuscrit.

Dom Wilmart a cru pouvoir établir l'itinéraire à travers l'Europe qui conduisit le ms. de Sardaigne à Rome. Mais Lowe (ainsi que B. Bischoff, on vient de le voir) en a contesté les étapes. Nous ne retiendrons qu'un aspect, utile pour nous, de cette histoire : c'est que le ms. a beaucoup voyagé. Si on le trouve pour la première fois mentionné dans l'Index de 1467 de la Bibliothèque de Saint Pierre de Rome, il faut aussi savoir qu'il a été mis en armoire dès 1434/1435 en exécution du testament du Cardinal Giordano Orsini,

---

1. Texte du colophon : « *Contuli in nomine dni ihu xpi aput Karalis constitutus anno quarto decimo Trasamundi regis* ». P. COURCELLE, *Hist. litt. des grandes invasions germaniques*, p. 197, n'hésite pas à attribuer ce colophon à Fulgence de Ruspe. Il faudrait ainsi attribuer à Fulgence les colophons de même écriture, mais n'indiquant ni lieu ni date, qui se trouvent à la fin de chacun des livres du *De Trin.*, ainsi que le mot *contuli* qui se trouve à la fin de chaque quaternion original, et, par là, reconnaître à Fulgence un rôle prépondérant dans l'exécution et la correction du manuscrit. Mais Dom Wilmart attribuait sans hésitation à Fulgence les notes marginales, d'une tout autre écriture et d'une teneur conforme à celle qu'on peut attendre de l'évêque Fulgence.

2. Fac-similé du colophon, en même temps que de l'écriture semi-onciale du texte, dans P. COURCELLE, *l.c.* pl. 34a et p. 363.

qui mourut peu après en 1438. Le Cardinal, commen-
dataire de l'Église de Chartres et grand voyageur par
nécessité aux ordres du Pape (France, Angleterre,
Allemagne, Hongrie, Bohème...), avait collecté un
nombre important de manuscrits (plus de 250) ; mais
il n'a malheureusement pas laissé d'indication sur leur
provenance : qui pourra donc dire où il trouva et acquit
notre ms. d'Hilaire[1] ? Par défaut du nom de l'auteur
sur la première page, la liste testamentaire d'Orsini le
désigne seulement par un contenu trinitaire[2]. Mais il
ne fait pas de doute que c'est bien le ms. d'Hilaire
qui entra alors à la Bibliothèque de la Basilique Saint
Pierre, où il est resté jusqu'à nos jours[3]. On le

1. Un minuscule indice pourrait donner lieu à plus ample
recherche à ce sujet : sur le cod. *Ambros. D 26 sup.*, l'Inventario
Ceruti a relevé ceci : « *In vet. catal. sign. X* ». Or le *Basilicanus*
possède aussi cette marque au sommet du f. 1ʳ, qui est blanc ; mais
le relieur en a rogné la moitié, si bien qu'elle se présente sous cette
forme énigmatique ω (= x coupé en deux).

2. La rédaction est celle-ci : « *Liber de Trinitate contra Arrianos
cum aliis operibus* », d'après F. CANCELLIERI qui recopie dans son
ouvrage *De Secretariis Vet. Basilicae Vaticanae*, T. II, p. 906, Romae
1786, l'inventaire des livres du Cardinal Orsini légués par testament.
J.B. DE ROSSI, Introduction au *Catal. des mss Palat. lat. de la
B. Vaticane*, p. LXXXVIII, dit à ce propos : « *Nomen Hilarii tacetur
quod codex primis foliis careret* ». Juste remarque, car les douze
premiers folios du ms., refaits au IXᵉ siècle (Smulders, p. 29), l'ont
été de telle façon que le folio 1 recto a été laissé en blanc, peut-
être pour y dessiner plus tard un titre couvrant toute la page. Ce
n'est qu'aux ff. 40ᵛ, 251ᵛ, 275ᵛ, qu'apparaît le nom d'Hilaire, « *sancti
hilari* », dans le titre courant de la fin des Livres III, XI, XII. On
s'étonne que le Cardinal Orsini, ou du moins son bibliothécaire,
n'ait pas eu la curiosité de feuilleter le manuscrit jusqu'à la rencontre
de ces titres pour y relever le nom de l'évêque de Poitiers.

3. L'historique du legs Orsini, lié à la Basilique Saint Pierre, se
trouve en premier lieu dans le livre précité de F. Cancellieri. Il a
été, depuis, repris et précisé par le Cardinal G. MERCATI, *Codici
latini Pico Grimani Pio*, Studi e Testi 75, 1938, p. 144-168, et par

consulte aujourd'hui à la Bibliothèque Vaticane. Je l'ai consulté en microfilm à l'IRHT de Paris.

Il nous importait que le ms. eût voyagé avant de parvenir à Rome, car nous pourrons ainsi mieux expliquer dans la suite qu'un ms. postérieur, en France, au Xe siècle, ait la même allure d'ensemble et, en ce qui concerne le *Contre Constance* ainsi que les autres opuscules, le même texte que le *Basilicanus* romain.

Cela dit sur l'histoire du manuscrit, ce dernier contient outre le *De Trinitate*, f. 1-275[v], un corpus hilarien[1], f. 276-311, constitué des six opuscules que nous avons dits et dont nous donnons maintenant l'ordre sous lequel ils se présentent dans le codex : *In Constantium* (cité ordinairement ici sous la forme *Contre Constance* ou *C. Const.*), *Ad Constantium I* et *II*, *Contra Auxentium, Blasphemia Auxentii, De Synodis*. Le codex est mutilé : arrêt à *PL* 10, 503 B 7 *non simpliciter*. Dom Wilmart a calculé que le codex devait se prolonger jusqu'au f. 352.

P. Canart, *Catalogue des manuscrits grecs de l'Archivio di San Pietro*, Studi e Testi 246, 1966. On trouvera dans ce dernier, p. 7-10, 21 et suiv., les discussions et les précisions nécessaires pour subvenir aux insuffisances et aux obscurités de Cancellieri.

1. Ce sont les accusations de Lucifer de Cagliari († 368) contre Hilaire qu'il trouvait trop complaisant pour l'hérésie arienne, ce sont les remous qu'elles créèrent et l'interminable controverse qui s'ensuivit, qui semblent être à l'origine de ce corpus. Quoi d'étonnant que plus de cent ans après, Fulgence, évêque de Ruspe, exilé en Sardaigne en 508 avec de nombreux évêques catholiques par le roi Thrasamond – arien convaincu – ait eu intérêt et ait trouvé le loisir de faire exécuter la copie, et même, pense Smulders, de vaquer au groupement d'opuscules épars, qui étaient alors à sa disposition, en un corpus hilarien, – dont le cod. B est le *seul* représentant parmi les manuscrits très anciens qui ont précédé l'époque romaine. Les notes apposées en marge du *De Synodis* et le corpus tout entier tendent à rappeler la fermeté et l'orthodoxie d'Hilaire. Cf. Smulders, p. 35.

Le *De Trin* et le *C. Const.* sont dus à la plume du premier copiste ; un second copiste a écrit le reste.

f. 275ᵛ. Desinit du traité précédent : *Sancti Hilari de trinitate / liber duodecimus explicit /*. Puis titre et incipit du *C. Const : Incipit eiusdem liber / in Constantium inperatorem / feliciter /* (en lignes courtes et espacées pour remplir la fin de la page).

f. 276. Incipit à la première ligne : *Tempus est loquendi.*

f. 288. Desinit : *et paternae pietatis rebellem / Explicit liber in Constantium / Incipit eiusdem epistola ad Constantium / Benignifica...*

Le colophon dont nous avons parlé se trouve pris entre les deux lignes, au reste très espacées, *rebellem / Explicit.*

B ne présente pas de division du *C. Const.* en chapitres. Quelques majuscules et quelques rares points de ponctuation seulement. Deux notes marginales : f. 281 (ad 12, 9), *synodus arrianorum in Seleucia orientis celebratur* ; f. 282 (ad 13,1), *quid Antiochia praesens audierit.* Leur écriture est très différente de celle du colophon, que P. Courcelle a attribuée, trop vite à Fulgence de Ruspe († 532). V. *supra*, p. 92, n. 1).

B, nous le verrons, a influencé tous nos mss postérieurs sauf IMOZ ; il peut même prétendre, du moins en ce qui concerne le texte du *C. Const.*, à figurer comme leur propre archétype. Coustant l'a utilisé en 1693 pour le texte du *C. Const.* reproduit en *PL* 10, 577-633.

L'orthographe de B est archaïque. Cela n'est pas pour nous surprendre. Feder III, p. 4-5, en a donné de bons exemples d'après les Livres *Ad Const.* qu'il étudiait. Elle n'est pas toujours homogène puisque, par exemple, on trouve dans le *C. Const.* : 4, 16 *persecutores* et 5,1 *persequutorem* ; 11, 7 *scribtos*, 16, 4 *scribta* et 23, 15 *scripta* ; 13, 2 *anthiociae* et 23, 6 *antiochiae.* Smulders aussi, p. 29, a relevé quelques caractéristiques de cette orthographe, plus chargée d'iotacismes dans le *C. Const.* que dans le *De Trin.* : le copiste confond *e* avec *i, u* avec *b, o* avec *u, m* avec *n, t* avec *c* devant *i* ; il omet souvent le *m* final, n'écrit pas toujours la cédille du *e* (*ae*), il use irrégulièrement de l'assimilation (*adm-* et *amm-* ...). Les phénomènes de ce genre ont quelque peu troublé le copiste clunisien d'une époque ultérieure à qui il incomba un jour de transposer l'orthographe ancienne en celle de son temps. Il y est arrivé d'ordinaire, v.g. 25, 18 *absolbunt* devenu *absoluunt*, 16, 4 *scribta* devenu *scripta*, etc., mais pas toujours, ainsi 7, 4 *tolles* ne devient pas *tollis*, 6, 11 *perdes* ne devient pas *perdis*, nous pourrions multiplier les exemples. On trouvera à l'apparat critique les plus significatifs et ceux qui donnent lieu à erreur ; il est inutile d'y revenir plus longuement, car nos prédécesseurs ont déjà suffisamment attiré l'attention sur cette orthographe (Feder III, p. 4 et Smulders, p. 29). Pour nous, à l'instar des manuscrits médiévaux et des récents éditeurs, nous n'avons pas cru devoir suivre l'orthographe de B ; nous l'avons redressée comme il convenait à une édition contemporaine.

*
**

Groupe α : les mss carolingiens IMOZ

Les quatre mss qui forment le groupe α sont indépendants de B. Ils ont en commun de ne pas contenir le corpus hilarien et d'être les premiers à procurer la « finale apocryphe » du *Contre Constance*.

La finale apocryphe Cette finale qui se déploie sur 145 lignes de Migne (*PL* 10, 603-606) prolonge indûment le *C. Const.* Il s'agit en réalité de plusieurs passages du *De Trin.* (II, 6 ; III, 18 ; II, 9) mis bout à bout et copiés là. Vingt-cinq de nos mss sur vingt-six la contiennent. Elle était déjà suspecte à Coustant, car il ne la trouvait pas dans B. La perspicacité des historiens [1] est arrivée à en

---

1. Dom WILMART dans la *Rev. Bénédictine*, t. 24, 1907, p. 149 & 150 ; E. AMANN dans *Rev. des Sc. Rel.*, t. 23, 1949, p. 225 s. ; surtout l'étude du texte d'Arnobe le Jeune (édité par FEDER, *CSEL* 65, p. 227-228 ; cf. *PL* 53, 289-290) par J. DOIGNON, « Une compilation de textes d'Hilaire de Poitiers présentée par le Pape Célestin Ier à un concile romain de 430 », dans *Oikouménè, Studi paleocristiani in onore del Concilio Ecumenico Vaticano II*, Centro di Studi sull'antico cristianesimo di Catania, 1964, p. 477-497.

déterminer l'origine. Elle remonte à un florilège anti-
nestorien établi par Cassien pour le pape Célestin Ier,
alors préoccupé de répondre aux allégations de Nes-
torius. Ce florilège fut entre les mains de Denys le
Petit et du diacre Léon, futur pape S. Léon. Célestin Ier
s'en serait abondamment servi à l'occasion d'un concile
romain de 430, préalable au Concile d'Éphèse, concile
romain dont malheureusement les actes ne nous ont
pas été conservés, mais qui fut sûrement tenu, on en
a le témoignage par des lettres contemporaines. Mais
cela ne nous dit pas quand la finale apocryphe a été
insérée dans l'œuvre d'Hilaire. On en a peut-être un
indice par le fait que trois de nos mss, MOZ, du
groupe α, contiennent aussi le *Tome à Flavien* de
S. Léon. Dans la *collectio Grimanica* des lettres de
S. Léon (Schwartz, *ACO* ; II, 4, p. 119) se trouve en
effet un florilège – « *testimonia SS. Patrum* » – dont
plusieurs des textes sont empruntés au *De Trin.* d'Hilaire (II, 24-25 ; IX, 3 ; IX, 5-7, 9, 14). Ce ne sont
pas ceux de la finale apocryphe, mais il est certain
qu'ils firent partie du florilège de Cassien envoyé à
Célestin[1]. A cette époque, les textes choisis d'Hilaire
figuraient ainsi aux archives de Rome, prêts à servir
pour tout enseignement christologique.

Que l'on rapprochât dans une publication ou dans
un codex le *Tome à Flavien* et le *Contre Constance*
était assez naturel étant donné les affirmations doctrinales qui leur étaient communes. Dans la foulée de ce
rapprochement, on peut penser que le *C. Const.* devint
sous la plume des scribes, par similitude avec la lettre

---

1. J. DOIGNON, *l.c.*, p. 491, relève une omission que Cassien et
Léon sont, dit-il, seuls à présenter : *et per quem* en *De Trin..* II,
25. L'édition de Smulders, p. 61, ligne 5, permet d'ajouter aujourd'hui
que le ms. de Vérone, du Ve siècle finissant, atteste aussi cette
omission.

de S. Léon, une *epistola* plutôt qu'un *liber*. C'est ainsi
que peut s'expliquer, dans les mss du groupe α, le
titre d'*epistola* donné au *C. Const.* (cf. *infra*, p. 142
s.), si différent de celui qu'on trouve dans les autres
cas. De la même façon, on aura joint à la prétendue
lettre de larges extraits du florilège de Cassien qui
constituèrent, dans l'édition du moins que fut l'archétype
de α, la finale apocryphe. L'orthographe de nos mss
α, conservée de leur ancêtre pour une bonne part,
montre que la juxtaposition de ces pièces dut se faire
assez tôt, bien avant, certes, le IXe siècle, et dans des
cercles romains.

Sur cette finale, que nous n'avons pas éditée puisqu'elle n'est pas authentique, nous n'en dirons pas plus.
Nous verrons que quelques mss du Moyen Age ont
détecté la supercherie et que le manuscrit C de Cluny
est pour beaucoup dans sa diffusion.

I MUNICH. *Staatsbibl. Clm 6311*   groupe α
                                                  (Smulders : k)

111 ff. 238 × 172 mm Premier quart du IXe siècle.
Ecole de S. Amand en Pévèle (lettre de B. Bischoff,
8.5.1971 [1]).
Pièces diverses de S. Jérôme (lettres), Ambroise,
Bède. Le *C. Const.*, seule pièce hilarienne, est inséré
entre la lettre (dite *humelia*) de Jérôme à Rusticus
(epist. 122) et celle à Marcella (epist. 59).

f. 59^v. Titre : *Incipit epistola sancti Helarii episcopi ad
Constantium imperatorem missa. Tempus est.*

---

1. Cf. aussi B. BISCHOFF, *Die Südostendeutschen Schreibschulen
und Bibliotheken in der Karolinerzeit*, T. I, p. 143-144, Wiesbaden
1974^3, et T. II, 1980, p. 222.

f. 69. Finale apocryphe, sans rien qui la distingue du reste.

f. 70. Après le dernier mot, *ignarus*, de la fin. apocr. : *Explicit sancti Helarii episcopi epistola transmissa ad Constantium imperatorem.* Suit la lettre de Jérôme à Marcella.

L'orthographe du *C. Const.* dans ce ms., en ce qu'elle a gardé d'archaïsmes, rappelle celle de B. On lit, par exemple : 17,1 *diabulae* pour *diabolae* ; 4, 21 *puplice* pour *publicae* ; 8, 19 *homanorum* pour *humanorum* ; 2, 13 *senodum* pour *synodum* ; 25, 7 *ociusum* pour *otiosum* ; 3, 7 *regentem* pour *recentem* ; 6, 13 *inquid* pour *inquit* ; 23, 9 *ingeniorum* pour *encaeniorum* ; etc., et des erreurs de lecture importantes, comme celle-ci : 27, 17 *fuit. Quur aquam* pour *fuit curae quam* ; on en trouvera d'autres à l'apparat.

En dépit de cette orthographe et de ses erreurs, le ms. I n'est pas à négliger. Il nous a conservé, quelquefois seul, la plupart du temps avec les autres *codices* de sa famille, MOZ, de bonnes leçons qui corrigent, sous la garantie de son ancienneté, les erreurs de l'autre famille. Voir l'apparat et *infra*, p. 129.

M TOURS. *Bibliothèque municipale 313*   groupe α
                                              (Smulders : k)

218 ff. 205 × 150 mm. Pièces de diverses époques, IXe, XIIe, XIIIe siècles. C'est le *Martinianus* de Coustant, provenant de l'abbaye Saint-Martin de Tours.

La partie, f. 94-147, qui contient le *C. Const.*, ainsi que la *lettre à Paulin* de Jérôme et le *Traité sur le Saint Esprit* de Théodulphe d'Orléans en écriture caroline de l'école de Reims, est due sans doute à une main de l'Abbaye de Saint-Amand en Pévèle du troisième quart du IXe siècle selon B. Bischoff (lettre du 8.5.71). Le reste du ms., composé de pièces diverses (cf. *Catal. des mss des Départements*, XXVII, 1, p. 234) est du XIIe siècle (f. 1-54 ; 148-218) et du XIIIe (f. 54-

94). Signalons au f. 147, à la fin du traité de Théodulphe d'Orléans, une pièce de 42 vers adressée à Charlemagne. On trouvera la même après le même traité de Théodulphe, dans les mss OZ que nous allons décrire après celui-là.

f. 94. *Incipit epistola sancti Hilarii episcopi ad Constantium imperatorem missa. Tempus est.*

f. 104. Finale apocryphe que rien ne distingue du reste.

f. 107. Après le dernier mot, *ignarus*, de la finale apocr. : *Explicit epistola sancti Hilarii episcopi transmissa ad Constantium imperatorem.*

Suit : Lettre de S. Jérôme à Paulin et, plus loin, le traité de Théodulphe.

L'origine pévéloise de la partie qui contient le *C. Const.* explique que celui-ci soit du même type de texte que celui du cod. I, lui-même relevant de l'influence de Saint-Amand. Il ne descend pourtant pas de I, car il a comblé une omission de six mots en I (18, 8)9), mais son modèle peut bien avoir été celui de I, car les variantes par rapport à I qui se veulent des corrections, en petit nombre, n'excèdent pas la force d'un copiste moyennement instruit. Coustant avait soigneusement relevé les variantes par rapport à l'édition de Bâle de 1523 ; on les trouve dans ses papiers conservés à Paris, *B.N. lat. 11622*, sous le titre : P. Coustant, *Variantes lectiones in Hilarium*, p. 299.

Voici quelques corrections de M par rapport à I : 2, 18 *in exilio* M ; *in exilii* I ‖ 2, 20 *ineundae* M ; *in eum de* I ‖ 10, 6 *in uultu* M ; *in uultum* I ‖ 14, 3 *fallaces* M ; *fidacii* I (*palatio* recte B) ‖ 18, 8-9 *an opus ? an natura ? an professio ?* M ; om. I ‖ On en trouvera d'autres à l'apparat critique.

⁎⁎

O PARIS. *B.N. lat. 1687* groupe α

89 ff. 290 × 230 mm. Pièces de diverses époques. C'est le *Colbertinus* de Coustant. Au f. 69ᵛ, une note se rapportant à Odilon, abbé de Cluny de 994 à 1049, fait penser que le ms. a séjourné à Cluny. Relèvent donc du XIᵉ siècle les ff. 10-30 et 45-70, qui, originellement, se faisaient suite. On trouve parmi eux le *Tome à Flavien* (Fabien dans le ms.) (f. 19-21) de S. Léon, précédant immédiatement le *C. Const.* ; plus loin, f. 45-69, le traité de Théodulphe d'Orléans *sur le Saint Esprit*, florilège contenant, comme on sait, trois passages de S. Hilaire (*De Trin* et *De Syn.*) et accompagné de la pièce de 42 vers, *Perge libelle*, dédiée à Charlemagne. F. Dolbeau signale que la partie du XIᵉ siècle était, autrefois chez de Thou, reliée avec et entre les *B.N. lat. 3779* et *5296 C*, f. 64-132, tous deux provenant de Cluny.

f. 21. au milieu de la page : *Incipit epistola sancti Hilarii episcopi ad Constantium imperatorem missa. Tempus est.*

f. 29. A la 5ᵉ ligne, finale apocryphe que rien ne distingue du reste.

f. 30ᵛ. *Explicit epistola sancti Hylarii episcopi transmissa ad Constantinum* (sic) *imperatorem.* Suivait autrefois, quand le ms appartenait à de Thou, le traité de Théodulphe sur le Saint Esprit.

V. Ph. Lauer, *B.N. Catalogue général des mss latins*, II, p. 125 et F. Dolbeau, « Anciens possesseurs de mss hagiographiques conservés à la B.N. de Paris », dans *Rev. d'Hist. des Textes*, 1979, p. 188.

*
**

Z MILAN. *Ambrosianus D 106 inf.*   groupe α
                                               (Smulders : k)

39 ff. 315 × 225 mm. Xᵉ siècle. Italie du Nord (lettre de B. Bischoff, 8.9.85). Autrefois au monastère bénédictin de S. Pierre et S. Paul de Glassiata près de Milan. Entré à la Bibliothèque Ambrosienne en 1603.

f. 1. S. Léon, *Tome à Flavien* (Fabien dans le ms).

f. 5. *Incipit epistola sancti Ilarii episcopi ad Constantium imperatorem missa. Tempus est.*

f. 13. ligne 5 : Finale apocryphe que rien ne distingue du reste.

f. 14ᵛ. *Explicit epistola sancti Hylarii episcopi transmissa ad Constantinum* (le 3ᵉ *n* est exponctué et gratté) *imperatorem.* Le reste de la page (12 lignes) est blanc.

f. 15. Théodulphe d'Orléans, *De processione Spiritus sancti.*

f. 39-40ᵛ. La pièce de vers en l'honneur de Charlemagne, *Perge libelle celer Caroli ad vestigia celsi*, comme O et M.

Des signes de ponctuation assez nombreux. Pas de corrections. Orthographe archaïque comme I et M, v.g. 17,1 *diabulae* ; 9, 16 *ostes*, mais 23, 25 *hostes* ; 23, 10 *ingeniorum* pour *encaeniorum*, etc. Une note marginale (6, 7), qui se retrouve en O, a passé dans le texte au détriment du mot *dicam.* Pour le texte, affinité avec IMO, plus proche de M que de I.

Le codex a été vers le bas des pages, assez fortement rongé par l'humidité et abîmé à la pliure. En plusieurs endroits, rapiéçage avec un parchemin plus grossier. Le texte, alors, a été soit repassé à l'encre soit refait. Ces endroits refaits et repassés sont indiqués à l'apparat par Zʳ.

*
**

Un relais important au Xᵉ siècle :
le manuscrit de Cluny, C
(Smulders : O. Feder : C)

C PARIS. *B.N. nouv. acq. lat. 1454* (Delisle, Fonds de Cluni, n° 38)

191 ff. 305 × 253 mm. Deux colonnes. Xᵉ siècle. Plus précisément (cf. M. C. Garand, dans *Bibl. Ec. des Chartes*, 1978, p. 23), entre 970 et 980.

Le ms. contient, comme B et dans l'ordre de B : *De Trin, C. Const., Ad Const. I* et *II, C. Aux, Blasph. Aux., De Syn.*

f. 162. Début du 25ᵉ quaternion. Titre : *Incipit liber beati Hilarii contra Constantium imperatorem tunc hereticum. Tempus est.*

f. 164. Première ligne, début de la finale apocryphe après le signe Φ : *Pater est ex quo.*

f. 165. Au milieu de la colonne 2 : *ignarus. Explicit epistola / sancti Hylarii episcopi / transmissa ad Constantium imperatorem.* Le reste de la colonne est blanc, ainsi que le f. 165 verso.

f. 166. Sous un titre ajouté dans la marge supérieure par une main beaucoup plus récente : *S. Hilarii liber contra Constantium imperatorem*, la première ligne commence ainsi : *tia paternae voluntatis* (9, 8-9). C'est la suite du f. 163ᵛ *oboedien /.*

f. 170. Dernière ligne : *et paternae pietatis rebellem* Φ.

f. 170ᵛ. Première ligne : *Explicit liber in Constantium. Incipit liber eiusdem ad Constantium. Benignifica.*

f. 171ᵛ. Fin du quaternion d'après la couture ; mais ce quaternion compte dix folios – et non huit – comme il apparaît d'après la foliotation. Cela s'explique par la présence abusive du bifolium (f. 164-165) contenant la finale apocryphe.

Coustant ne dit rien de C et les éditeurs des XVIe et XVIIe siècles semblent l'avoir ignoré. Pourtant C a joué un très grand rôle dans la tradition du texte. Il a été copié à Cluny et fait partie des listes clunisiennes dont on fait remonter l'origine au XIe siècle [1]. Les recherches de M.C. Garand font connaître que C a été écrit alternativement par trois des copistes de Cluny, Rotard, Bernard et un anonyme. C'est à l'anonyme qu'il faut attribuer le *C. Const.*. Quant au bifolium erratique, cousu après coup entre les ff. 163 et 166, on y reconnaît l'écriture d'Aldebald, « familier de saint Maïeul et de saint Odilon », qui « devait jouir, vers la fin de sa vie, d'une certaine renommée en tant que copiste » pour avoir « pris part pendant près de quarante ans à l'activité de la chancellerie de Cluny » (M.C. Garand) [2]. Si bien que le bifolium écrit par lui ne relève pas de la confection primitive du ms., mais apparaît comme une sorte de repentir propre à Aldebald. En collationnant divers exemplaires d'Hilaire que Cluny s'était procurés pour établir son corpus hilarien, Aldebald dut tomber sur l'un des mss α – il ne serait pas étonnant que ce soit le ms. de S. Amand en Pévèle, aujourd'hui de Tours, notre M – et il copia à son tour, alors que le travail des autres était achevé, la finale apocryphe, dont le contenu et la longueur

---

1. Cf. J. VEZIN, « Une importante contribution à l'étude du *scriptorium* de Cluny à la limite des XIe et XIIe siècles », dans *Scriptorium*, T. 21,2, 1967, p. 312-320. La liste des mss de Cluny du XIIe siècle conservés aujourd'hui, p. 314, n. 1. – A. WILMART, « Le convent de Cluny et la Bibliothèque de Cluny vers le milieu du XIe siècle », dans *Revue Mabillon* 41, janvier 1921, p. 90-124. Présence d'Hilaire à la Bibliothèque de Cluny, p. 96.

2. Se reporter à l'article tout entier de M.C. GARAND, « Copistes de Cluny au temps de S. Maïeul (948-994) », dans *Bibl. de l'Ecole des Chartes* 136, 1978, p. 5-36. On trouvera, entre autres, le fac-similé des écritures de nos copistes de C.

valaient la peine qu'elle fût ajoutée là où elle semblait manquer. Elle avait sa place désignée après le f. 170^v au recto duquel le *C. Const.* se terminait avec *rebellem* à la dernière ligne de la page ; mais un relieur postérieur, peu scrupuleux de l'endroit où insérer le bifolium, le cousit assez grossièrement à la place arbitraire et fausse où il se trouve maintenant. Le signe de renvoi Φ est un artifice secondaire que nous n'imputerons pas à Aldebald.

Tout cela nous persuade que le modèle de C mis sous les yeux du copiste anonyme du *C. Const.* ne fut pas un ms. du groupe α et que l'influence de α n'a pas pu se faire sentir sur le texte primitif de C (= C^1). L'analyse interne des corrections de C nous mènera à la même conclusion.

A nous en tenir aux critères externes, C a bien été corrigé plus d'une centaine de fois, soit par lui-même, soit par d'autres mains et de multiples façons, grattage, mots ou lettres au-dessus de la ligne, exponctuation, plume fine ou plus épaisse, encre plus pâle ou plus noire. Il est vain, nous semble-t-il, de vouloir distinguer les différents correcteurs, pour la raison, comme on le verra plus bas, p. 137 s., qu'en dehors de la correction *heredem* qui porte sur la dernière ligne du livre et qui a été évidemment inspirée à Aldebald par le ms. d'où il avait tiré la finale apocryphe, aucune des autres ne provient d'un manuscrit déterminé ; elles sont toutes le fait d'interventions arbitraires et, plusieurs fois, le reflet d'un manuscrit postérieur dont le copiste a porté sa propre correction sur le manuscrit modèle. C'est pourquoi il nous a paru suffisant de ne distinguer que deux mains, la première, celle qui a copié le texte d'après le modèle et que nous appelons C^1 ou C^{ac} selon les besoins de l'apparat, la seconde, C^2 ou C^{pc}, à laquelle nous faisons systématiquement porter la responsabilité de toutes les interventions postérieures. On verra qu'avec cette seule distinction nous rendrons compte de la transmission du texte aux manuscrits plus récents.

Une question se pose à propos de C. Quel fut le modèle sur lequel le scribe anonyme a pris sa copie du *C. Const.* ? Nous avons vu la parfaite similitude du contenu de C par rapport à celui de B. Il paraît donc évident, en l'absence de tout autre codex portant même corpus, que les clunisiens ont construit le leur d'après B. Mais ils n'ont pas – l'édition Smulders du *De Trinitate* permet de le constater et Smulders lui-même en fournit des témoignages p. 58-65 – suivi le *Basilicanus* dans son texte du *De Trin.* Ils avaient plusieurs mss à leur disposition ; ils s'en sont servi. Le cas du *C. Const.* n'est pas le même ; pour lui, la tradition n'est pas aussi luxuriante, loin de là, que pour le *De Trin.* Smulders, qui a recherché tous les mss anciens du *De Trin.*, en a trouvé 76 (Sm. p. 34). Sur ce nombre, 28 n'ont que le *De Trin.* ; 15 y ont joint le *De Syn..* Les autres, au nombre de 33, ont un corpus antiarien plus ou moins développé, mais 20 seulement présentent un corpus complet contenant le *De Trin.* et les six opuscules, dont le *C. Const.* Or ces vingt-là sont tous postérieurs au Xe siècle, c'est-à-dire au ms. C. Nous sommes donc, par le jeu des constatations externes, inexorablement rabattus sur le cod. B, seul capable de fournir un modèle à C. S'il n'y avait les critères internes, que nous verrons plus bas et qui confortent ce point de vue, on pourrait nous opposer quelque incertitude venant du fait que certains mss sont mutilés de la fin et qu'ils eussent pu contenir le *C. Const.* Mais d'antérieurs au Xe siècle de cette catégorie, on n'en trouve guère [1] et l'analyse de leur contenu tout autant que celui de leurs descendants interdit de conclure à l'existence certaine du *C. Const.* dans aucun d'entre eux. Il va de soi, d'après ce que nous avons dit, que les mss du groupe α n'ont pas à entrer en ligne de compte ici.

Au reste les études de Feder et celles de Smulders les ont conduits l'un et l'autre à reconnaître pour les opuscules

---

1. On pourrait proposer : *Augiensis CII*, Sm. p. 12 ; *Paris, B.N. lat. 1694*, Sm. p. 17 ; *Paris, B.N. lat. 2630*, Sm. p. 19 ; *id. 12132*, copie du précédent ; *id. 8907*, Sm. p. 20 ; *id. 12133* (Corbie), Sm. 20 ; *Londres, B.M. Harley 3115*, Sm. p. 13. Mais tout cela n'abolirait pas le caractère hypothétique des conclusions.

la filiation de C par rapport à B (Sm. p. 23 ; Feder III, p. 6) : « *In opusculis minoribus*, écrit Smulders, O (= notre C) *videtur a B eiusue affini descendere* ».

Mais, en même temps, Smulders stipule bien que ce n'est pas B qui a cédé son texte du *De Trin* à C. Les moines de Cluny, en effet, à la vue des marques évidentes des mutilations et réparations reçues au cours du temps par B (liste dans Smulders, p. 29) l'ont laissé de côté pour le *De Trin.* et se sont tournés, semble-t-il, vers le ms. de Corbie, aujourd'hui *Paris, B.N. lat. 12133* du IXe siècle, que Smulders appelle G, et vers d'autres aussi, comme nous avons dit. Mais quand il s'est agi des opuscules, ils n'avaient pas le choix : ils étaient obligés de se fier à B, car il n'y avait pas d'autre manuscrit à les leur offrir.

On comprend pourquoi nous avons retenu plus haut l'idée que B fut un manuscrit voyageur. S'il était attaché, au Xe siècle, à une Bibliothèque du Sud de la France (Lettre de B. Bischoff : peut-être la vallée du Rhône, 8.9.85), il pouvait de là, comme il arriva à bien d'autres mss de ces bibliothèques, être transporté à Cluny pour y être copié. L'essor de Cluny, la renommée de l'Abbé Maïeul et ses préoccupations culturelles justifieraient parfaitement ce voyage.

L'orthographe de C a été, d'une manière générale, rectifiée dans le ms. par rapport à son modèle, mais il reste plus d'un trait de l'ancienne. Feder III, 4-6, a donné des exemples de cette orthographe archaïque en l'étudiant simultanément en C et en B. A l'inverse de B, le cod. C a beaucoup de signes de ponctuation.

Dans les marges de C, ordinairement en petite écriture très différente de celle du texte, sept gloses, qui ne sont pas celles de B : auprès de 4, 6-14 *n(ota) martyrium eum optare* ; 6,7 *de Constantio* ; 13,6 *male* ; 13,9 *proh dolor* ; 14,4 *cum o / similis* (en rapport avec *homeousion*), rognés par le relieur ; 23,7 *n(ota) quid accidat / imperitis aedi / ficatoribus* ; 25,14 *n(ota) solos canes ad uomitum reuerti*. Quelques unes de ces gloses passeront sur les marges de plusieurs des manuscrits qui nous restent à décrire.

Encore une remarque qui peut nous aider à mieux suivre
l'œuvre des copistes de C : le *C. Const.* commence avec le
début d'un quaternion. Or l'on a retranché le dernier folio
du quaternion précédent, sans doute parce qu'il était vide (il
reste l'onglet). Ce qui tend à montrer que le copiste du *De
Trin.*, Rotard, arriva à la fin du Livre XII (f. 161) avec un
folio d'avance sur la prévision. On fit donc disparaître le
folio vide, comme on l'avait déjà fait plusieurs fois sur
d'autres quaternions, pour lier au *De Trin.* sans solution de
continuité – comme en B – le *C. Const.* et les autres opuscules
copiés par ailleurs. Cela ne peut se faire que parce qu'il y
avait eu simultanément deux copistes à l'œuvre sur deux
modèles différents, l'un des modèles pour le *De Trin.*, l'autre
(B) pour le *C. Const.* L'étude du texte viendra corroborer
cette remarque.

Les manuscrits de l'époque romane

Après le *Basilicanus* du VIe siècle, après les carolingiens du IXe (groupés en α), après le clunisien du Xe,
C, tous manuscrits qui, par leur ancienneté, ont à jouer
un rôle prépondérant dans l'établissement du texte, il
nous reste à passer en revue les vingt mss du Moyen
Age, tous du XIIe siècle ou du seuil du XIIIe.

Nous les rangeons ici en deux groupes, d'après leur
aire de diffusion : un groupe germanique γ (9 codd.),
et un groupe français φ (11 codd.) ; il sera commode
de les répartir par affinités à l'intérieur de ces groupes.
Leur type de texte et l'organisation interne des mss
attestent, malgré des différences mineures, l'appartenance à une même famille et une même origine, Cluny.
Nous rejoignons ici ce que Smulders (p. 37) dit très
justement du corpus de C : « *in traditione mediaeuali
monopolium fere obtinuit* ».

Les mss se ressemblent tous par la composition du corpus, nous le ferons ressortir. Nous aurons aussi à indiquer, pour nombre d'entre eux, la présence de pièces diverses, dites *hilariana*. Sous ce mot, il faut entendre des éloges d'Hilaire tirés de lettres de Jérôme, des *Carmina* de Venance Fortunat, la pseudo-lettre d'Hilaire à sa fille Abra, un hymne du matin, des sermons en la fête de S. Hilaire, des fragments attribués à Hilaire ou en son honneur, etc. Nous trouverons de ces *hilariana*, en quantité variable (rarement plus de deux à trois pages de parchemin), dans treize de nos mss, soit au début, soit à la fin, soit au début et à la fin. Feder, *CSEL* 65, p. 235 s., a édité certains d'entre eux, Smulders, p. 37, note que leur réunion a supposé des recherches attentives dans la documentation ancienne et que cela convient parfaitement à cette époque où les idées de Gilbert de la Porrée, évêque de Poitiers, † 1154, suscitèrent une importante controverse. S. Bernard, on le sait, prit parti contre Gilbert et trouva dans la littérature hilarienne un antidote à la propagation des idées de son adversaire. On comprendra par là pourquoi il y eut une telle prolifération des œuvres de S. Hilaire au XIIe siècle, particulièrement dans les monastères cisterciens, pour lesquels Cluny jouait le rôle de source patristique. On s'expliquera de la même façon la présence dans le cod. K des articles du Concile de Reims qui condamnaient Gilbert de la Porrée.

La présence ou l'absence de ces *hilariana* aident évidemment à établir des sous-groupes à l'intérieur des groupes γ et φ.

Groupe germanique γ
réparti en trois sous-groupe

$$\gamma^1 = \text{WKL} \quad \gamma^2 = \text{HhU} \quad \gamma^3 = \text{JEV}$$

W VIENNE. *National Bibliothek 684*

sous-groupe γ^1
(Feder : W)

144 ff. in f°. Lignes longues. Début du XIIe s. Appartint à l'Abbaye bénédictine de N.D. de Kotwich (Göttweig), dont il porte l'ex-libris. Entré à la Bibliothèque Palatine en 1576.

Hilariana + corpus hilarien (*De Trin., C. Const., Ad Const. I* et *II, C. Aux., Blasph. Aux., De Syn.*) dans le même ordre que B et C + *hilariana*.

f. 115^v. *Incipit liber I s. Hylarii episcopi ad Constantium imperatorem et hereticum. Tempus est.*

f. 120. Finale apocryphe signalée par l'indication marginale : *Ex. L. II de Trin.* (main récente).

f. 121. Pas d'explicit, mais sitôt après le dernier mot, *ignarus*, de la finale apocryphe : *Epistola sancti Hylarii episcopi transmissa ad Constantium. Benignifica.*

A la fin du codex, l'ajout de folios de contenu nécrologique, français d'abord, germanique ensuite, peut être un indice que le manuscrit vint de France.

Beaucoup des notes marginales du *De Trin.* de ce cod. lui sont communes avec celles de C (cf. Smulders, p. 23 & 32). Pour le *C.Const.* les notes marg. sont : 4,6 *martyrium optare* ‖ 11,17 *Paulini mentio cum laudibus* ‖ 23,7 *quid accidat imperitis aedificatoribus* (cf. *supra*, p. 107).

Particularité de l'orthographe : *Katholic(us)* écrit avec k ; ainsi font K, L (et V).

V. M. Denis, *Codices mss theologici Bibl. Palatinae Vindobonensis latini*, I, 1, n° CCIII, Vindob., 1793.

***

K KLOSTERNEUBURG. *Bibl. Abbatiae 206*

sous-groupe γ[1]

163 ff. 340 × 240, XIIe s. (ca 1170). Lettres et figures ornementales. A la Bibl. des Chanoines régul. de S. Augustin depuis 1656.

Hilariana + corpus hilarien, *De Trin.*, etc. dans le même ordre que B et C + *hilariana* et articles condamnant Gilbert de la Porrée.

f. 132[v]. *Incipit liber primus s. Hylarii episcopi ad Constantium imperatorem et hereticum. Tempus est.* Comme en W.

f. 138. Finale apocryphe que rien ne distingue du reste.

f. 139. Pas d'explicit, mais sitôt après le dernier mot, *ignarus*, de la finale apocryphe : *Epistola S. Hylarii episcopi transmissa ad Constantium. Benignifica.* Comme en W.

f. 163[v]. Les articles du Concile de Reims condamnant Gilbert de la Porrée.

Le f. 134 a été anciennement arraché, d'où lacune dans le *C. Const.* de 6,24 à 11,14 *fides – orientem*, mais foliotation continue. La lacune est signalée par le catalogue. Une note ancienne sur f. 1 avertit qu'un ms. semblable est conservé à Melk (*Mellic. 156*, s. XV, non retenu par nous) et un autre à Vienne (notre W, *supra*).

Notes marginales en *De Trin.* qui sont celles de C (Smulders, p. 12 et 23). Dans le *C. Const*, note marginale en 4,6 et 23,7, comme en W. Quelques corrections d'une seconde main. Orthographe *katholic(us)*.

V. H. Pfeiffer, *Catalogus codicum mss in bibliotheca canonicorum regularium S. Augustini Claustroneoburgi asservantur*, T. I, p. 172-175, Vienne 1922. – Smulders, p. 12.

*
**

L   ZWETTL. *Bibl. Monast. Cisterciensis 33*

sous-groupe γ[1]
(Feder : L)

242 ff. 2 col. XIIe s. Initiales décorées.

Ire partie : *Ambrosiaster* (cf. *CSEL* 81 [1966], p. XXVIII).
IIe partie :

f. 122. *Hilariana* + corpus hilarien, *De Trin.*, etc. dans le même ordre que B et C ; manque *De Syn.*

f. 232[v]. Après l'explicit du *De Trin.*, début, sans indication, du texte du *C. Const. : Tempus est.*

f. 236. Finale apocryphe, que rien ne distingue du reste.

f. 237[v]. Pas d'explicit. Sitôt après le dernier mot, *ignarus*, de la finale apocryphe, suit, sans indication, le texte de l'*Ad Const. I : Benignifica.*

Pas de titre non plus ni de formule d'explicit pour les ouvrages qui suivent. Une main du XIIe s. a inscrit : *epistula Auxentii heretici* au début de *Blasph. Aux.*

Notes marginales en *De Trin.* qui se trouvent déjà en *De Trin.* de C. (cf. Smulders, p. 23). Dans le *C. Const.*, notes marginales aux chap. 4 et 23, comme en WK. Orthographe *katholic(us)*, comme en WK. Corrections d'une seconde main.

V. Feder I, p. 140. – S. Roessler, *Die Handschriften Verzeichnis der Cistercienser Stifte*, I, Xenia Bernardina II, 1 Bibl. des Stiftes Zwettl, p. 315, Vienne 1891.

***

H MUNICH. *Staatsbibliothek. Clm 21528*

sous-groupe γ²
(Feder : O)

121 ff. 2 col. XIIᵉ s. Abbaye bénédictine S. Michel (puis S. Étienne) de Weihensteven.

Hilariana + corpus hilarien, *De Trin.*, etc. dans le même ordre que B et C ; manque *De Syn.* + addition, au XIIIᵉ s., d'une lettre de Grégoire VIII (1187).

f. 106. *Incipit liber Hylarii ad Constantinum* (sic) *imperatorem uel heretycum. Tempus est.*

f. 112ᵛ. Finale apocryphe que rien ne distingue du reste.

f. 113ᵛ. Pas d'explicit. Sitôt après le dernier mot, *ignarus*, de la finale apocryphe : *Epistola sancti Hylarii transmissa ad Constantinum* (sic). *Benignifica.*

De fortes affinités, déjà remarquées par Feder (*CSEL*, 65, p. LXVII), entre H et (*infra*) h et U. Elles se remarquent ici par l'erroné *Constantinum*.

*
**

h MUNICH. *Staatsbibliothek. Clm 169*

sous-groupe γ²
(Feder : M)

107 ff. 2 col. XIIIᵉ s. Monastère bénédictin de Prühl.

Hilariana + corpus hilarien, *De Trin.*, etc., dans le même ordre que B et C ; manque *De Syn.*

f. 97ᵛ. *Incipit liber eiusdem Hylarii ad Constancium imperatorem hereticum arrianum. Tempus est.*

f. 101ᵛ. Finale apocryphe que rien ne distingue du reste.

f. 102ᵛ. Pas d'explicit. Sitôt après le dernier mot, *ignarus*, de la finale apocryphe : *Item epistola sancti Hylarii episcopi transmissa ad Constantinum* (sic) *augustum. Benignifica.*

Pourrait avoir été copié sur H et avoir servi de modèle à U : cf. l'incipit du *C. Const. : ad Constantinum... hereticum arrianum*, trois mots associés seulement en hU. Quelques corrections d'une encre plus noire.

**
*

U VIENNE. *National Bibliothek 730*

sous-groupe γ^2

110 ff. 2 col. XIIIe s. med.

Hilariana + corpus hilarien, *De Trin.*, etc., dans le même ordre que B et C ; manque *De Syn.*

f. 100^v. *Incipit liber sancti Hylarii ad Constantium imperatorem hereticum arrianum. Tempus est.*

f. 104^v. Finale apocryphe signalée par l'indication marginale : *additum ex L. II de Trinit.*

f. 105^v. Pas d'explicit. Sitôt après le dernier mot, *ignarus*, de la finale apocryphe : *Epistola sancti Hylarii transmissa ad Constantinum* (sic). *Benignifica.*

Notes marginales. Corrections et grattages.

On remarquera que les trois mss, HhU, de ce sous-groupe γ^2 ne contiennent pas le *De Syn.* Quant à la méfiance affichée à l'endroit de la finale apocryphe, elle se trouve aussi dans W du sous-groupe γ^1 et dans PR du groupe φ (v. *infra*).

V. M. Denis, *Codd. mss Theologici...* I, 1, n° 204, Vindobonae 1793. – *Tabulae codd. Vindob.*, 1864, p. 121.

**
*

J SALZBURG. *Stiftsbibliothek S. Petri a.XI.2*

sous-groupe γ^3

(Feder et Smulders : J)

285 pp. 290 × 400 mm. 2 col. XI/XIIe s. Copié en France et parvenu dès le XIIe s. au monastère bénédictin de Salzburg, selon une note manuelle sur la première page.

Corpus hilarien, *De Trin.*, etc. dans le même ordre que B et C + *hilariana*. Noter que J appelle le *De Trin.*, en fin du L. XII, *fides Hilarii*.

p. 222. *Incipit liber s. Hylarii ad Constantium imperatorem tunc hereticum. Tempus est.*

p. 231. Finale apocryphe que rien ne distingue du reste.

p. 233. Pas d'explicit. Sitôt après le dernier mot, *ignarus*, de la finale apocryphe : *Epistola sancti Hylarii episcopi transmissa ad Constantium. Benignifica.*

Notes marginales (XIII⁰ s.) comme en WKL. Smulders (p. 23 et 27) a noté que J était le premier ms. à être muni d'*hilariana*, et que, pour le *De Trin.*, il avait plusieurs *marginalia* communs avec C.

Des corrections d'une seconde main, J².

A la fin du cod., le texte d'une lettre de Gautier de Mortagne, le copiste, à Hugues de Saint Victor confirme que le ms. ne put guère avoir été écrit avant 1130, et elle permet d'établir d'autre part, qu'il existait des relations entre l'abbaye de Saint Victor à Paris et celle de Saint Pierre à Salzbourg.

Feder (I, 139 ; III, 7-8), relevant la bonne tenue du texte, envisage cette alternative : ou que J est seul à avoir profité d'une tradition de bon aloi ou que le scribe, en véritable érudit, a intelligemment corrigé sa copie. Cette seconde possibilité nous agrée, v. *infra*, p. 148. Feder reconnaît que J a des affinités avec nos mss précédents WL Hh et avec E du groupe γ d'une part, et d'autre part avec C et un des mss, G, du sous-groupe φ⁴. De son côté, Smulders, p. 27, reconnaît la parenté de J avec C, mais ne pense pas que, pour le *De Trin.*, J ait été copié directement sur C. Nous y reviendrons plus loin.

*
**

E BERNE. *Burgerbibliothek 100*

sous-groupe γ³

(Feder : E)

94 ff. 2 col. XIIe s. Écrit en France par deux copistes.

Corpus hilarien, *De Trin.*, etc., dans l'ordre de B et C + *hilariana*. Noter que E, comme J, appelle dans le colophon le *De Trin. : fides Hilarii*.

f. 71^v. *Explicit liber XIIus fidei sancti Hylarii episcopi et confessoris*.

f. 71^v. *Incipit liber primus s. Hylarii episcopi ad Constantium imperatorem et hereticum. Tempus est.*

f. 75^v. Finale apocryphe que rien ne distingue du reste.

f. 76^v. Pas d'explicit. Sitôt après le dernier mot, *ignarus*, de la finale apocryphe : *Epistola sancti Hylarii episcopi transmissa ad Constantium. Benignifica.*

Notes marginales, dont la plupart, pour le *De Trin.*, sont celles de C (Smulders, p. 9 et 23) ; pour le *C. Const.*, qui en a six, l'une, 25,3 était déjà en C, une autre (*Paulini mentio cum laudibus*) en W, une autre (*ironia*) en J, les autres semblent propres à E. Les corrections d'une seconde main, E², sont plus nombreuses que celles de J². Feder, pour *Ad Const. I*, convient qu'en plusieurs endroits E a été corrigé selon J (*CSEL* 65, p. LXVI). – Orthographe *Katholic(us)* et *Catholic(us)*.

V. H. Hagen. *Catal. codd. Bernensium*, 1874, p. 152.

V VIENNE. *National Bibliothek 1067*

sous-groupe γ³

47 ff. in 4° XIIIe s.

V est un ms. composite, au contenu disparate. Par son contenu, il ne se rapproche d'aucun autre : 1. Origène ; 2. Hilaire ; 3. Ambroise. Plusieurs mains.

f. 1-17ᵛ. Origène : *De singularitate clerorum* (?) suivi, de onze lignes *in Genesim*.

f. 18. *Incipit liber sancti Hylarii ad Constantium imperatorem tunc hereticum. Tempus est.*

f. 22ᵛ. Finale apocryphe que rien ne distingue du reste ;

f. 23ᵛ. Après le dernier mot, *ignarus*, de la finale apocryphe : *Explicit liber*.

f. 24. (Second explicit) : *Explicit epistola Sancti Hilarii transmissa ad Constantium*, suivi aussitôt de l'incipit mutilé du suivant : *eiusdem epistola Hylarii* (... illisible...). *Benignifica*.

f. 27. Intercalation d'extraits du *De Syn.* et *De Trin.*, d'une autre main, au milieu du texte d'*Ad Const. II*, qui se poursuit normalement au f. 28.

f. 28. Après les derniers mots, *non dissonans*, de *Ad Const.II* : *Liber II eiusdem ad eumdem quem Constantinopolim ipse tradidit. Non sum nescius.* C'est *Ad Const. II* qui recommence. Mais la page est coupée par le milieu. Au verso, citations du *De Synodis*.

f. 29-47. Ambroise, extraits divers.

La composition de ce ms. reste inexpliquée. Feder I, p. 141, l'a cité seulement avec la mention *uaria*.

Beaucoup de corrections de seconde main. Ce ms. reproduit les notes marginales de J et de E qui sont elles-mêmes celles de C.

L'étude du texte nous renseignera davantage sur les attaches de V.

V. M. Denis, *Codd. mss. Theologici Bibl. Pal. Vindob. lat.* II, 1, Vienne 1799, n° CCLX, p. 445 (très insuffisant).

*
**

GROUPE FRANÇAIS φ
RÉPARTI EN QUATRE SOUS-GROUPES

$φ^1$ = DT $φ^2$ = APX $φ^3$ = FRQS $φ^4$ = GN

D DOUAI. *Bibliothèque Municipale 220*

sous-groupe $φ^1$

191 ff. 370 × 260 mm. 2 col. XIIe s. Abbaye d'An-chin. Ecrit et décoré par le moine Baudri (Baldricus) entre 1131 et 1165.

Corpus hilarien, *De Trin.*, *De Syn.*, *C. Const.*, *Ad Const.I & II*, *Blasph.* *Aux.*, *C. Aux.* (= corpus de B et C, mais *De Syn.* est monté en tête des opuscules), + Extraits (interpolés et souvent inauthentiques) du Traité sur les Psaumes d'Hilaire (cf. *CSEL* 22, p. XII) + Sermon attribué à S. Hilaire (en réalité des extraits d'Origène) sur Pâques.

f. 1. Sancti Hylarii *De Trin.*

f. 110. *De Syn.*

f. 125. *Incipit libellus eiusdem in Constantium augustum. Tempus est.*

f. 129^v. Finale apocryphe que rien ne distingue du reste.

f. 130^v. Après le dernier mot, *ignarus*, de la finale apo-cryphe : *Explicit liber sancti Hilarii episcopi in Constantium + Eiusdem tractatus ad eumdem. Benefica.*

f. 136-188. *Tractatus s. Hylarii super Psalmos* (voir A. Zingerle, *CSEL* 22, 1891, p. XII-XIV).

Dorénavant, dans les codd. φ, le corpus, par rapport à γ, fait passer le *De Syn.* de la dernière place à la seconde, juste après le XIIe Livre du *De Trin.* Il faut remarquer à ce sujet que plusieurs mss du *De Trin.* recopient le *De Syn.* comme XIIIe Livre du *De Trin.* : *B.N. lat. 8907*, s. V, qui se trouvait à Chartres au XIe s. ; *id. 2630*, s. VI (Saint-Denis) ; *Londres, B.M. Harley 3115*, s. IX (Lorsch) ; *Cambrai, B.M. 436* (Cathédrale) ; *Paris, B.N. 1695*, s. XI (Fleury-sur-Loire) ; *Oxford, Corpus Christi Coll. 31*, s. XII.

Il y a eu influence de l'un d'entre eux sur la tête de file des mss φ.

On remarquera aussi en φ que le *C. Const.* est accompagné d'un explicit, alors qu'il n'en avait pas en γ.

Ici, en D, une œuvre exégétique d'Hilaire s'ajoute au corpus doctrinal antiarien. Cela se rencontrera aussi en G (*infra*). Smulders, p. 34, ne voit pas là un effet de la tradition ancienne, mais plutôt celui d'un copiste isolé.

V. *Catalogue général des mss des Bibliothèques des Départements*, VI Douai, p. 114. – A. Boutemy, « Enluminures d'Anchin au temps de l'abbé Gossuin 1131-1165 », dans *Scriptorium* 1957, p. 234-348.

T PARIS. *Bibl. Nat. lat. 1699*

sous-groupe φ[1]

151 ff. 355 × 250 mm. 2 col. XIIe s. Abbaye de Saint Amand en Pévèle (au bord de l'Elnon). C'est le *Elnonensis* de Coustant, qu'il appelle aussi parfois *Tellerianus*. Appartint à Ch. Le Tellier, archevêque de Reims, † 1710. Décoré par le moine Savalo.

Hilariana + corpus hilarien de B et C dans l'ordre de D, *De Trin., De Syn.*, etc.

f. 121[v]. *Explicit liber XII sancti Hylarii pictavensis episcopi de Trinitate. Item eiusdem de Synodis.*

f. 137[v]. Dernière ligne : *Explicit liber sancti Hilarii de Synodis. Incipit libellus eiusdem in Constantium* / et au sommet du f. 138 : *Tempus est.*

f. 143. Quatre lignes avant la fin de la colonne 2, finale apocryphe que rien ne distingue du reste.

f. 144[v]. Après le dernier mot, *ignarus*, de la finale apocryphe : *Explicit liber sancti Hilarii in Constantium + Tractatus ad eundem. Benefica.*

Pas de note marginale.

Le scribe a été formé à l'esthétique de la page. Les initiales sont belles, bien implantées. Pour être beau à l'œil, le texte n'en est pas moins corrompu : nul n'a corrigé les fautes et bourdes du copiste.

Les *hilariana* sont particulièrement bien illustrés au f. 2.

V. Sur la décoration : Ph. Lauer, *Les enluminures romanes des mss de la B.N.*, Paris 1927, p. 79-80 et pl. 38. – A. Boutemy, dans *Rev. Belge d'arch. et d'hist. de l'art.*, 9, 1939, p. 299-316 ; 12, 1942, p. 131-167. – J. Porcher, *Les mss à peintures en France du VII*e *au XII*e *s.*, Paris 1954, p. 66, pl. 204 ; – Ch. Samaran & R. Marichal, *Catal. des mss en écriture latine...* CNRS 1962, t. 2, p. 81 et pl. 204.

*
**

A BRUXELLES. *Bibl. Royale II 2561 (VdG II, 935)*

sous-groupe φ^2

134 ff. 360 × 250 mm. 2 col. XIIe s. Anciennement, fut peut-être à l'Abbaye Saint Martin de Tournai (Smulders p. 10)

Corpus hilarien de B et C dans l'ordre de D, *De Trin.*, *De Syn.*, etc.

f. 124^v. *Incipit liber sancti Hylarii contra Constantium augustum. Tempus est.*

f. 127^v. Finale apocryphe que rien ne distingue du reste.

f. 129^v. Après le dernier mot, *ignarus*, de la finale apocryphe : *Explicit liber sancti Hilarii episcopi ad Constantium. Benefica.* Confusion entre explicit du *C. Const.* et incipit de *Ad Const.*

Oublié à la Table des matières (seulement) de Van den Gheyn.

*
**

P PARIS. *Bibliothèque Nationale lat. 1697 (olim Colbertinus 123)*

sous-groupe φ^2

129 ff. 455 × 335 mm. 2 col. XIIe s. Initiales ornées.

Corpus hilarien de B et C dans l'ordre de D, mais mutilé (7 folios arrachés), *De Trin., De Syn., C. Const.*

f. 125 en bas de col. 1 : *Explicit liber sancti Hylarii pictaviensis episcopi de synodis. Incipit liber sancti Hylarii episcopi contra Constantium augustum. Tempus est.*

f. 129[v]. Finale apocryphe signalée par l'indication marginale : *abhinc usque ad finem ubi dicitur « insolenter in dei rebus ignarus » de II° libro sumpta sunt. R. sub hoc signo* [croix pointée aux quatre angles] (*PL* 10, 604 A 12).

f. 129[v]. Les fragments restants de trois folios arrachés laissent supposer que ceux-ci contenaient *Ad Const. I et II, Blasph. Aux., C. Aux.*, qui complétaient le corpus normal.

Texte très bien mis en page, lettrines nombreuses. Pas de correction apparente ni de lettres ajoutées dans les interlignes.

V. Ph. Lauer. *B.N. Catalogue général des mss latins*, II, 1940, p. 129.

X TROYES. *Bibliothèque Municipale 242*

sous-groupe φ^2

151 ff. 365 × 250 mm. XIIe s. Initiales en couleur. Abbaye de Clairvaux, d'après une note du f. 27.

Corpus hilarien de B et C dans l'ordre de D, mutilé de la fin du *C. Aux.*

f. 142[v]. *Explicit liber sancti Hylarii pictauiensis episcopi de Synodis + Incipit eiusdem tractatus contra Constantium augustum.*

f. 146ᵛ. Col. 2, ligne 15 : Finale apocryphe que rien ne distingue du reste.

f. 147ᵛ. Après le dernier mot, *ignarus,* de la finale apocryphe : *Explicit liber sancti Hilarii episcopi contra Constantium + Incipit tractatus eiusdem ad eumdem.* Benefica.

$$**$$

F CAMBRIDGE. *Corpus Christi College 345*

sous-groupe φ^3

166 ff. 325 × 215 mm. 2 col. XIIᵉ s. *olim* : Christ Church Cantorbery. Initiales décorées.

Corpus hilarien de B et C dans l'ordre de D, *De Trin.*, *De Syn.*, etc.

f. 152ᵛ. *Explicit liber sancti Hylarii de Synodis.* + *Incipit liber eiusdem contra Constantium augustum. Tempus est.*

f. 157ᵛ. Finale apocryphe que rien ne distingue du reste.

f. 150. Après le dernier mot, *ignarus,* de la finale apocryphe : *Incipit tractatus sancti Hylarii ad Constantium augustum. Benefica.*

Un petit aide-mémoire géographique (même main que le texte), que Coustant avait déjà remarqué, se trouve à la fois ici en F, f. 133, et en Q, f. 148, et en N.

Quelques notes marginales en *De Trin.* et *De Syn.* avec quelques variantes issues d'autres mss (M.R. James, *A descriptive catalogue of the mss in the Library of Corpus Christi College Cambridge,* IV, II, 1, 1912, p. 180).

On sait les relations qui ont existé aux XI-XIIᵉ siècles entre les Normands et l'Angleterre, entre le Mont Saint-Michel et Cantorbery. On ne s'étonnera donc pas que notre F puisse provenir du scriptorium du Mont Saint-Michel, selon ce que dit J.J.G. Alexander, *Norman illumination at Mont Saint-Michel 966-1100,* Oxford 1970. Cf. C.R. Dodwell, *The Canterbury School of illumination 1066-1200,* Cambridge 1954 ; N.R. Norman Ker, *English mss in the century after the Norman conquest,* Oxford 1960.

*
**

R REIMS. *Bibliothèque Municipale 372*

sous-groupe φ³

206 ff. 328 × 227 mm. 2 col. XIIᵉ s. C'est le *Theodericianus* de Coustant. Abbaye Saint-Thierry de Reims. Initiales décorées. Ecrit par le moine Arnoul entre 1145 et 1180 (M.P. Lafitte, *La Bibliothèque et le scriptorium de Saint Thierry de Reims*, Paris 1969, p. 65-81).

Corpus hilarien de B et C dans l'ordre de D, *De Trin.*, *De Syn.*, etc. + *hilariana* + *excerpta* de Boèce.

f. 176. *Incipit liber primus sancti Hylarii episcopi contra Constantium augustum. Tempus est.*

f. 182. Finale apocryphe signalée en marge par : *N(ota)*, sans plus.

f. 183ᵛ. Après le dernier mot, *ignarus*, de la finale apocryphe : *Explicit. Incipit tractatus sancti Hylarii episcopi ad Constancium imperatorem. Benefica.*

Parmi les *hilariana*, le ms. relève, dans la lettre de Jérôme à Paulin, l'expression « *S. Hylarius gallicano coturno adtollitur* ». Le scribe a ajouté une confirmation : *uerum est hoc.* Ont fait de même pour le même texte les scribes de Q et de S (v. *infra*) : trois mss qu'il faut donc rapprocher. – Sur le cothurne gaulois, v. P. Antin, *Recueil sur saint Jérôme*, Bruxelles 1968, p. 251.

V. Ch. Samaran et R. Marichal, *Catal. des mss en écrit. lat.* t. V, 253.

*
**

Q REIMS. *Bibliothèque Municipale 371*

sous-groupe φ³

183 ff. 333 × 246. 2 col. XIIIᵉ s. C'est le *Remigianus* de Coustant, Abbaye Saint-Denis de Reims. Lettrines en bleu et rouge.

Hilariana + corpus hilarien de B et C dans l'ordre de D, *De Trin.*, *De Syn.*, etc.

f. 168ᵛ. *Incipit liber eiusdem contra Constancium augustum. Tempus est.*

f. 174ᵛ. Finale apocryphe que rien ne distingue du reste.

f. 176. Après le dernier mot, *ignarus*, de la finale apocryphe : *Explicit. Incipit tractatus sancti Hylarii ad Constancium augustum. Benefica.*

Signalons, f. 148ᵛ, l'aide-mémoire géographique déjà rencontré en F, et f. 1ᵛ, dans les *hilariana* du début, la réflexion *verum est* du scribe sur le cothurne gaulois comme en R.

V. *Catalogue de mss des Départements*, 38, p. 477.

S PARIS. *Bibliothèque Nationale lat. 15637*

sous-groupe φ³

243 ff. 218 × 297 mm. 2 col. XIIᵉ s. ex. C'est le *Sorbonicus* de Coustant, légué à la Sorbonne par Gérard d'Abbeville, qui enseigna à Paris à partir de 1257.

f. 78. *Explicit tractatus sancti Hilari de Synodis.* + *Incipit eiusdem tractatus contra Constantium augustum. Tempus est.*

Corpus hilarien de B et C dans l'ordre de D + *hilariana* + divers traités d'autres auteurs.

f. 81. Finale apocryphe que rien ne distingue du reste.

f. 81ᵛ. Après le dernier mot, *ignarus*, de la finale apocryphe : *Explicit liber sancti Hilarii episcopi contra Constancium.* + *Incipit tractatus eiusdem ad eumdem. Benefica.*

Présence, f. 85, du « cothurne gaulois », avec *uerum est*, comme dans QR. Les *marginalia* de S pour le *De Trin.* et pour le *C. Const.* ne sont pas les mêmes que ceux du ms. de Cluny.

G BORDEAUX. *Bibliothèque Municipale 112*

sous-groupe φ^4

(Feder : G)

197 ff. 340 × 235 mm. 2 col. XIIe s. ex. C'est le *Siluae Maioris* de Coustant. Abbaye de la Grande Sauve. Le ms. est peut-être originaire de cette abbaye (cf. Ch. Samaran, *Catal. des mss en écrit. lat.* VI, p. 511, Paris 1968). Miniatures.

Corpus hilarien de B et C dans l'ordre de D, à condition de replacer, selon la numérotation ancienne des quaternions, le *De Trin.*, à sa première place (cf. Smulders, p. 10), alors que, du fait d'un relieur inconnu, il est aujourd'hui à la dernière, après le *C. Aux.* Donc pour nous, *De Trin.*, *De Syn.*, etc. + Commentaire d'Hilaire sur S. Matthieu.

f. 14. *Explicit liber sancti Hylarii episcopi contra omnes hereses.*

f.14.^v *Incipit liber beati Hylarii episcopi contra Constancium augustum. Tempus est.*

f. 18. Finale apocryphe que rien ne distingue du reste.

f. 19. Après le dernier mot, *ignarus*, de la finale apocryphe : *Explicit tractatus beati Hylarii episcopi contra Constantium + Incipit tractatus eiusdem ad eumdem Constantium. Benefica.*

Cf. Feder, III, p. 9 (remarques sur l'orthographe et les abréviations du ms.), et *CSEL* 65, p. LXVI. – Quant à la présence du commentaire sur S. Matthieu, voir Smulders, *CCL* 62, p. 34.

*
**

N VENDÔME. *Bibliothèque Municipale 189*

sous-groupe φ^4

166 ff. 180 × 132 mm. 2 col. XIIe s. ex. C'est le *Michaelinus* de Coustant. Abbaye du Mont Saint-Michel, puis Abbaye de la Sainte-Trinité à Vendôme.

Corpus hilarien de B et C dans l'ordre de D pour les opuscules, car il n'y a pas de *De Trin.* + *opera diversa* sur 92 folios (Pomponius Mela ; Sermons sur le Cantique, f. 72-123 ; Guillaume de Conches, † 1146, f. 123-159 ; Sur la Genèse, f. 160-166).

f. 39ᵛ. *Incipit liber eiusdem contra Constancium augustum. Tempus est.*

f. 50. Finale apocryphe signalée en marge par *N(ota)* sans plus.

f. 52ᵛ. Après le dernier mot, *ignarus*, de la finale apocryphe : *Explicit liber sancti Hylarii episcopi contra Constantium.* + *Incipit eiusdem ad Constancium imperatorem. Benefica.*

Présence de l'aide-mémoire géographique déjà signalé en F et Q.

La composition de ce ms. est singulière et disparate. L'absence du *De Trin.* pose la question de savoir quelle sorte de rapport peut exister entre N et le cod. *Vendôme 28* (X/XI s., Smulders) qui contient le *De Trin.* seul et appartint aussi à l'Abbaye de la Trinité, mais, il ne faut pas s'y tromper, n'est pas de son format.

V. *Catal. des mss des Départements*, III, p. 456, (1885).

CLASSEMENT DES MANUSCRITS

Les observations précédentes, éparses à travers la description des manuscrits, ont déjà largement fait entrevoir les grandes lignes du classement que nous allons opérer. Mais, pour nous garder des fausses pistes, nous avons aussi, préalable à notre enquête, le stemma dressé par Smulders (*CCL* 62, p. 38) pour le *De Trin.*

Comme le *C. Const.* est intimement lié au *De Trin.*,
il convient de jeter un regard sur ce stemma.

Or nous constatons que Smulders, dans son enquête,
a rencontré dès le VIe siècle, trois sortes de corpus
antiarien : le *Paris B.N. lat. 8907* qui ne contient que
le *De Trin.*, le *C. Aux.* et le *De Syn.*, et le *Paris
B.N. lat. 2630* qui ne contient que le *De Trin.*, et le
De Syn. (comme Livre XIII du *De Trin.*). Le troisième
est notre *Basilicanus*, B.

Les deux premiers ne nous intéressent pas, puisque,
dépourvus du *C. Const.*, ils n'ont pas pu produire une
descendance qui le contînt et qui pût être cause de
contamination dans la suite. L'exclusion de ces deux
mss et de leur descendance ainsi que de ceux qui leur
sont assimilés pour ne pas comporter le *C. Const.*,
écarte d'un coup 54 des 76 mss que Smulders a explorés.
La troisième sorte de corpus, seule à pouvoir être prise
en considératon, nous oblige donc à placer les 20 (ou
plutôt, avec C, les 21) autres mss comportant les six
opuscules dans la descendance de B.

Comme il y a dans le stemma de Smulders une
rupture apparente entre B et les mss qui, pour nous,
en dérivent, il faut une fois de plus rappeler que
Smulders n'argumente qu'à partir du *De Trin.* – et sur
ce point, il est fondé à conjecturer une famille π qui
se subdivise en ρ et σ, même si parfois il y a emprunt
de l'une à l'autre (Sm. p. 64). Mais dans le cas du
C. Const., l'absence de ms. apparenté nous oblige à
supprimer la rupture et à établir un courant direct
entre la deuxième partie de B, celle des opuscules, et,
semblablement, la deuxième partie du manuscrit qui en
dépend. Nous indiquerons un peu plus bas ce qui nous
oblige à serrer les liens de cette dépendance.

La famille α Pour le moment, occupons-nous des quatre mss IMOZ, en lesquels le *C. Const.* échappe à l'encadrement dans un corpus. Ils ont à l'évidence un ancêtre commun, α, qui n'a pas sa place dans la lignée issue de B : cela nous est déjà apparu plus haut en considérant la finale apocryphe, absente de B, et en examinant le titre et le desinit qui donnent à l'ouvrage, au IXᵉ siècle, le caractère d'*epistola missa* (à l'incipit) ou *transmissa* (au desinit) *ad...*, alors que l'autre famille de mss emploie le mot de *liber* ou *libellus in...* Mais on peut aussi confirmer le caractère particulier de α par les variantes. Les plus décisives sont d'abord deux omissions longues qui ne se trouvent pas dans l'autre famille :

5, 3-4 *non proscribit ad uitam sed ditat ad mortem* (8 mots)

22, 3-4 *quia patrem sibi proprium deum professus est* (7 mots)

Les variantes ordinaires, corruptions et erreurs de toute sorte, apportent aussi leur confirmation. Un survol rapide et partiel de l'apparat critique laisse apparaître la physionomie propre du texte de α, assez abîmée, indépendante de B.

Nombreuses interpolations communes aux quatre mss, plus nombreuses si on les considère chacun à part. Quelques exemples :

1,24 *non potest* + *occidere* α
2,13 *hereseos* + *audientibus* α
2,14 *timentes* + *pondus* α
3,8 *et* + *qui* α
4,6 *dei* + *mei* α
5,4 *trudit* + *in* α
10,1 *aliud* + *quoque* α
11,13 *minoribus* + *fama* α
16,19 *patet* + *ubi (ibi)* α
20,3 *satisfacere* + *te* α
21,3 *imaginem* + *corporalem* α
26,1 *loqueris* + *et praedicas* α.

Autres exemples de corruption de toute nature :

Texte de α	Texte correct
2,11 *editum decretum*	*edita decreta tum*
3,3 *stantem*	*testante*
4,10 *formidassem*	*uitassem*
4,11 *undam*	*reumam*
5,5 *honorat*	*onerat*
7,18 *iniuria*	*inuidia*
8,21 *occidere*	*odire*
9,14 *nam antea*	*antehac*
11,7 *promptibus*	*frontibus*
12,24 *in dei natiuitate*	*id ei natiuitas*
13,2 *praedicante*	*praedicatum*
13,6 omission	*coniugalis*
15,9 *uiolentiae*	*uoluntati*
16,12 omission	*sed*
21,18 *deus*	*homo*
25,14 *delubrum*	*ludibrium*
27,20 *regni potentiam*	*regno potenti etiam*

etc.

Ces exemples, qui ne sont qu'un échantillon, donnent une idée du texte de α. On voit qu'il est assez corrompu. Plus rares sont les occasions où il est donné à α de fournir un texte qui corrige celui de l'autre famille ; et l'on voit bien vite que les erreurs de B sont de peu d'importance à côté de celles de α dans la liste ci-dessus :

2,4 *exilia* α	*exiliis* BC
6,7 *petulantiam* α	*petulantia* BC
12,10 *synodum* α	*synodo* BC
15,13 *ut* α	omission BC
23,5 *fidem* α	*fidei* BC
24,8 *quaero* α	*querar* BC
25,13 *sanctificare* α	*sanctificari* BC
27,19 *profanus* α	*profanis* BC

etc.

A l'intérieur de α, quels sont les rapports entre les mss ? L'apparat laisse apparaître de manière constante la constellation MOZ, alors que I reste en dehors. Il faut en tirer la

conséquence que I est plus proche de son archétype et que
MOZ dépendent d'un modèle, qui n'est pas I puisqu'il arrive
que MOZ comblent une fâcheuse omission de I (18, 8-9).
Ce modèle ultérieur contenait aussi le *Traité* de Théodulphe
d'Orléans *sur le Saint-Esprit* et le poème dédié à Charlemagne
puisque MOZ en fournissent chacun la copie. Cependant, à
cause de la présence en Z et O du *Tome à Flavien* et de
la faute *Constantinum* qui leur est commune au desinit, et
compte tenu de la date, on pourrait sans objection faire
descendre O, plus jeune, de Z. On aurait ainsi le stemma
partiel suivant :

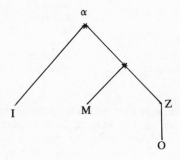

La famille B   Venons-en à l'autre famille, celle de B.
Le corpus formé du *De Trin.* accompagné
des six opuscules passe, avons-nous dit, de B en C, et en
C seulement jusqu'au Xe siècle. Aucun autre ms. jusqu'à
cette époque, ne peut se targuer de descendre de B.

Quand il s'agit du *C. Const.*, il est facile de démontrer
que C descend de B. Cependant, pour bien faire, nous
devrions associer les autres opuscules à cette démonstration,
car leur solidarité dans le corpus est sans faille. Mais Feder
a déjà, pour eux, traité la question en s'occupant des deux
livres *Ad Const.* (*CSEL* 65). Sa conviction exprimée était
que le texte de C était tout à fait semblable au texte corrigé

de B (p. LXV), et Smulders lui a, sans crainte, emboîté le pas en déclarant (p. 24) que, pour les opuscules, C lui paraissait descendre de B ou d'un manuscrit qui lui serait tout à fait semblable. Le manuscrit semblable n'existe pas, ni avant B, ni entre B et C ; il faut donc se résigner à établir entre B et C le courant direct que nous avons évoqué plus haut[1].

1. Feder disait (*CSEL*, p. LXV), – nous traduisons – : « Le texte du cod. C est tout à fait semblable au texte corrigé du cod. B, ce qui ne peut s'expliquer que par le fait ou bien que le cod. C a été copié – *descriptus ex* – sur le cod. B corrigé, ou bien que le cod. B a été corrigé d'après un manuscrit en étroite parenté avec l'archétype du cod. C. » La première partie de ce raisonnement entraîne la conviction quand on se rapporte à l'*Ad Const. I* et *II* : il apparaît en effet nettement que les variantes de B laissées en apparat par Feder supposent un texte initial de B largement pourvu de toutes les corruptions imaginables, mais corrigé ensuite à plusieurs reprises et par des mains diverses ; Feder, qui s'est servi de la collation de H. Sedlmayer et n'a eu que des photographies sous les yeux en distingue jusqu'à cinq ! De toute façon, pour l'*Ad Const. I* et *II*, le cod. C a suivi ordinairement les corrections de toutes ces mains de B. Nous voyons donc très bien comment C a pu utiliser directement B et s'en écarter dans la mesure où le fait ordinairement un copiste, mais nous ne voyons pas comment, selon l'hypothèse de Feder, un archétype (non conservé) de C et différent du cod. B aurait pu produire un manuscrit – ou avoir dans sa parenté un manuscrit – qui aurait, avant de disparaître, servi à corriger B et l'aurait en même temps rendu inutile puisqu'il aurait donné le jour à une lignée dont C serait le plus sûr représentant. Faut-il compliquer des rapports simples et multiplier des manuscrits inutiles ? Quelle difficulté y a-t-il à dire que C a copié son texte sur B ? – Pour nous, le cas n'est pas tout à fait le même. Pour la bonne raison que B n'a pas, quand il s'agit du *C. Const.*, le caractère défectueux des autres opuscules. On se rend compte que lorsque Fulgence de Ruspe recueillit dans son exil, ici et là, – ou quiconque avant lui – les opuscules qui devaient former le corpus, ceux-ci n'avaient pas tous la même pureté textuelle. C'était des copies personnelles, indépendantes les unes des autres, libres, non garanties. Mais, parmi elles, il se trouva que le *C. Const.* était textuellement de meilleure qualité. Il fut aussi mieux copié. Nous avons dit plus haut que son copiste, qui est aussi celui

L'étude du texte va nous y aider de la manière la plus simple et la plus efficace.

Il y a en B deux longues omissions qui ne se trouvent pas en α :

8,3 *et – sunt* (6 mots)

8, 8-9 *uexatos – quam* (9 mots).

Or ces deux omissions se trouvent aussi en C : ce n'est pas une simple coïncidence, et pas plus pour l'une que pour l'autre on ne peut invoquer d'homoioteleuton. Le propre des omissions de ce genre est de pouvoir faire porter sans hésitation au premier manuscrit la responsabilité des fautes du second.

C descend de B Si ces omissions étaient seules, elles seraient déjà probantes, mais accompagnées d'une série d'erreurs de moindre importance partagées elles aussi par les deux manuscrits, elles le deviennent davantage. C'est ainsi que nous pouvons, pour convaincre notre lecteur de la paternité de B, lui proposer un échantillon des erreurs de C qui ont leur source en B. Nous lisons évidemment C dans son état premier, avant toute correction, tel qu'il est sorti de la plume de son copiste. Le texte correct de notre colonne de droite représente un texte corrigé soit par α, soit par C^2, soit par un autre manuscrit.

Erreurs de B passées en C	Texte correct
2,20 *ineundam*	*ineundae*
2,21 *tempore*	*tempora*
4,2 omission	*et*
4,7 omission	*spiritu sancto*

du *De Trin.*, n'est pas le même que celui des autres opuscules. Cette association d'un bon texte et d'un bon copiste a sans doute valu au *C. Const.* du cod. B de n'être pas rejeté constamment dans l'apparat critique, comme Feder a fait pour l'*Ad Const.* Un coup d'œil à cet apparat en convaincra. Mais on constatera aussi que le texte de C^1 colle étroitement à celui de B, B qui n'a heureusement pas eu à supporter, chez nous, cinq mains pour le corriger...

6,11	*perdes*	*perdis*
7,13	*contrahes*	*contrahis*
7,13	*conpelles*..................	*conpellis*
8,10	*crudelitatum*	*crudelium*
10,8	*rapacia*	*rapacium*
10,8	*oues*.......................	*opus*
10,18	*negotiationem*...............	*negationem*
11,24	*furore terroris tui*...........	*furoris tui terrore*
11,24	*quam tu*	*quanto*
11,31	*te*	*ego*
12,2	*sicut*.......................	*si cui*
13,2	omission	*episcopo*
15,13	omission	*ut*
20,9	*requirent docebuntur*.........	*requirantur docebunt*

etc.

Au point où nous en sommes, les ressemblances entre B et C sont telles qu'on ne peut mettre en doute l'origine de C : il faut nécessairement la placer en B. Et d'autre part, les différences textuelles avec α mènent à penser qu'il n'y a pas eu de rapport entre C et α.

On pourrait opposer quelques objections.

a) C contient des fautes qui ne sont pas en B.

Oui, de celles qu'on trouve couramment sous la plume des copistes, même parmi les meilleurs. Il n'est pas besoin d'un modèle particulier pour les expliquer. Mélectures, distractions, habitudes mentales suffisent à les justifier :

9,5	*qui in caelis est* C : om. B
11,3	*ut* C : *aut* B
12,20	*omoeousion* C : *anomoeousion* B
16,15	*numquam* C : *nusquam* B
17,8	*proclamabat* C : *proclamat* B
21,3	*conformationem* C : *conformatione* B
21,4	*imaginem* C : *imago* B
21,5	*quo* C : *quod* B
23,3	*quisque* C : *usque* B
23,10-11	*minime* C : *ni me* B

etc.

PROPOSITION DE STEMMA

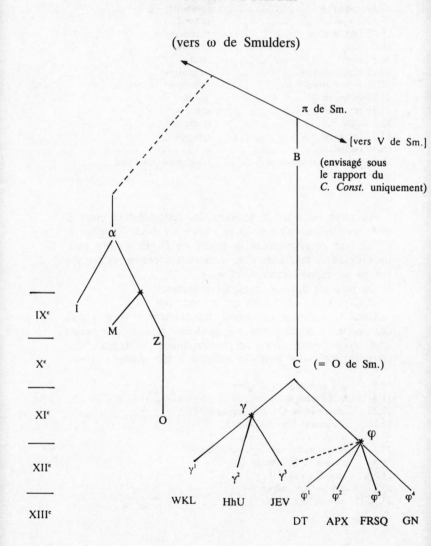

Dans la liste qui précède, seuls 9,5 et 12,20 pourraient faire difficulté, mais en 9,5, C a complété une citation selon la Vulgate, et en 12,20, toute une ligne ayant été omise, on s'explique la confusion qui s'en est suivie sur des termes grecs difficiles à comprendre pour un copiste latin.

b) On dira que C n'a pas copié B, car il n'a pas reproduit les fautes de B.

Au nom de quoi, à son époque, eût-il dû le faire ? Le copiste ne s'est pas cru obligé de reproduire la faute là où il en décelait une. Le copiste de Cluny se sentait le droit, en matière d'orthographe et de grammaire, d'intervenir sur le texte. Il ne lui fallait pas être grand clerc pour corriger les incorrections de B. Il lui est du reste arrivé plusieurs fois de copier d'abord la faute, puis de se reprendre aussitôt en couvrant la voyelle fautive du trait de plume nécessaire : p. ex. 7,3 *tolles* B, recopié *tolles* par C[ac], mais corrigé aussitôt en - *is* par C[pc], correction immédiate attestée par le fait qu'aucun des 20 mss descendant de C n'a suivi C[ac] :

	B fautif	C a corrigé
		(du premier coup, C ;
		ou après réflexion, C[pc])
1,9	*heresim* B C[ac]	*heresi* C[pc]
5,7	*occidet* B	*occidit* C
7,4	*tolles* B C[ac]................	*tollis* C[pc]
7,19	*uinces* B....................	*uincis* C
8,23	*uelle* B	*uelles* C
11,23	*expectare* B	*expectaret* C
11,35	*in* B	omission C
12,8	*gerebatur* B C[ac]............	*gerebantur* C[pc]
21,20	*callidae* B...................	*callida* C
21,24	*eludes* B C[ac]...............	*eludis* C[pc]
23,26	*subuertes* B	*subuertis* C

Ces corrections grammaticales, intentionnelles, qui mettent quelque différence entre les deux manuscrits B et C, n'en mettent toutefois pas assez pour qu'on les dise indépendants l'un de l'autre. Pas plus que ne donnent le droit de le faire les rectifications orthographiques de C. Au Xᵉ siècle, à Cluny, les copistes du scriptorium savaient (assez bien) vérifier l'orthographe. Comme toujours, il leur échappait des graphies archaïques (v. g. 24,6 *aput*), mais cela ne peut que corroborer la dépendance de C par rapport à B.

Indépendance de C^1 et C^2 vis-à-vis de α

c) On pourrait dire aussi que les corrections de C (= C^2) proviennent d'un ms. du groupe α.

Il faut regarder les choses de près.

Dans des leçons particulières où le sens est en jeu, où B a erré (v. g. 4,7 ; 6,23 ; 10,8 ; 11,24 ; 12,18 ; 20,9 ; 23,5 ; 25,7 ; 25,13 ; 27,19) et où α portait une leçon qui pouvait paraître meilleure, le copiste de C ne s'est en aucune façon servi d'un ms. du groupe α pour apporter une correction ; il a laissé les choses en l'état. D'ailleurs, s'il avait eu à sa disposition un ms. α, il aurait d'abord comblé les deux grandes omissions de B qui lui auraient sauté aux yeux du premier coup.

Mais, nous l'avons dit, le cod. C porte un assez grand nombre de corrections de plusieurs mains que nous avons englobées sous l'appellation de C^2. S'il se fait que plusieurs de ces corrections rencontrent le texte de α, c'est par pure coïncidence. Ici, un peu d'arithmétique. Nous avons relevé dans l'apparat critique, 59 interventions de C^2. Vingt s'accordent avec α, dont deux (1,9 ; 21,7) avec seulement une partie de α : les onze autres viennent de C^2 sans autre origine décelable que son jugement personnel : v. g. 11,3 *proferre* C^2 (*-rrem* C^1) ; 11,4 *quaero* C^2 (*non q.* C^1) ; 12,8 *gerebantur* C^2 (*gerebatur* C^1) ; 26,5 *blasphemiam* C^2 (*-mia* C^1). Va-t-on dire alors que les vingt corrections qui s'accordent avec α sont un signe de l'influence de α sur C^2 ? Non, car tous ces cas sont de ceux qu'un latiniste débutant corrigerait de lui-même. Il faudrait que C^2 ait donné des preuves de son incapacité pour lui dénier d'avoir été le correcteur des formes grammaticales et orthographiques qui vont suivre.

C² α	forme primitive C¹
1,9 *heresi*......................	*heresim*
2,4 *exilia*	*exiliis*
4,5 *nec*.........................	*ne*
5,4 *trudit*......................	*trudet*
6,11 *perdis*	*perdes*
7,1 *locuturus*...................	*loquuturus*
7,4 *tollis*.......................	*tolles*
7,6 *socia atque*.................	*sociat quae*
7,9 *condis*	*condes*
7,13 *contrahis*..................	*contrahes*
7,13 *conpellis*	*conpelles*
8,12 *occidis*.....................	*occides*
9,3 *inluderet*	*inludere*
11,36 *peragis*....................	*perages*
21,6 *imagine*....................	*imaginem*
21,7 *ueritatis*...................	*ueritas*
21,24 *eludis*.....................	*eludes*
24,6 *apud*	*aput*
25,8 *substantiae*	*substantia*
27,1 *et o*.......................	*eo*

Nous réservons le cas de 27,27 *heredem*, qui sera traité plus bas.

Avouons qu'il n'est pas besoin d'un grand lettré pour substituer les formes de la colonne 1 à celles de la colonne 2. C², qui avait su découvrir p. ex. *negationem* sous *negotiationem*, comme on le verra plus bas, pouvait bien tout seul, sans le secours de α, restituer correctement orthographe et morphologie latines. Qu'il soit donc bien entendu que la famille α n'a pas à entrer en ligne de compte dans la formation du texte de C¹ ou de C² : le cod. C reste authentiquement fils de B.

Nous avons réservé le cas de 27,27 *heredem*, car l'apposition par la main d'Aldebald de cette leçon de la famille α au-dessus de l'avant-dernier mot du *C. Const.* nous fournit paradoxalement un argument de plus pour démontrer que le texte de α n'a pas eu d'influence sur celui de C.

On se souvient de la place « hors jeu » que tient la finale apocryphe dans le cod. C. Elle est écrite d'une autre main ;

elle occupe un bifolium séparé, cousu aujourd'hui au beau
milieu du texte, mais elle avait été transcrite pour prendre
place juste à la fin du *C. Const.* Elle s'y est certainement
trouvée à une époque antérieure, avant la reliure actuelle,
car tous les mss issus de C n'ont pas manqué de la copier.
L'origine de cette finale en C ne fait pas de doute : la finale
provient d'un ms. α. Mais cela n'a pas déteint sur le reste
du *C. Const.* qui a été copié indépendamment d'elle.

Il a bien fallu qu'Aldebald compare les mss et qu'il
constate l'absence du mot *heredem* en C. Aussi s'est-il
empressé de l'ajouter *supra lineam*, comme une variante
intéressante. Mais c'est tout ce qu'il a fait. Trente lignes plus
haut, en 26,3-4, six mots qui se trouvaient en α manquaient
en C : Aldebald n'est pas remonté jusque là et ne les a pas
transcrits – preuve, s'il en fallait encore, que C, dans son
texte authentique, ne doit rien à la famille α.

Poursuivons notre enquête. Des 59 interventions de C^2 que
nous avions comptées, 21 ayant été citées, il en reste 36
qu'il est intéressant d'examiner pour comprendre dans quel
esprit elles ont été faites. S'il nous a paru que C^2 n'a pas
obéi à un modèle lorsqu'il s'est trouvé de rencontre avec α
et que ce sont d'humbles connaissances de latiniste qui l'ont
amené à intervenir, cette impression sera renforcée et devien-
dra certitude par l'examen des cas qui restent. Plusieurs
d'entre eux sont des corrections justes, dont les deux premières ci-après sont curieusement en accord avec B, ce qui
revient à dire que C^1 avait commis des fautes de copiste et
que C^2 les a judicieusement repérées.

	C^2	C^1
2,13	*synodum*	*sinodum*
4,10	*crurum*	*crurium*
10,18	*negationem*	*negotiationem*
11,31	*ego miser*	*te miser*
12,2	*si cui*	*sicut*
12,8	*gerebantur*	*gerebatur*
15,11	*maximas*	*maximas se*
26,5	*blasphemiam*	*blasphemia*

En vertu de quoi C^2 intervient-il ? Autant qu'on puisse en juger, il n'obéit qu'à son appréciation personnelle. Comme il représente plusieurs personnes qui se sont succédé dans le temps, ce sont les requêtes stylistiques d'une époque que manifestent ainsi les corrections de C^2. Nous disons bien stylistiques, car on aurait de la peine à trouver une variante doctrinale ; celle qui concerne 12,20 *omoeousion - anomoeousion* est un malheureux accident de copie qui n'a rien à voir avec des intentions perverses. C^2 cherche donc à améliorer un texte ou à le clarifier quand celui-ci lui paraît insuffisant ou fautif. En tout cas, il ne part pas d'un autre manuscrit qui lui fournirait une variante.

Ce que nous avons cité jusqu'ici dénote la sagacité de C^2. Il pourrait sembler, si l'on n'allait pas plus loin, qu'il a su corriger en philologue avisé. Il nous reste, malheureusement, 28 cas à examiner. Ceux-ci feront ressortir non plus la sagacité, mais l'arbitraire de C^2 et ses conséquences, les dégâts...

Ces dégâts sont d'autant plus grands qu'ils entraînent dans leur sillage la suite des dix mss du groupe φ et quelquefois ceux du groupe γ. Il est utile de noter ici, en anticipant sur ce que nous dirons de φ, que, dans tous les exemples cités plus haut – hormis 27,1 (*et o*) et 12,2 (*si cui*) –, le groupe φ s'est constamment rallié aux leçons de C^2. Il en sera de même dans les cas qui nous restent à traiter, sauf à prendre note de plusieurs cas d'exception[1]. Les 18 autres interventions sont donc des corrections arbitraires et corruptrices. Pour faciliter l'accès à une tournure difficile ou parce qu'il n'a pas compris un élément de phrase, C^2 intervient : parfois c'est un contresens, parfois ce n'est qu'une mélecture, presque toujours c'est une banalisation du style d'Hilaire. Un exemple caractéristique en est 21,19 *uel natura* que l'on va rencontrer dans la liste qui suit.

---

1. Deux sont dus à des corrections de C^2 entamées sans être achevées (2,8-9 *et* ≡≡*corrupt*≡≡≡ ; 2,18 *exili*≡) ; trois à des additions interlinéaires de C^2, qu'on peut prendre pour des gloses (9,14 *et* + s[upple] *decernis* ; 9,17 *certas* + *uerbum* ; 16,12 *profanas* + *uoces*) ; deux autres enfin à une préférence sans raison apparente de φ pour C^1 (4,10-11 *paradysum* ; 14,3 *palatii*).

	C¹	C² [et φ]
1,6	*satanae*	*sathanae*
3,5	*loquar*	*loquor*
5,12	*ore*	*o⁻re* (sic.) d'où *opere* φ
5,13	*ut*	omission
6,21	*uiuis*.......................	*unus*
8,12	*nomine*	*nominis*
9,15	*inducis*....................	*induceris*
9,24	*et*	+ *contra*
9,25	*committis*	*commisces*
11,3	*ut*	*nec*
11,3	*proferrem*	*proferre*
11,4	*non queror*	*quaero*
11,35	*manus*......................	*sunt manus*
12,14	*soli*........................	*et soli*
14,4	*et₂*.........................	omission
14,18	*esset*.......................	*non esset*
15,14	*condonaret*	*condonare*
19,7	*non*	+ *enim*
21,19	*statura*.....................	interlin. *uel natura*
22,2	*hinc aequalis*	*inaequalis*
23,15	*scripta*	*conscripta*

On peut s'étonner de cette liberté prise par des copistes ou des lecteurs sur des textes qu'on imagine intouchables. Mais à partir du moment où Cluny devint la source des ouvrages patristiques pour son Ordre et où ses propres manuscrits s'en vinrent séjourner dans les *scriptoria* des autres abbayes, on comprend que le moine dont dépendait la copie ait pensé rendre service à ceux qui viendraient après lui en faisant disparaître du volume-modèle ce que nous appellerions aujourd'hui, pour un texte imprimé, de simples « coquilles » ou, du moins, ce qu'il croyait tel...[1].

1. Il convient de rappeler que le zèle à corriger les textes fut accru aux IXe et Xe siècles par suite des dispositions prises par Charlemagne pour purifier la Bible. On révisa toute sorte de textes.

**Descendance de *C* :
les groupes γ et φ**

Poursuivons notre analyse du texte de C. Outre les deux longues omissions qu'il a reçues de B, le copiste de C en a commis d'autres de lui-même. En plus des corrections arbitraires, son texte est donc grevé de lourdes déficiences, qu'il n'eût été possible de pallier que par le recours à un manuscrit de l'autre famille ; mais cela n'a pas été fait puisque les deux familles ne se connaissaient pas.

Les omissions de C sont les suivantes :

12,9 *testis quoque nunc ueritatis* B : om. C.

12,13-14 *id est similis essentiae praedicarent et decem et novem anomoeousion* B : om. C.

26,3-4 *tuae orientales episcopos neque solum uoluntati* B : om. C.

Omissions regrettables, surtout celle de 12,13-14, car elle fausse un passage important (*omoeousion-anomoeousion*), mais omissions remarquables, car avec les deux autres de B signalées plus haut, elles passent toutes les cinq dans les vingt manuscrits γ et φ. Une tare pareille, maladie génétique, ne peut affecter que les descendants et les membres d'une même famille.

De plus, C a commis par rapport à B cinq interversions. Modifications mineures, mais qui prennent leur pleine signification quand on sait qu'elle ont passé toutes les cinq dans les vingt mss γ et φ :

9,4 *mihi dicit* B α : *dicit mihi* C γ φ

15,8 *exilii extorsit* B α : *extorsit exilii* C γ φ

17,5 *quaerebant eum iudaei* B α : *iud. quaer. eum* C γ φ

A Laon, Hartgarius à écrit, sur un Origène du Xᵉ siècle, qu'il a corrigé ce qu'il a pu (*quae potui*). Tel manuscrit (*Munich 14649*), qui provient de S. Emmeran, au XIᵉ siècle, porte ce conseil, dont on admirera la concision : « *Quod prior errauit scriptor, tu corrige lector* » (Lesne VI, p. 411).

19,10 *deus christus* B α : *christus deus* C γ φ

19,12 *dei patris est* B α : *est dei patris* C γ φ.

C'est pourquoi nous n'avons pas de difficulté à reconnaître maintenant comme descendance de C et de B tous ces mss du XIIe siècle qui provignèrent sur la souche du ms. de Cluny avec les mêmes omissions et beaucoup des mêmes erreurs.

Mais s'il fallait un autre argument pour nous en convaincre, nous aurions recours aux titres de l'œuvre.

Les titres On se souvient que les manuscrits de la famille α utilisent comme titre (cf. *supra,* p. 98-102) :

IMOZ à l'incipit :
epistola ad Constantium imperatorem missa
IMOZ au desinit :
epistola transmissa ad Constantium imperatorem.

Nous écartons à dessein les mots : *incipit, explicit, hilarii, sancti, beati, eiusdem, episcopi,* qui témoignent de l'habitude d'un scriptorium ou d'un copiste pour l'habillage d'un titre, mais ne se présentent pas comme des éléments authentiques de ce titre. Ces mots ont été reproduits *supra,* dans la description des manuscrits.

Débarrassés de ces mots adventices, nous avons donc, pour la famille B (= BCγφ), les titres suivants :

à l'INCIPIT :

Liber in Constantium imperatorem feliciter B
Liber contra Constantium imperatorem tunc hereticum C

Liber ad Constantium imperatorem, $\left\{ \begin{array}{l} tunc\ JV \\ et\ WKE \\ uel\ H \end{array} \right\}$ *hereticum* (+ *arianum* hU) γ

$\left. \begin{array}{l} Liber\ contra \\ Libellus\ in\ DT \end{array} \right\}$ *Constantium augustum* φ au DESINIT, en accolant le titre du Livre suivant comme font les mss et en en relevant le premier mot :

Liber in Constantium + *Epistola ad Constantium. Benignifica* B
Liber in Constantium + *Liber ad Constantium. Benignifica* C
Pas de desinit. *Epistola transmissa ad Constantium. Benignifica* γ

Liber	in DT	Constantium + *Tractatus ad Constan-*
[Tractatus]	*contra* XSGN	*tium. Benefica* φ
(G)	*ad* A	

Il faut, pour être exact, signaler quelques exceptions :

En φ, au premier élément du desinit, R et Q n'ont que le mot « *explicit* ». Quant à P, il est mutilé. F n'a pas de desinit.

En γ, L n'a ni titres ni desinit. V a un explicit alors que les autres de sa catégorie n'en ont pas ; il est mutilé. C'est un cas particulier.

Il apparaît nettement à la lecture de ces tableaux que si les formules manifestent jusqu'au bout la permanence des titres de B, elles ne se font pourtant pas faute d'y apporter, selon les temps et les lieux, des modifications secondaires, à travers lesquelles nous retrouvons les distinctions déjà établies entre B C γ φ. D'étape en étape, les copistes respectent l'essentiel, mais impriment leur marque particulière aux titres courants. Le point de départ est B, qui qualifie à juste titre l'écrit de *liber* et y reconnaît un pamphlet puisqu'il emploie la préposition *in*. Mais, lu au Xe siècle, le titre de B paraît se conformer protocolairement, par l'emploi de l'adverbe *feliciter* qui jouxte *imperatorem*, à l'hommage ordinaire d'un écrivain à l'égard du prince[1]. On peut penser que c'est par une sorte de

1. Nous n'ignorons pas que c'est l'usage des copistes d'inscrire « *feliciter* » au début ou à la fin de leur copie, et que l'acclamation ou le souhait porte sur leur travail ; mais, même si c'est le cas ici, il n'est pas invraisemblable, étant donné le parallèle antithétique des

raillerie, en réplique à son prédécesseur B, que le copiste de Cluny C a transformé *feliciter* en *tunc hereticum*. Et puisque nous l'avons vu plusieurs fois procéder à la normalisation des archaïsmes, nous ne nous étonnerons pas de le voir faire disparaître *in* adversatif au profit de *contra*, mieux compris de ses contemporains. Cette substitution, toutefois, ne s'est pas produite au desinit ; mais là, pour le livre suivant, C a transformé le mot *epistola* de B en *liber*. Qui dira pourquoi ? Proximité du premier *liber* ? Peut-être.

Ainsi s'explique la dégradation du titre en C. Mais C est devenu lui-même un point de départ pour γ et φ. En γ, nous ne sommes pas troublés par la transformation de *tunc* en *et* ou *uel*, qui peuvent n'être que des fautes de lecture, ni par le mot d'*arianum* qui commente *hereticum* : cela peut relever de la liberté du copiste. Mais la formule de γ à l'incipit, *liber ad*, laisse pressentir quelque confusion chez le copiste (ou le rubriciste) entre l'incipit du *C. Const.* et celui de l'*Ad Const.* La formule de l'*Ad Const.*, en effet a été employée (anticipation involontaire) au début du *C. Const.* Parvenu au début de l'*Ad Const.*, le copiste-rubriciste n'avait plus de formule d'incipit, mais trouvait alors la formule de desinit de la finale apocryphe. Cette dernière, à condition de la prendre pour incipit, convenait parfaitement à l'*Ad Const.* Le copiste s'empressa donc d'omettre (sauf en V) le mot *explicit*. Ce faisant, il donnait un titre à l'*Ad Const.* qui n'en avait plus, et ne privait pas tout à fait le *C. Const.* de son desinit, car l'ambivalence de la formule, située entre les deux livres, la rattachait à l'un aussi bien qu'à l'autre.

---

deux termes, que le clunisien s'indigne devant un souhait qui lui paraît aller à Constance et que, par dérision, il l'inverse en une dénonciation infamante.

Pour φ, les mêmes réflexions s'appliquent à des formules différentes. A l'incipit, φ garde le mot *contra* de C ; au desinit, il se partage entre *in* et *contra*, ce qui s'explique, car C a l'un (*in*) au desinit et l'autre (*contra*) à l'incipit. Mais *ad*, dans le cod. A, est un signe de confusion avec l'incipit du livre suivant. Celui-ci, effectivement, a troublé l'ensemble de φ. Pour trancher, entre *liber* de C^1 et *epistola* de C^2, φ a donc pris une troisième voie ; il a tout bonnement, puisqu'il écrivait à une époque où les Traités florissaient, employé le mot *tractatus*. Est-ce par la même liberté d'esprit et en accédant au respect impartial d'un historien qu'il a condensé en *augustum* la qualification de *imperatorem tunc hereticum* que C donne à Constance ? Il est difficile de découvrir la raison exacte de cette modification.

Autre remarque qui confirme nos classifications : en tous les codd. de γ, le premier mot de l'*Ad. Const. I* est celui de B et C, *benignifica* ; en tous ceux de φ, *benefica*.

Jusqu'ici, nous avons retenu, pour constituer les groupes dans la grande famille des descendants de BC, les caractères communs suivants :

Groupe γ. Aire de diffusion : l'Allemagne.

– Corpus hilarien situant le *De Syn.* en finale.

– Titre avec *ad* et *imperatorem hereticum*.

– Absence de desinit.

– Designation du Livre suivant : *Epistola*, et son premier mot : *Benignifica*.

Groupe φ. Aire de diffusion : la France.

– Corpus hilarien situant le *De Syn.* juste après le *De Trin.*

– Titre avec *contra* et *augustum*.

– Présence d'un desinit.

– Désignation du Livre suivant : *Tractatus*, et son premier mot : *Benefica*.

Cela suffit pour établir deux embranchements bien distincts à partir du cod. C. Mais il faut aussi déterminer pour chacune de ces branches un ancêtre qui soit intermédiaire entre C et elles, car on ne peut expliquer deux faisceaux différents de caractères communs sans recourir à un modèle propre à chacun.

Nous sommes ici en présence de difficultés particulières, car la chronologie ne peut guère nous servir ; Tous ces mss en effet datent de la même époque, XIIe siècle, et l'antériorité aussi bien que la dépendance des uns et des autres ne peuvent être atteintes qu'à travers la critique interne, et l'on sait combien l'interprétation des critères internes peut donner lieu à discussion.

Les sous-groupes de γ   La critique interne nous fait appréhender en premier lieu, les affinités textuelles qui confirment l'existence des sous-groupes que nous avons déjà déterminés. Il suffit maintenant de consulter rapidement l'apparat critique pour se rendre compte du bien-fondé des affinités WKL en γ^1, HhU en γ^2 et JEV en γ^3.

WKL (γ^1) vont ensemble par leur orthographe *Katholic(us)*, par leurs notes marginales en 4,5 ; 11,17 ; 23,7, extraites de C, par le titre de *Liber primus* donné au *C. Const.* et par la conjonction *et* devant *hereticum* ; par des variantes qui leur sont propres : 4,14-15 interversion de *fuisset illud certamen* ; 11,16 *dei* ; 11,28 *sed + in* ; ... ou dans lesquelles ils tiennent un rôle dominant : 6,7 *quisquis* ; 21,3 *confirmationem* ; 21,9 *aequatur* ; 23,10 *nicenorum* ; ... par les affinités WL ou WK, plus fréquentes : 6,18 *equidem* WK ; 11,21 *religasti* WL ; 21,2 *eum esse dei* WL ; 21,5 *quo* WK ;...

Cependant il nous faut, dans ce sous-groupe comme dans les autres, signaler le phénomène de contamination avec les autres mss γ, ce qui nous empêche de retrouver purement et simplement le modèle dont nous avons besoin.

HhU (γ^2) vont ensemble principalement par leurs titres qui nomment *Constantin* au lieu de *Constance* et par l'adjonction du mot *arianum* à celui de *hereticum*. Ils ont perdu tous les trois le *De Syn*. Dans ce sous-groupe, h et U qui sont du XIIIe siècle dépendent de H du XIIe. Exemples de variantes communes : 2,15 *digesta* ; 4,5 *expauissem* ; 10,18 *negationem* ; 16,5 *episcopum* (ou *-pus*) au singulier ; 21,3 *conformatione* ; 23,27 *scindis* ;... Contamination avec les autres mss γ.

JEV (γ^3) vont ensemble malgré les tendances à la séparation qui ne manquent ni chez E ni chez V, mais, une fois de plus, les apports de la contamination expliquent les anomalies.

J et V ont la même désignation de *tunc hereticum* au titre ; mais E a le même titre que WK : *liber primus* ainsi que *et* avant *hereticum*. Cependant voici des variantes communes à JEV : 2,9 *corruptionem* ; 6,23 *reconciliabitur* ; 11,22 *montani* ; 17,7 *ideo* ;... Voici des variantes propres à JE (sans V) : 2,1 *ergo* ; 8,21 *odisse* ; 10,8 *rapaciam* ; 14,3 *palatii* ; ... 23,33 *patre* ; elles sont nombreuses. Variantes, beaucoup moins nombreuses, propres à JV (sans E) : 4,13 *esse* om. ... Variantes communes à EV : 10,3 *uestimento* ; 11,35 *in christum* ; 21,3 *conformationem*... Variantes propres à E^2 qui montrent que E, quel que soit son modèle premier, a été corrigé d'après J : 7,18 *nouo* + *itaque* ; 12,14 *et soli* ; 6,3 *maledicus* JE^2 ; ... Mais V aurait-il été aussi corrigé d'après E : 9,11 *in quo* + *mihi* EV^2... ?

Dans ce sous-groupe JEV, il faut relever l'étroite similitude de J avec le texte du groupe φ. De même quand E est corrigé en E^2, c'est en général par emprunt d'une leçon J partagée par φ.

Une autre constatation est spéciale à ce sous-groupe : quelques variantes, très rares, émanent vraisemblablement d'un ms α, mais dans quelques sections seulement, et plus particulièrement à la fin du *C. Const.*

11,3 *dei* : *in deum* α V ^{2}
23,32 *temporis* : *tempore* MOZ J
26,1 *loqueris + et praedicas* α V
27,19 *profanis* : *profanus* α V ^{2}

Au desinit de V, permanence du mot *explicit*, comme en α, alors qu'il est supprimé dans les autres mss γ. Si l'origine de 23,32 et 27,19 peut être discutée, celle de 26,1 ne le peut guère et signifie la présence temporaire d'un ms α dans un monastère d'Allemagne, présence occasionnelle qui n'a pas entraîné le comblement des omissions longues et qui n'a apporté qu'un peu de trouble supplémentaire à la contamination générale et réciproque des mss γ. C'est le ms V qui nous apporte l'exception surprenante de 26,1 et celle de l'explicit. Nous avons déjà dit que nous nous expliquions mal la composition de ce ms.

Que dire aussi du cas de J, qui est seul à avoir conjecturé un mot complet à partir d'un simple préfixe : 23,2 *perpendo* J (*per* tous les autres mss) ? A la réflexion, on dira que J a corrigé de lui-même, sans modèle, ce passage corrompu. Mais alors, cela prouverait que J n'a été consulté par aucun des autres mss issus de C. Est-ce possible dans l'état d'inter-contamination que nous constatons entre tous ces mss ?

Les sous-groupes de φ   Passons à l'autre branche issue de C, celle que nous avons appelée « groupe φ ». Déterminons d'abord les sous-groupes, avant d'essayer de trouver le chef de file... si c'est possible. Les associations que nous avons déjà rencontrées dans la critique externe vont se trouver justifiées par l'étude du texte et des variantes.

DT (φ ^{1}) vont ensemble spécialement par l'emploi du mot *libellus* et de la préposition *in* dans le titre. Ils ont aussi en commun les formes ou les leçons erronées suivantes : 1,9 *scemate* ; 12,11 *successionem* ; 18,4 *semper* ; 20,3 addition de *filium* ; 21,11 *ait* ; 21,19 omission de *dum in hominis*... Avec ce qui a été dit de la proximité de leur abbaye respective, Anchin (D) et Saint-Amand (T), c'est assez pour les tenir groupés. On ne peut guère se rendre compte si l'un a copié l'autre ou si tous deux ont copié le même exemplaire. On trouve plusieurs fois aussi T associé à S : 10,3 ; 12,22 ; 19,5 ; 19,12.

APX (φ^2). Ces manuscrits sans originalité sont groupés ici parce qu'il ne s'écartent guère de ce qu'on pourrait appeler le texte reçu de la branche φ. Ils ont chacun des erreurs individuelles, pas assez significatives pour qu'il y ait lieu d'en parler. Nous n'insisterons pas.

FRSQ (φ^3) forment un sous-groupe mieux caractérisé par l'homogénéité de ses leçons divergentes. Cependant tous quatre ne marchent pas d'un même pas ; il y aurait peut-être, dans les décalages, des indices de classement, mais à l'étape où nous nous trouvons, il suffit de connaître leur affinité réciproque. RSQ sont les trois *codices* qui ont relevé l'expression hiéronymienne du « cothurne gaulois » ; FQ (avec N) sont ceux qui ont transcrit le petit aide-mémoire géographique. Voici quelques exemplaires de variantes communes aux quatre manuscrits : 4,9 *nec* ; 6,21 *nunc* ; 7,19 *triumphas* au lieu de *uincis* ; 12,10 *ibi* ; 27,5 *patriam*. Cette dernière erreur, seule (le mot *patriam* remplace *quietem* dans les autres mss), suffirait à justifier le sous-groupe. Une autre constatation s'impose également : le ms S (celui que Gérard d'Abbeville céda à la Sorbonne) est beaucoup plus fautif que les autres ; voyez par exemple 4,22 ; 6,3 ; 7,7 ; 7,14 ; 9,22, 11,22 ; 11,26 ; 12,7 ; 14,12, etc.

GN (φ^4). Ces deux mss restent seuls pour constituer le dernier sous-groupe. Ils pourraient revendiquer l'appartenance au sous-groupe φ^2, n'était leur plus grande indocilité à se conformer au texte commun de φ. En 14,4, ils ont conservé le mot *dissimilitudinem* omis par $\varphi^{1.2.3}$. En 4,14, ils ont *mihi*, omis par $\varphi^{1.2.3}$; en 5,5 *honerat*, et non *onerat* comme $\varphi^{1.2.3}$; en 16,11 *hinc*, et non *hic* comme $\varphi^{1.2.3}$; en 23,16 *quae*, et non *quem* comme $\varphi^{1.2.3}$; en 21,5 *quo*, et non *quod* comme $\varphi^{1.2.3}$. Mais l'accord GN n'exclut pas un plus grand nombre de variantes de la part de chacun en particulier.

Comme on vient de le voir, le regroupement, par les variantes, des mss issus de C, aboutit aux mêmes catégories, mais moins bien tranchées que celles qui nous avaient été suggérées par la description des manuscrits ($\gamma^{1.2.3}$; $\varphi^{1.2.3.4}$). Si les résultats paraissent moins nets, c'est que, bien souvent, les manuscrits se sont influencés réciproquement à l'intérieur de chaque groupe et de chaque sous-groupe. D'un groupe à l'autre pourtant, mis à part γ^3 dont nous allons parler, il ne semble pas qu'il y ait eu d'influence, chaque groupe restant confiné dans son aire géographique.

Pour ce qui est de la contamination avec l'autre famille, celle de α – mise à part la question de la finale apocryphe qui n'entre pas dans nos considérations présentes –, on n'en relève qu'une trace certaine (une seule 26,1 en V), les autres, possibles, étant dans le contexte de relative liberté qui préside à la copie de ces manuscrits du XIIe siècle, discutables et, du reste, très peu nombreuses.

Mais il faut aussi considérer que le ms C a été abondamment corrigé par plusieurs mains : chefs d'atelier, scribes, moines lecteurs... Il y a donc eu un C primitif, avant correction (C^1), et un C retouché, bourré de corrections (C^2). Ces corrections se veulent la plupart du temps orthographiques et grammaticales. Elles témoignent d'une certaine culture. Sur le parchemin, ces corrections sont faciles à repérer ; quelquefois cependant, un grattage soigné n'apparaît pas du premier coup. Quelques corrections sont dues à C lui-même ; ainsi, en 21,22, la restitution interlinéaire du mot *homo*, oublié en cours de copie (même écriture). Il faudrait faire une étude très fine pour distinguer les mains. Le fait que φ suive ordinairement C^2 tandis que γ suit ordinairement C^1 nous permet seulement de conclure que φ est postérieur à γ. La diversification des deux groupes répond donc aussi à un décalage dans le temps.

Le premier scribe qui a établi une copie de C et dont la copie devint l'archétype du groupe γ a eu affaire à C primitif, à un C peut-être déjà un peu corrigé (v. p. ex. 23,15 *scripta* BC^1 à côté de *conscripta* C^2 γ φ), mais dans l'ensemble peu retouché. Le scribe qui vint ensuite et dont la copie devait devenir l'archétype du groupe φ trouva au contraire un manuscrit C très corrigé et se conforma pour l'ordinaire aux corrections.

C'est ce qui nous permet d'aligner les oppositions suivantes, où γ et φ représentent la plupart sinon tous les mss de leur groupe, et d'où, surtout, nous avons écarté les effets de J qui seront expliqués dans un paragraphe ultérieur, consacré à γ³.

$C^1 \gamma$	$C^2 \varphi$
3,5 loquar	loquor
5,13 ut deus	deus
6,21 uiuis	unus
8,12 nomine	nominis
9,15 inducis	induceris
9,24 et	et contra
9,25 committis	commisces
10,18 negotiationem	negationem
11,3 ut	nec
11,4 non queror	quaero
11,31 te miser	ego miser
11,34 manus	sunt manus
12,14 soli	et soli
14,3 palatio	palatii
15,11 maximas se	maximas
15,14 condonaret	condonare
19,7 non	non enim
21,19 statura	statura uel natura
22,2 hinc aequalis	inaequalis
26,5 blasphemia	blasphemiam

Le sous-groupe γ³   La répartition des mss entre γ et φ serait plus nette sans la réserve que nous avons été obligé de porter sur γ³, sous-groupe dans lequel le cod. J tient un rôle non seulement prépondérant, mais ambigu. Car voici un ms. que ses caractères externes (corpus, titres, mot initial *Benignifica*, notes marginales) nous ont fait ranger sans opposition dans le sous-groupe γ³, mais lorsque nous le regardons avec des préoccupations de critique interne, il nous paraît assez souvent qu'il faut l'aligner sur le groupe φ. Ainsi, dans la liste qui précède où $C^1\gamma$ s'oppose à $C^2\varphi$, le cod. J devrait normalement toujours trouver sa place avec $C^1\gamma$. Or, il est d'accord avec $C^2\varphi$ la moitié du temps : 5,13 ; 9,15 ; 9,24 ; 9,25 ; 11,3 ; 12,14 ; 14,3 ; 15,11. On pourrait y ajouter 11,31 et 21,19 où J^2 se rallie à C^2, et d'autres cas où JE avec l'un ou l'autre cod. de γ se rallie à φ contre C_y : 25,16 *se* C_y : om. h JE φ ‖ 24,8 *querar* C : *queror* JE φ ‖ 23,33 *patri* C : *patre* h JE φ ‖ 23,27 *rescindis* C : *scindis* Hh JE φ ‖ 17,7 *hoc iohannes* C : *ideo* K U JEV φ. Citons encore deux exemples où J apparaît, cette fois, comme indépendant : 13,6 *sermonis et coniunctio* JE^2 : *et sermonis compunctio* C φ γ ‖ 11,22 *montani* JEV : *montanae* C φ γ.

Tout cela pour indiquer qu'il est beaucoup moins simple de classer JEV que les autres sous-groupes. D'après ce que nous venons de relever, J lui-même est un manuscrit mixte : il a profité des corrections de C^2, mais a eu la perspicacité de les discuter sans s'y rallier automatiquement. Il a donc suivi soit C^1, soit C^2, soit ses propres conjectures. Mixte ou contaminé, comme on voudra, mais pas de contamination avec α. La contamination avec α, il semble qu'il faille en faire l'apanage de V, mais, nous l'avons dit, en la restreignant à de très brèves leçons : 11,3 *in deum* α V^2 ; 27,19 *profanus* α V^2 ; 26,1 + *et praedicas* α V ; *explicit* à la finale, et quelques autres cas (2,1 ; 23,25) où la plume du scribe a très bien pu rencontrer α sans l'avoir copié.

PRINCIPES DE CETTE ÉDITION

Il découle de la situation des mss à l'intérieur des familles que le texte devrait être établi par le recours au groupe IMZ, porteur de α, d'un côté et, de l'autre, au seul manuscrit B, prince toujours actuel de la lignée qu'il a engendrée. De la confrontation constante entre α et B, devrait naître, à l'aide des critères ordinaires de choix, le texte le plus proche de l'ancêtre des deux familles. Quelques fautes communes à α et B (8,23 *uelles : uelle* B α ‖ 10,18 *negationem : negotiationem* B α ‖ 12,8 *gerebantur : gerebatur* B α ‖ 15,11 + *se* B α ‖ 23,2 *perpendo : per* B α) laissent entrevoir que cet ancêtre ne saurait revendiquer d'être au principe de tous les mss du *C. Const*. Si proche qu'il soit des débuts et si haut qu'il soit placé sur le stemma, plusieurs intermédiaires nous manquent pour remonter jusqu'à l'original d'Hilaire.

Si toutefois nous avons abouti à un texte plus satisfaisant que ne le donnerait la seule comparaison entre α et B, nous le devons à la conjecture médiévale. Obligé d'en accepter les services, nous avons été puissamment aidés par C (C¹ et C²) et, à son défaut, par l'un ou l'autre de ses descendants γ φ éparpillés en Europe (20 mss jusqu'au XIIIᵉ siècle). A vrai dire, la traîne que déploient ces vingt mss constitue, pour l'apparat critique, un ornement, encombrant mais pas tout à fait inutile, ainsi qu'il apparaît en 23,2 *perpendo*, où J est seul à offrir, en conjecture, un texte acceptable. Après le déploiement de γ φ, qui a eu pour effet, dans la tradition, de balayer les corruptions antérieures (tout en en produisant de nouvelles...), les légères conjectures que Coustant et nous-même pouvons nous attribuer se réduisent à trois : 17,3 deo *conieci* : deum *codd*. ‖ 22,3 patrem *rest. Cou.* : *om. codd*. ‖ 23,16 egeo *Cou*. : ego *codd*. – Tout le reste fut, pour nous, affaire de choix entre les bonnes et moins bonnes corrections médiévales.

Il convenait toutefois de dépouiller cette masse énorme de mss du Moyen Age, pour connaître leur origine et leurs rapports. Les lecteurs de Feder ont encore bien du mal à se faire une idée de la valeur

respective de la plupart de ces mss, malgré les minu-
tieuses descriptions qu'il en a laissées. Il nous semble
qu'aujourd'hui, après qu'a été défini le rôle de C, il
est possible de se mouvoir plus facilement dans la forêt
touffue de ces mss porteurs des opuscules d'Hilaire et
que cela devrait faciliter les travaux à venir.

Nous ne regrettons donc pas l'ampleur donnée à
notre apparat critique. Les phénomènes qu'ils consi-
gnent, variantes erronées la plupart du temps, contribuent à la connaissance des scriptoria anciens et de
leurs méthodes ; on sait qu'en ce domaine, il y a
encore beaucoup à apprendre. Un travail approfondi
sur le « complexe » que nous avons appelé C^2 appor-
terait bien des renseignements.

Comme les copistes anciens l'avaient fait selon leur
époque, nous avons, d'une manière générale, normalisé
l'orthographe et suivi la tendance actuelle, moins encline
à l'assimilation, ce en quoi nous serons assez souvent
d'accord avec B.

Les éditeurs anciens n'ont jamais édité à part le
Contre Constance ; mais on le trouve toujours associé
avec d'autres œuvres d'Hilaire, notamment le *De Trinitate*. Ce dernier point ne doit pas étonner, puisque
nous avons vu que les opuscules, dans la tradition
manuscrite, sont originaires d'un rassemblement de
textes antiariens où le *De Trinitate* tient le rôle principal.
L'édition princeps, dans ces conditions, est procurée
par G. Crivellius à Milan en 1489. Suivront ensuite
l'édition de R. Fortunatus à Paris 1510, celle, guère
plus critique, d'Érasme à Bâle 1523, avec ses réimpressions, 1526, 1535, et les éditions plus ou moins
corrigées, mais dépendantes toujours d'Érasme, de
L. Miraeus (1544), M. Lipsius (1570), E. Episcopius
(1570), puis celle de J. Gillot, Paris 1572, reprise

plusieurs fois jusqu'en 1693, date où paraît l'édition des Mauristes due à P. Coustant (à Paris chez F. Muguet). Le texte de Coustant est repris cinq ou six fois, jusqu'à Migne, qui ne fait lui-même que le recopier, 1844. Depuis lors, en dehors des réimpressions de Migne, il n'y a pas eu d'autre publication du *Contre Constance*.

La division en chapitres remonte aux précédents éditeurs ; il convenait de la garder. Les articulations entre les différentes parties du texte ont été mises en lumière aux chapitres précédents (*supra*, p. 38-40 et 82-83). Nous n'avons pas pensé devoir les reproduire au fil de ce libelle, dont le texte, relativement court, mais aussi concentré, nerveux et jeté comme d'une seule coulée – même si l'analyse peut y déceler des états successifs –, ne le supporterait pas. Il faut lire d'affilée ces pages virulentes de sainte colère, se laisser emporter par la houle d'indignation qui les emplit et ne pas filtrer au tamis de la logique les déferlements d'une écriture qui ne s'apaise qu'au point final.

Après, mais après seulement, le lecteur se reportera aux notes pour les éclaircissements nécessaires. Parce qu'elles auraient tenu trop de place en chacune des pages, parce qu'elles auraient coupé le souffle sous couleur d'érudition, nous les avons rejetées après la traduction. On les y trouvera à loisir avec leur renvoi sans y avoir été invité par des appels de notes, trop fréquents pour un si petit parcours.

La traduction se veut exacte dans tous ses détails. Elle n'a peut-être pas le lisse et le poli de certains fragments déjà traduits en français par des historiens qui nous ont précédés – mais au prix de quelles inexactitudes et de quelles omissions ! –. La nôtre serre le texte dans toute sa longueur. Elle ne craint pas les fréquentes ellipses d'Hilaire quand la clarté ne peut en souffrir. Elle a tâché d'être « hilarienne ». Ce ne fut pas toujours facile. Le lecteur, que l'on qualifiait volontiers autrefois de *benevolus*, jugera de nos efforts et de leur résultat.

BIBLIOGRAPHIE

Sur Hilaire, son époque, sa vie, son œuvre, des bibliographies plus étendues que celle que nous fournissons ici peuvent être avantageusement consultées dans :

Dictionnaire de Spiritualité. VII (1969), col. 494-499 (C. KANNEN-GIESSER).

J. DOIGNON, *Hilaire de Poitiers avant l'exil,* Et. Aug. 1971, p. 623-659.

M. SIMONETTI, *La crisi ariana nel IV secolo,* Inst. Aug. Roma 1975, p. 573-578.

H.C. BRENNECKE, *Hilarius von Poitiers und die Bischoffsopposition gegen Konstantius II,* Berlin-New York 1984, p. 372-391.

Malgré leur ancienneté, on consultera de même, pour la théologie et pour la controverse arienne, et avec la prudence nécessaire sur certains points d'histoire, les articles que les *Tables Générales* (col. 256-263) du *DTC* indiquent, en 1951, sous la rubrique *Arius-Arianisme.*

Nous nous contenterons d'indiquer ici quelques ouvrages et articles qui permettront d'élargir la connaissance et la réflexion du lecteur au-delà de ce qu'une courte monographie pouvait laisser attendre à la date de sa rédaction.

HISTOIRE

FLICHE-MARTIN. *Histoire de l'Église,* Tome III, « La crise arienne » par G. Bardy, 1950, p. 69-176.

DANIÉLOU, J. et MARROU, H.I. *Nouvelle histoire de l'Église,* Tome I, *Des origines à S. Grégoire le Grand.* Paris 1963.

GRIFFE, E. *La Gaule chrétienne à l'époque romaine,* Tome I. Paris 1964.

DUCHESNE, L. *Histoire ancienne de l'Église,* Tome II, ch. VII-X. Paris 1907.

BATIFFOL, P. *Le catholicisme des origines à saint Léon,* Tome II, *La paix constantinienne et le catholicisme.* Paris 1929[5].

RECUEILS

HILAIRE DE POITIERS, ÉVÊQUE ET DOCTEUR (368-1968). Cinq conférences données à Poitiers à l'occasion du XVIᵉ centenaire de sa mort. Ét. Aug. Paris 1968. Cité ci-dessous : *Hil. év. et doct.*

HILAIRE ET SON TEMPS. Actes du Colloque de Poitiers 1968. Ét. Aug. Paris 1969. Cité ci-dessous : *Hil. et son t.*

LIVRES ET ARTICLES

BLAISE, A. *Saint Hilaire de Poitiers. Textes choisis, traduits et présentés par –*. Namur 1964.

BOULARAND, E. *L'hérésie d'Arius et la « foi » de Nicée*. T. I et II. Paris 1972.

BRENNECKE, H.C. *Hilarius von Poitiers und die Bischoffsopposition gegen Konstantius II. Untersuchungen zu dritten Phase des arianischen Streites* (337-361). Patr. Texte u. Studien 26. Berlin-New York 1984.

– « Konstantius II, und der gallische Episkopat ». *Misc. Hist. Eccl. VI*, 1983.

CROUZEL, H. « Un " résistant " toulousain à la politique proarienne de l'empereur Constance II, l'évêque Rhodanius ». *Bull. Litt. Eccl. 77.* Toulouse 1976.

DANIÉLOU, J. « Saint Hilaire, évêque et docteur », dans *Hil. év. et doct.*

DINSEN, F. *Homoousios. Die Geschichte des Begriffs bis zum Konzil von Konstantinopel* (381). Kiel 1976 (diss.).

DOIGNON, J. « " Christ " ou " oint " ? Un vocable biblique appliqué par Hilaire de Poitiers à l'évêque Rhodanius de Toulouse », dans *RHE* (Louvain) LXXII, 2, 1977.

– « Une compilation de textes d'Hilaire de Poitiers présentée par le pape Célestin 1ᵉʳ à un concile romain de 430 », dans *Oikouménè. Studi paleocristiani*, Catania 1964.

– *Hilaire de Potiers avant l'exil*. Ét. Aug. Paris 1971.

– « Hilaire écrivain », dans *Hil. et son t.*

– « Un *sermo temerarius* " d'Hilaire de Poitiers sur sa foi (*De Trin.* 6, 20-22) », dans *Studies in honour of P. Smulders,* Assen van Gorcum 1981.

DUVAL, Y.M. « La " manœuvre frauduleuse " de Rimini », dans *Hil. et son t.*

– « Vrais et faux problèmes concernant le retour d'exil d'Hilaire de Poitiers et son action en Italie en 360-363 », dans *Athenaeum* 48 (Pavie) 1970.

FIGURA, M. *Das Kirchenverständnis des Hilarius von Poitiers* (Freiburger Theologische Studien 127), Fribourg-Vienne 1984.

FONTAINE, J. « L'apport d'Hilaire de Poitiers à une théorie chrétienne de l'esthétique du style », dans *Hil. et son t.*

– « Hilaire et Martin », dans *Hil. év. et doct.*

GALTIER, P. *Saint Hilaire de Poitiers, le premier docteur de l'Église latine.* Paris 1960.

GIRARDET, K.M. « Constance II, Athanase et l'édit d'Arles (353). A propos de la politique religieuse de Constance II », dans *Politique et Théologie chez Athanase d'Alexandrie,* Paris 1974.

– « Kaiser Konstantius II, als " *episcopus episcoporum* " », dans *Historia* (Wiesbaden) 26, 1977.

GOEMANS, A.J. « La date de la mort de S. Hilaire », dans *Hil. et son t.*

GOTTLIEB, G. « Les évêques et les empereurs dans les affaires ecclésiastiques du 4e siècle », dans *Museum Helveticum* 33, 1976.

GREGG, R.C. and GROH, D.E. *Early Arianism. A view of Salvation.* Londres 1981.

HADOT, P. Introduction p. 18-56 à *Marius Victorinus : Traités théologiques sur la Trinité,* SC 68, Paris 1960.

HAMMAN, A. « Saint Hilaire est-il témoin à charge ou à décharge pour le pape Libère ? » dans *Hil. et son t.*

KANNENGIESSER, C. « Hilaire de Poitiers », dans *Dict. Spir.* Paris 1968.

KLEIN, R. *Constantius II und die christliche Kirche* (Impulse der Forshung 26) Darmstadt 1977.

– « Der Rombesuch des Kaisers Constantius II in Jahre 357 », dans *Athenaeum* (Pavie) N.S.57, 1979.

LADARIA, L. *El Espiritu santo en San Hilario de Poitiers.* Publ. Univ. Pontif. de Comillas. Madrid 1977.

LE GUILLOU, M.J. « Hilaire entre l'Orient et l'Occident », dans *Hil. év. et doct.*

LORENZ, R. *Arius judaizans ? Untersuchungen zur dogmengeschichtlichen Einordnung des Arius* (Forsch. z. Kirchen- und Dogmengeschichte 31), Göttingen 1979.

LUCIEN-BRUN, X. « Constance II et le massacre des princes », dans *Bulletin de l'Ass. G. Budé* 32, 1973.

MARROU, H.I. « Saint Hilaire et son temps », dans *Hil. év. et doct.*

MESLIN, M. et MARROU, H.I. « Hilaire et la crise arienne », dans *Hil. et son t.*

MOINGT, J. « La théologie trinitaire de saint Hilaire », dans *Hil. et son t.*

OPELT, I. « Hilarius von Poitiers als Polemiker », *Vigiliae Christ.* 27, 1973.

PALANQUE, J.R. « La Gaule chrétienne au temps de saint Hilaire » dans *Hil. et son t.*

PELLEGRINO, M. « Martiri e martirio nel pensiero di S. Hilario di Poitiers », (*Studi storico-religiosi* IV) Rome 1980.

SIMONETTI, M. *La crisi ariana nel IV secolo.* (Studia ephemeridis " Augustinianum ". Inst. Patr. Aug.) Rome 1975.

SMULDERS, P. *La doctrine trinitaire de Saint Hilaire de Poitiers.* (Analecta Gregoriana XXXII) Rome 1944.

STEAD, G.C. « " Homoousios " dans la pensée de saint Athanase », dans *Politique et Théologie chez Athanase d'Alexandrie,* Paris 1974.

TIETZE, W. *Lucifer von Calaris und die Kirchenpolitik des Constantius II. Zum Konflikt zwischen Kaisers Constantius II und der Nikäischorthodoxen Opposition.* Tübingen 1976 (diss.).

TRANSMISSION DU TEXTE

BISCHOFF, B. *Die Südostendeutschen Schreibschulen und Bibliotheken in der Karolinerzeit,* T.I. et II. Wiesbaden 1974[3].

CANART, P. *Catalogue des manuscrits grecs de l'Archivio di San Pietro* (Studi e Testi 246), Rome 1966.

COURCELLE, P. *Histoire littéraire des grandes invasions germaniques.* Ét. Aug. Paris 1964.

COUSTANT, P. *Variantes lectiones in Hilarium.* B.N. lat. 11621 et 11622.

FEDER, A. « Praefatio » in *CSEL* 65. Vienne 1916.

– *Studien zu Hilarius von Poitiers,* I, II, III. Vienne 1910-1912.

GARAND, M.C. « Copistes de Cluny au temps de Saint Maïeul (948-994) » dans *Bibl. de l'Ecole des Chartes* 136, Paris 1978.

HANSLIK, R. « Die Erstausgabe von Hilarius *De Trin.* und ihre handschriftliche Grundlage », dans *Wiener Studien XVI,* 1982.

LOWE, E.A. *Palaeographical papers 1907-1965.* Oxford 1972.

LOWE, E.A. *Codices Latini Antiquiores I,* Oxford 1934.

MARROU, H.I. « La technique de l'édition à l'époque patristique », dans *Vigiliae Christ.* III, 1949.

SMULDERS, P. « Praefatio » in *CCL* 62. Turnhout 1979.

WILMART, A. « L'Ad Constantium Liber Primus de S. Hilaire de Poitiers et les fragments historiques », dans *Rev. Bén.* XXIV, 1907.

– « Le convent de Cluny et la Bibliothèque de Cluny vers le milieu du XIe siècle », dans *Rev. Mabillon* 41, 1921.
– « L'odyssée du manuscrit de San Pietro qui renferme les œuvres de Saint Hilaire », dans *Classical and Mediaeval Studies in honor of E.K. Rand,* New York 1938.

TEXTE ET TRADUCTION

CONSPECTUS SIGLORUM

A *Bruxelles, B.R. II 2561*, s. XII φ^2
B *Vatican, Archivio di San Pietro D 182*, s. VI in.
C *Paris, B.N. n. acq. lat. 1454*, s. X ex.
D *Douai, B.M. 220*, s. XII med. φ^1
E *Berne, Burg. Bibl. 100*, s. XII ex. γ^3
F *Cambridge, Corp. Christi Coll. 345*, s. XII φ^3
G *Bordeaux, B.M. 112*, s. XII ex. φ^4
H *Munich, Clm 21528*, s. XII ex. γ^2
h *Munich, Clm 169*, s. XIII in. γ^2
I *Munich, Clm 6311*, s. IX in. α
J *Salzbourg, B. Mon. S. Pierre a-XI-2*, s. XII in. γ^3
K *Klosterneubourg, B. Abb. 206*, s. XII ex. γ^1
L *Zwettl, B. Mon. 33*, s. XII ex. γ^1
M *Tours, B.M. 313*, s. IX ex. α
N *Vendôme, B.M. 189*, s. XII ex. φ^4
O *Paris, B.N. lat. 1687*, s. XI in. α
P *Paris, B.N. lat. 1697*, s. XII φ^2
Q *Reims, B.M. 371*, s. XIII in. φ^3
R *Reims, B.M. 372*, s. XII ex. φ^3
S *Paris, B.N. lat. 15637*, s. XII ex. φ^3
T *Paris, B.N. lat. 1699*, s. XII ex. φ^1
U *Vienne, Nat. Bibl. 730*, s. XIII γ^2
V *Vienne, Nat. Bibl. 1067*, s. XIII γ^3
W *Vienne, Nat. Bibl. 684*, s. XII in. γ^1
X *Troyes, B.M. 242*, s. XII φ^2
Z *Milan, Ambr. D 106 inf*, s. IX α

Dans l'apparat critique, α ou γ ou φ indiquent tous les manuscrits du groupe. Les sous-groupes sont désignés par l'exposant qui accompagne γ ou φ. Quand il faut en retrancher l'un ou l'autre ms., on l'indique par le signe moins entre parenthèses, p. ex. γ (- KE) ou φ^3 (- R). – L'exposant [1] ou [2] qui accompagne le sigle d'un ms. indique une première ou une seconde main.

Signes et abréviations

]+	addition
om.	omission
~	interversion de mots
ac	avant correction
pc	après correction
sl	au dessus de la ligne
mg	en marge
pr	après grattage
≡≡	une, deux... lettres grattées
Z^r	partie refaite en Z
–	tenir compte des mots intermédiaires
....	ne pas tenir compte des mots intermédiaires
C^2	toute intervention postérieure en C
Cou.	Coustant

$\alpha = IMOZ$

$$\gamma \begin{cases} \gamma^1 = WKL \\ \gamma^2 = HhU \\ \gamma^3 = JEV \end{cases}$$

$$\varphi \begin{cases} \varphi^1 = DT \\ \varphi^2 = APX \\ \varphi^3 = FRSQ \\ \varphi^4 = GN \end{cases}$$

LIBER IN CONSTANTIVM INPERATOREM

1. Tempus est loquendi, quia iam praeteriit tempus tacendi[a]. Christus expectetur[b], quia obtinuit antichristus[c]. Clament pastores[d], quia mercennarii fugerunt[e]. Ponamus animas pro ouibus[f], quia fures introierunt[g], et leo
5 saeuiens circuit[h]. Ad martyrium per has uoces exeamus[hh], quia angelus satanae transfigurauit se in angelum lucis[i]. Intremus per ianuam[j], quia nemo uadit ad Patrem nisi per Filium[k]. Manifestentur in pace sua pseudoprophetae[l], quia in heresi et scismate manifestabuntur probati[m]. Sustineatur
10 tribulatio qualis non fuit a constitutione mundi ; sed intellegantur breuiandi dies propter electos Dei[n]. Inpleta

B C α(IMOZ) γ = γ[1](WKL) γ[2](HhU) γ[3](JEV)
        φ = φ[1](DT) φ[2](APX) φ[3](FRSQ) φ[4](GN)

Titulus. Incipit eiusdem liber in Constantium inperatorem feliciter B Incipit liber beati Hilarii contra Constantium imperatorem tunc hereticum C. Cf. titulos integraliter rescriptos apud descriptionem mss., supra in cap. III. Hoc in apparatu, uariantes singillatim diligenter notabimus, codice L excepto qui non gaudet titulo. – liber B C γ (- KE) AP FQ φ[4] : liber primus KE R libellus φ[1] epistola α tractatus X S ‖ sancti α W U γ[3] AP R : beati C G eiusdem (= sancti hilarii) B S (= sancti) h (= beati hilarii) φ[1] X FQ N om. K H ‖ hilarii C MO : hilari B helarii I ilarii Z hylarii γ φ[2] R G om. φ[1] FSQ N ‖ episcopi α WK E R G : om. cett. ‖ in B φ[1] : contra C φ[2] φ[3] φ[4] ad α γ ‖ constantinum H ‖ inperatorem B : imp- missa α imp- tunc hereticum C JV imp- et hereticum WK E imp- uel hereticum H imp- heret- arrianum hU augustum D φ[2] φ[3] φ[4] om. T ‖ post inperatorem addit feliciter B
1, 1 iam om. Z ‖ tempus praeteriit ~ γ ‖ 2 obticuit φ[1] X FRS G ‖ 3 mercennarii B MOZ γ φ : mercenarii G edd. mercinarii I

LIVRE CONTRE L'EMPEREUR CONSTANCE

1. Voici le temps de parler, puisque déjà est passé le temps de se taire[a]. Attendons-nous à la venue du Christ[b], puisque l'Antichrist[c] l'a emporté. Que les pasteurs crient[d], puisque les mercenaires ont pris la fuite[e]. Abandonnons notre vie pour les brebis[f], puisque les voleurs sont entrés[g] et que le lion furieux rôde alentour[h]. Avec ces paroles à la bouche, sortons au martyre, puisque l'ange de Satan s'est déguisé en ange de lumière[i]. Entrons par la porte[j], puisque personne ne va au Père si ce n'est par le Fils[k]. Que se révèlent tels qu'ils sont dans leur paix les faux prophètes[l], puisque c'est au milieu de l'hérésie et du schisme que se révéleront les hommes de vertu éprouvée[m]. Il faut supporter une calamité telle qu'il n'y en a pas eu depuis la création du monde ; mais sachons bien que ces jours doivent être abrégés à cause des élus de Dieu[n].

‖ fugierunt *Z* ‖ 6 sathanae *C*[2] γ φ ‖ transfigurauit : transformauit *G* ‖ 9 in *uidetur cancell.* B ‖ heresim *B*[ac] *C*[ar] herese *I* ‖ scemate *I* scimastae *MOZ* schismate *edd.* ‖ 10 qualis : talis qualis *IMZ* ‖ 11 intelleguntur *OZ* -ligantur *WL* γ[2] *JE* φ *edd.*

---

1. a. cf. Eccl. 3,7 ‖ b. cf. Matth. 11,3. Phil. 3,20 ‖ c. cf. I Jn. 2,18 ‖ d. cf. Jér. 25,34 ‖ e. cf. Jn 10,13 ‖ f. cf. Jn 10,15. I Jn 3,17 ‖ g. cf. Jn 10,8.9 ‖ h. cf. I Pierre 5,8 ‖ hh. cf. Hébr. 13,13 = Lév. 16,27 ‖ i. cf. II Cor. 11,14 ‖ j. cf. Jn 10,2 ‖ k. cf. Jn 14,6 ‖ l. cf. Matth. 24,11. I Jn 4,1 ‖ m. cf. I Cor. 11,19. II Cor. 13,7. I Thess. 2,4. Jac. 1,12 ‖ n. cf. Matth. 24,21.22

est prophetia dicens : « Erit tempus quando sanam doc-
trinam non sustinebunt, sed ad sua desideria coarceruabunt
sibi magistros scalpentes aures : et a ueritate quidem
15 auditum auertent, ad fabulas autem conuertentur °.» Sed
expectetur promissio protestantis : « Beati estis, cum uos
maledicent et persequentur et dicent omne malum
aduersum uos propter iustitiam. Gaudete et exultate,
quoniam merces uestra copiosa est in caelo. Sic enim
20 persecuti sunt et prophetas qui erant ante uos ᴾ.» Stemus
ante iudices et potestates ᑫ pro Christi nomine ʳ, quia
beatus est qui usque in finem perseuerauerit ˢ. Non
timeamus eum qui potest corpus occidere, animam autem
non potest : sed timeamus eum qui potest corpus et
25 animam occidere in gehennam ᵗ. Nec solliciti de nobis
simus ᵘ, quia capilli capitis nostri numerati sunt ᵛ. Et per
Spiritum sanctum sequamur ueritatem, ne per spiritum
erroris credamus mendacio ʷ. Et conmoriamur Christo, ut
Christo conregnemus ˣ. Vlterius enim tacere diffidentiae ʸ
30 signum est, non modestiae ᶻ ratio, quia non minus periculi
est semper tacuisse quam numquam.

B C α*(IMOZ)* γ = γ¹*(WKL)* γ²*(HhU)* γ³*(JEV)*
            φ = φ¹*(DT)* φ²*(APX)* φ³*(FRSQ)* φ⁴*(GN)*

12 est prophetia (- fet- *B I*) : proph- est ~ *C U JV AP G* ‖
dicentis *OZ* ‖ quando : cum *Z* ‖ 14 et : sed *IMO* ‖ a ueritate : ad
-tem *I* ‖ 16 potestatis *O*ᵃᶜ potestantis *Z* ‖ 17 maledicerint *Z* ‖ 20
persecuti (-quuti *B C U T*) sunt : sunt persequuti ~ *S* ‖ profetas
B ‖ 21 nomine christi ~ *RSQ* ‖ 24 non potest] + occidere α
(*Vulg.*) ‖ 25 gehenna *KL V* ‖ 26 uestri *MOZ* ‖ 28 mendacium α
‖ 29 christo : cum christo γ¹γ² *E*ᵃᶜ*V* ‖ regnemus *V*

Elle est accomplie la prophétie qui déclare : « Viendra un temps où les gens ne supporteront plus la saine doctrine, mais au gré de leurs passions, ils se donneront à foison des maîtres qui chatouillent leurs oreilles ; et ils se détourneront de l'écoute de la vérité en se retournant au contraire vers des fables [o] ». Mais il nous faut attendre la réalisation de la promesse de Celui qui atteste : « Heureux êtes-vous lorsqu'on vous outragera, qu'on vous persécutera, qu'on dira toute sorte de mal contre vous à cause de la justice. Soyez dans la joie et l'allégresse, puisque votre récompense est grande dans le ciel. C'est ainsi, en effet, qu'on a persécuté les prophètes vos devanciers [p]. » Dressons-nous face aux juges et aux autorités [q] pour le nom du Christ [r] ; car il est heureux celui qui aura tenu bon jusqu'au bout [s]. Ne craignons pas celui qui peut tuer le corps, mais ne peut tuer l'âme ; mais craignons celui qui peut tuer le corps et l'âme en les jetant à la géhenne [t]. Et ne nous mettons pas en peine de nous-mêmes [u], puisque les cheveux de notre tête sont comptés [v]. Et que l'Esprit Saint nous fasse suivre la vérité, pour que l'esprit d'erreur ne nous fasse pas croire au mensonge [w]. Et mourons avec le Christ, afin de pouvoir régner avec le Christ [x]. En effet se taire plus longtemps serait le signe d'un manque de foi [y] et non une preuve de modération [z], car il est aussi dangereux de se taire toujours que de ne le faire jamais.

---

o. II Tim. 4,3-4 ‖ p. Matth. 5,11-12 ‖ q. cf. Lc 12,11. Éphés. 6,12 ‖ r. cf. Act. 5,41 ; 9,16 ; 15,26 ‖ s. cf. Matth. 10,22 ‖ t. cf. Matth. 10,28 ‖ u. cf. Matth. 6,31.34. Lc 12,11 ‖ v. cf. Matth. 10,30 ‖ w. cf. II Thess. 2,11. I Tim. 4,1. Jac. 3,14. I Jn 4,6 ‖ x. cf. II Tim. 2,11-12 ‖ y. cf. Rom. 4,20. Éphés. 2,2 ; 5,6 ‖ z. cf. II Tim. 2,25

2. Ego, Fratres, ut mihi omnes, qui me uel audiunt uel familiaritate cognitum habent, testes sunt, grauissimum fidei periculum longe antea prouidens, post sanctorum uirorum exilia Paulini, Eusebi, Luciferi, Dionisi, quinto
5 abhinc anno a Saturnini et Vrsaci et Valentis communione me cum Gallicanis episcopis separaui, indulta ceteris consortibus eorum resipiscendi[a] facultate, ut nec pacis abesset uoluntas et principalium morborum fetida et in corruptione totius corporis membra proficientia deseca-
10 rentur, si tamen hoc ipsum beatissimis confessoribus Christi edita decreta tum a nobis manere placuisset. Qui postea per factionem eorum pseudoapostolorum[b] ad Biterrensem synodum conpulsus, cognitionem demonstrandae huius hereseos obtuli. Sed hi timentes publicae conscientiae, audire
15 ingesta a me noluerunt, putantes se innocentiam suam Christo posse mentiri, si uolentes nescirent quod gesturi postmodum essent scientes. Atque exinde toto hoc tempore in exilio detentus, neque decedendum mihi esse de Christi confessione decreui, neque honestam aliquam ac proba-

---

B C $\alpha(IMOZ)$ γ = $\gamma^1(WKL)$ $\gamma^2(HhU)$ $\gamma^3(JEV)$
φ = $\varphi^1(DT)$ $\varphi^2(APX)$ $\varphi^3(FRSQ)$ $\varphi^4(GN)$

2, 1 ego B C Hh V SQ : ergo α γ^1 U JE φ $(- SQ)$ ‖ 3 ante MOZ ‖ praeuidens MOZ ‖ post : per MOZ ‖ 4 exiliis B C^{ac} ‖ eusebi *scripsi* : euseui B eusebii *cett.* ‖ dionisi I : dyonisi B dyonisii L γ^2 EV R dionisii C MOZ WK J φ $(- R)$ ‖ 5 abhinc : adhuc G ‖ ursaci B : ursactii I ursacii C M W E P QR φ^4 ursatii OZ KL γ^2 JV D AX FS yrsatii T ‖ 8 foetida MO faetida C ‖ 8-9 et in corruptione B C^1 γ^1 H : et in corruptionem γ^3 et corrupta pene α et $\equiv\equiv$corrupti$\equiv\equiv\equiv C^{2pr}$ et incorrupta φ corruptione hU ‖ 9 proficientia (- tient- H) : -tentia MOZ ‖ 10 ipsut B ‖ christi] + episcopis IZ ‖ 11 edita decreta tum : editum decretum α editum

2. Pour ma part, Frères, au témoignage de tous ceux, auditeurs ou familiers, qui me connaissent, pressentant de longue date le péril très grave que courait la foi, après l'exil des saints personnages Paulin, Eusèbe, Lucifer, Denis, voilà plus de quatre ans que je me séparai, avec les évêques des Gaules, de la communion de Saturnin, d'Ursace et de Valens, tout en laissant à tous leurs partisans la possibilité de venir à résipiscence [a], pour ne pas renoncer à ma volonté de paix et, d'autre part, pour retrancher les membres infectés de maladies graves et dont la gangrène allait gagner tout le corps, à condition toutefois que les bienheureux confesseurs du Christ consentent précisément à ratifier les décrets alors promulgués par nous. Par la suite, contraint d'aller au synode de Béziers par la cabale de ces faux apôtres [b], je proposai d'ouvrir une enquête pour démontrer cette hérésie. Mais, par crainte d'un témoignage public, ils refusèrent d'entendre les griefs que j'accumulais, persuadés qu'ils pouvaient feindre l'innocence devant le Christ, en ignorant volontairement ce qu'ils allaient accomplir ensuite sciemment. Depuis lors, bien que retenu en exil durant tout ce temps, j'ai résolu de ne pas renoncer à confesser le Christ, et j'ai décidé de ne rejeter aucun moyen honnête et recom-

---

decretum tum *Cou.* ‖ 12 ad biterrensem (by- $\gamma^1\gamma^2$ *EV* φ^1 *X R* φ^4) *B C* γ φ : a biterense α ‖ 13 synodum (si-C^{ac} φ^4 se-*I*) : synodo (si-*O*) *MOZ* ‖ cognitione *FRQ* ‖ demonstrandi α ‖ 13-14 hereseos] + audientibus α ‖ 14 optuli *C* γ *G* ‖ publicae : pondus puplicae *I* pondus propriae *MOZ* ‖ 15 digesta γ^2 ‖ 16 si uolentes : soluentes *MOZ* ‖ 18 exilium *B* C^{ar} exilii *I* exili≡C^{pr}

---

2. a. cf. II Tim. 2,26 ‖ b. cf. II Cor. 11,13

20 bilem ineundae unitatis rationem statui respuendam. Denique exinde nihil in tempora maledictum, nihil in eam,
quae tum se Christi ecclesiam mentiebatur, nunc autem
antichristi est synagoga[c], famosum ac dignum ipsorum
inpietate, scripsi aut locutus sum. Neque interim criminis
25 loco duxi quemquam, aut cum his conloqui, aut suspensa
licet communionis societate orationis domum adire, aut
paci optanda sperare, dum erroris indulgentiam, ab anti-
christo ad Christum recursum, per paenitentiam praepa-
remus.

30

3. Si quis igitur prudens rationem silentii mei percipit,
profecto me usque nunc recentis iniuriae acerbitatem
moderatum, nunc demum, fideli in Christo libertate testante, non aliquo uitio humanae perturbationis ad haec
5 scribenda arguit incitatum. Neque enim inmature loquar
qui diu tacui, nec sine modestia tacui qui aliquando iam
loquor ; neque iniuriam queror, qui dissimulaui recentem
et, ne quid ex causa mea loqui existimarer, tantum
adhibui ad silentium temporis. Nunc mihi non alia ad
10 dicendum causa quam Christi est : cui et hoc debui quod
usque nunc tacui ; et ex reliquo me intellego debere ne
taceam.

$B \ C \ \alpha(IMOZ) \ \gamma \ = \ \gamma^1(WKL) \ \gamma^2(HhU) \ \gamma^3(JEV)$
$\quad\quad\quad \varphi \ = \ \varphi^1(DT) \ \varphi^2(APX) \ \varphi^3(FRSQ) \ \varphi^4(GN)$

---

20 ineundae $M \ J^2 \ E \ G$: ineunda J^1 -dam $B \ C \ \gamma \ \varphi$ (- FG) in
eumdem F in eum de IOZ ‖ unitatem N ‖ ratione OZ ‖ respuendum
MOZ ‖ 21 tempora I : tempore *cett.* ‖ maledicum α ‖ 21-22 in eam
quae tum se ... mentiebatur : inquietum in eos qui se ... mentiebantur
α ‖ 24 inpietatem I impietatis O ‖ 27 pace α ‖ optanda sperare :
obtandas parare I ‖ 28-29 praeparamus α -raremus *Cou.*
   3, 1 percepit α ‖ 2 acerbitatem P *Cou.* : -tate *cett.* ‖ 3 nunc :
nec MOZ ‖ 3-4 testante : stantem α ‖ 5 arguit : arcuit N arguet

mandable de réaliser l'unité. Enfin, dans la suite, je n'ai écrit ou prononcé aucune malédiction contre les temps actuels, aucune parole diffamatoire et digne de leur impiété contre cette secte qui se donnait alors faussement pour l'Église du Christ, alors qu'en réalité c'est la synagogue [c] de l'Antichrist. Et pendant ce temps, je n'ai fait grief à personne ni de s'entretenir avec eux ni de fréquenter leur maison de prière, malgré le lien de communion suspendu entre nous, ni d'espérer ce qui est souhaitable pour la paix, si par la pénitence nous préparons le pardon de leur égarement, leur retour de l'Antichrist au Christ.

3. Si donc un homme sensé discerne la raison de mon silence, il doit penser que moi, qui ai contenu jusqu'à ce jour ma rancœur contre l'injustice récemment subie, je ne puis, maintenant enfin, comme en atteste ma liberté de fidèle dans le Christ, être accusé d'écrire ceci sous la poussée d'une passion humaine répréhensible. Car je ne parlerai pas prématurément, moi qui me suis tu si long-temps, et ce n'est point sans me maîtriser que je me suis tu, moi qui me décide enfin à parler ; et je ne me plains pas de l'injustice subie, moi qui ai caché l'injustice récente et c'est pour ne pas paraître parler en fonction de mes intérêts que j'ai consacré un si long temps au silence. En ce moment, la seule cause que j'aie à plaider est celle du Christ. Pour lui j'ai dû jusqu'à ce jour me taire ; pour lui je dois désormais, je le sens, ne plus me taire.

Cou. ‖ immature enim ~ γ^2 ‖ loquar *B* *C*[1] α γ : loquor *C*[2] φ ‖ 7 neque] + enim *MOZ* ‖ queror : conqueror α   loquor *N* ‖ dissimulaui *B* *C* α *E*[1]] + illam γ φ (- *E*[1]) ‖ regentem α ‖ 8 et] + qui α ‖ loqui] + aliquid *OZ* ‖ tantum : tamen *P* ‖ 9 athibui *B* ‖ ad₁ *om. IOZ* ‖ nunc : non φ[1]φ[2] *RS* *N*   nam *G*

---

2. c. cf. Apoc. 2,9 ; 3,9

4. Atque utinam illud potius, omnipotens Deus et uniuersorum creator[a], sed et unius Domini nostri Ihesu Christi Pater[b], aetati meae et tempori praestitisses ut hoc confessionis meae in te atque unigenitum tuum[c] ministe-
5 rium Neronianis Decianisue temporibus explessem ! Nec ego, per misericordiam Domini et Dei[d] Filii tui Ihesu Christi, Spiritu sancto calens[e], eculeum metuissem, qui desectum[f] Esaiam scissem ; nec ignes timuissem, inter quos Hebraeos pueros cantasse[g] meminissem ; nec crucem et
10 fragmenta crurum[h] meorum uitassem, postquam in para-disum translatum[i] latronem recordarer ; nec profundum maris[j] et Pontici aestus absorbentem reumam trepidassem, cum per Ionam et Paulum docuisses fidelibus esse in mari uitam. Aduersus absolutos enim hostes tuos felix mihi illud
15 certamen fuisset, quia nec dubium relinqueretur quin persecutores essent qui ad negandum te pœnis, ferro, igni conpellerent, neque ad testificandum plus tibi nos quam mortes nostras liceret inpendere[k]. Pugnaremus enim palam et cum fiducia[l] contra negantes, contra torquentes, contra
20 iugulantes ; et nos populi tui, tamquam duces suos, ad confessionis religionem intellegentia persecutionis publicae comitarentur.

$B\ C\ \alpha(IMOZ)\ \gamma = \gamma^1(WKL)\ \gamma^2(HhU)\ \gamma^3(JEV)$
$\varphi = \varphi^1(DT)\ \varphi^2(APX)\ \varphi^3(FRSQ)\ \varphi^4(GN)$

4, 2 et α : *om. cett.* ‖ 3 ut *om.* L *HU* V $\varphi^1\varphi^2$ *RS* φ^4 ‖ 5 decianisque α dacianisue G ‖ expleuissem T expauissem γ^2 ‖ nec : ne B C^{ac} γ^2 non K ‖ 6 dei] + mei α ‖ 7 spiritu sancto α : *om. cett.* ‖ aculeum α ($\equiv$eculeum C) ‖ 8 defectum Z ‖ esaiam B I : isaiam C MOZ ysaiam γ φ ‖ nec : ne B ‖ ignis I ‖ 9 cantassem Z ‖ et : nec φ^3 ‖ 10 crurium C^{ac} α ‖ uitassem : formidassem α ‖ in *om.* C. (*suppl.* C^{2sl}) ‖ 10-11 paradissum B -dysum C^2 O KL h γ^3 R ‖ 11 nec : ne B N ‖ 12 et *om.* MOZ ‖ reumam : undam α

4. a. cf. II Macc. 1, 24-25. Col. 1,16 ‖ b. cf. II Cor. 1,3 ; 11,31. Éphés. 1,3 ; 3,14. I Pierre 1,3 ‖ c. cf. I Jn 2,23 ; 4,9 ‖ d. cf. Rom. 12,1. Apoc. 1,8 ; 4,8.11 ; 11,17 ; 15,3 ; 16,7 ; 19,6 ‖ e. cf. Act. 18,25. Rom. 12,11 ‖ f. cf. Hébr. 11,37 ‖ g. cf. Dan. 3,51 ‖

4. Ah ! si seulement, Dieu tout-puissant et créateur de l'univers[a], mais aussi Père de notre unique Seigneur Jésus Christ[b], tu avais accordé à mon âge et à mon temps d'accomplir, sous les Néron ou les Dèce, le ministère de confesser ton nom et celui de ton Fils unique[c] ! Moi non plus, par la miséricorde du Seigneur et Dieu[d] ton Fils Jésus Christ, tout brûlant de l'Esprit Saint[e] je n'aurais pas redouté le chevalet, sachant qu'Isaïe avait été découpé à la scie[f] ; je n'aurais pas eu peur des flammes, me rappelant que les jeunes Hébreux avaient chanté[g] au milieu d'elles ; je n'aurais pas fui la croix et le brisement des jambes[h], au souvenir du larron transporté en paradis[i] ; je n'aurais pas tremblé devant les abîmes de la mer[j] et les remous du Pont-Euxin aux flots dévorants, puisque par Jonas et Paul tu nous avais appris que les fidèles sont en vie dans la mer. Car, face à tes ennemis déclarés, mon combat eût été heureux : aucun doute n'eût subsisté sur la qualité de persécuteurs de ceux qui, pour me forcer à te renier, eussent employé les tortures, le fer, le feu ; et pour te rendre témoignage, il ne nous eût pas été permis de te payer plus que notre mort[k]. Nous aurions, en effet, combattu à découvert et avec assurance[l] contre des renégats, contre des tortionnaires, contre des égorgeurs ; et tes peuples, sûrs qu'il s'agissait d'une persécution officielle, nous auraient escortés comme leurs guides jusqu'à l'engagement du martyre.

ruinam *G* remam *N* ‖ 13 docuissis *I* -issem φ ‖ esse *om. JV* ‖ mare *I* ‖ 14 uitam : uiam *MOZ* ‖ ostes *Z* ‖ mihi *om.* φ¹φ²φ³ ‖ 14-15 fuisset illud certamen ~ γ¹ ‖ 15 quin : cum *Z*ʳ ‖ 16 igni : ignique α ‖ 19 contra₂ : et contra α ‖ contra₃ : et contra α ‖ 20 suos : tuos *WK*¹ ‖ 21 persequutionis *B C U T R* ‖ puplice *I* ‖ 22 committerentur *S*

h. cf. Jn 19,31.33 ‖ i. cf. Lc 23,43 ‖ j. cf. II Cor. 11,25 ‖ k. cf. II Cor. 12,15 ‖ l. cf. Act. 4,29.31 ; 19,8 ; 28,31. Éphés. 6,19. Hébr. 4,16

5. At nunc pugnamus contra persecutorem fallentem, contra hostem blandientem, contra Constantium antichristum, qui non dorsa caedit sed uentrem palpat, non proscribit ad uitam sed ditat in mortem, non trudit carcere ad libertatem sed intra palatium onerat ad seruitutem ; non latera uexat sed cor occupat, non caput gladio desecat sed animam auro occidit, non ignes publice minatur sed gehennam priuatim accendit. Non contendit ne uincatur, sed adulatur ut dominetur ; Christum confitetur ut neget[a], unitatem procurat ne pax sit, hereses conprimit ne christiani sint, sacerdotes honorat ne episcopi sint, ecclesiae tecta struit ut fidem destruat. Te in uerbis[b], te in ore[c] circumfert, et omnia omnimo agit ne tu ut Deus, ita ut Pater, esse credaris.

6. Cesset itaque maledictorum opinio et mendacii suspicio. Veritatis enim ministros decet uera proferre. Si falsa dicimus, infamis sit sermo maledicens ; si uero uniuersa haec manifesta esse ostendimus, non sumus extra aposto-

---

B C $\alpha(IMOZ)$ γ = $\gamma^1(WKL)$ $\gamma^2(HhU)$ $\gamma^3(JEV)$
φ = $\varphi^1(DT)$ $\varphi^2(APX)$ $\varphi^3(FRSQ)$ $\varphi^4(GN)$

5, 1 contra : et contra Z ‖ fallentem : fallacem $\varphi^1\varphi^3$ ‖ 3 caedit B C I : cedit *cett.* ‖ 3-4 non$_2$ – mortem *om.* α ‖ 4 in : ad W HU EV ‖ trudit (-det C^{ac})] + in α ‖ 5 onerat : honerat φ^4 honorat α γ^2 J S ‖ 7 occidet B ‖ 9 adolatur MOZ ‖ deneget α ‖ 10 hereticos E^2 ‖ 12 ore B C^1 α E : o.re (*sic*) C^2 rem (?) *cancell.* C^3 *inde* opere γ (- E) φ ‖ 13 ut$_1$ B C^{ac} γ^1 U E^1 : ≡≡C^{pr} *om.* α Hh JE^2 φ

6, 1 maledicorum γ^2 V^2 ‖ 1-2 suspectio IM susceptio OZ ‖ 3 maledicens B C $\varphi^1\varphi^2$ V : maledicus α JE^2 $\varphi^1\varphi^2$ FQR φ^4 -dictus S

5. Mais le combat de maintenant nous oppose à un persécuteur qui nous trompe, à un ennemi qui nous flatte, à Constance l'Antichrist : il ne nous fouette pas le dos mais nous caresse le ventre, il ne proscrit pas pour notre vie mais nous enrichit pour notre mort, il ne nous pousse pas par le cachot vers la liberté mais nous comble dans son palais pour la servitude ; il ne déchire pas nos flancs mais nous investit le cœur, il ne nous tranche pas la tête par son glaive mais nous tue l'âme par son or, il ne menace pas du bûcher en public mais allume la géhenne en privé. Il ne discute pas de peur d'être vaincu, mais il flatte pour dominer ; il confesse le Christ pour le renier [a] ; il fait régner l'unité pour empêcher la paix ; il étouffe les hérésies pour supprimer les chrétiens ; il charge d'honneurs le sacerdoce pour qu'il n'y ait plus d'évêques ; il construit des églises pour détruire la foi. Il n'a que Toi en paroles [b], il n'a que Toi à la bouche [c], mais il fait absolument tout pour qu'on ne croie pas que Tu es Dieu comme le Père.

6. Qu'on cesse donc de me prêter des calomnies et de me soupçonner de mensonge. Car les ministres de la Vérité doivent proclamer ce qui est vrai. Si nous disons le faux, honte à nos propos calomnieux ! Mais si nous étalons tout ceci au grand jour, nous ne sortons pas des limites de la liberté et de la modération apostoliques,

---

5. a. cf. I Jn 2,33 ‖ b. cf. I Jn 3,18 ‖ c. cf. Is. 29,13. Rom. 10,9

5   licam libertatem et modestiam post longum haec silentium
    arguentes[a]. Sed temerarium me forte quisquam putabit,
    quia dicam Constantium antichristum esse. Quisque petu-
    lantiam istud magis quam constantiam iudicabit relegat
    primum Iohannem dixisse ad Herodem : « Non tibi licet
10 facere istud[b]. » Sciat a martyre esse dictum regi Antiocho :
    « Tu quidem iniquus de praesenti uita nos perdis, sed Rex
    mundi defunctos nos pro suis legibus in aeternam uitam in
    resurrectione suscitabit[c]. » Et rursum beata fidelique uoce
    alium increpasse : « Potestatem, inquit, inter homines
15 habens, cum sis corruptibilis, facis quod uis : noli autem
    putare genus nostrum a Deo esse derelictum. Patienter
    sustine et uide magna potestas ipsius qualiter te et semen
    tuum torquebit[d]. » Et quidem ita pueri. At uero femina
    nihil minus perfectis et beatis uiris locuta est, dicens : « Tu
20 uero, qui inuentor omnis malitiae factus es in Hebraeos,
    non effugies manum Dei. Si enim nobis uiuis propter
    increpationem et correptionem Dominus modicum iratus
    est, sed iterum reconciliabitur seruis suis[e]. » Non est istud
    temeritas sed fides, neque inconsideratio sed ratio, neque
25 furor sed fiducia.

B C α(IMOZ) γ = γ¹(WKL) γ²(HhU) γ³(JEV)
              φ = φ¹(DT) φ²(APX) φ³(FRSQ) φ⁴(GN)

6 putavit MOZ ‖ 7 dicam : non sit superbia ueritatem dicere
sed constantiam (- tia OZ^{mg}) O et O^{mg} Z et Z^{mg} ‖ quisquis γ¹ E
SQ quisquam ne MOZ ‖ 7-8 petulantiam ... constantiam α JE N :
-tia... -tia cett. ‖ 10 istud : illud γ ‖ anthioco B MO² S ‖ 11 perdes
B C¹ γ¹γ² V² ‖ 12-13 aeternam uitam in resurrectione : aeternae
uitae resurrectionem α   (- nae - tae - ne Vulg.) ‖ 13 fidelique :
fideique φ ‖ 14 inquid IOZ P ‖ 15 habens : habes et IOZ ‖ 18 et
quidem : equidem WK ‖ 20 omnis om. α ‖ 21 nobis uiuis : nobis

6. a. cf. I Cor. 10,29. Gal. 2,4. II Tim. 2,25 ‖ b. cf. Matth. 14,4.

quand après un long silence nous adressons ces reproches[a].
Mais on me jugera peut-être impertinent d'appeler
Constance un Antichrist. Si l'on voit en cela plus d'in-
solence que de fermeté, que l'on commence par relire les
paroles de Jean à Hérode : « Tu n'as pas le droit d'agir
ainsi[b]. » Qu'on sache la parole d'un martyr au roi Antiochus : « Injuste que tu es, tu nous exclus de la vie
présente, mais le Roi du monde nous relèvera pour une
vie éternelle à la résurrection, nous qui mourons pour la
défense de ses lois[c]. » Et encore, les reproches adressés
par un autre, d'une voix sainte et fidèle : « Tu as, dit-il,
autorité parmi les hommes, bien que mortel, et tu fais
ce que tu veux, mais ne crois pas que notre race ait été
abandonnée de Dieu. Patiente et tiens bon, mais prends
garde à la manière dont sa grande puissance te tourmentera
toi et ta postérité[d]. » Ainsi parlaient donc des enfants.
Mais ces paroles d'une femme ne valent pas moins que
celles d'hommes saints et parfaits : « Et toi qui t'es fait
l'inventeur de toute méchanceté contre les Hébreux, tu
n'échapperas pas à la main de Dieu. Car si, durant notre
vie, c'est pour nous châtier et nous corriger que le
Seigneur s'est momentanément irrité contre nous, alors il
se réconciliera de nouveau avec ses serviteurs. » Ce n'est
pas là de l'impertinence mais de la foi, non pas de la
déraison mais de la raison, non pas de la démence mais
de l'assurance.

unus C^2 hU φ^1 AP G unus nobis X nobis N (*Vulg.*)   nobis nunc
φ^3 ‖ 22 et correptionem : et corrupcionem I et correctionem T et
in correptionem G *om.* S ‖ dominus] + noster α (dom- deus
noster *Vulg.*) ‖ 23 reconciliabitur α γ^3 (*Vulg. et Lucifer*) : recordabitur
cett. ‖ suis : tuis Z ‖ 24-**11**,14 fides – orientem *deest* K *propter
auulsionem*

Mc 6,18 ‖ c. II Macc. 7,9 ‖ d. II Macc. 7,16-17 ‖ e. II Macc.
7,31.33

7. Proclamo tibi, Constanti, quod Neroni locuturus fuissem, quod ex me Decius et Maximianus audirent : contra Deum pugnas, contra Ecclesiam saeuis, sanctos persequeris, praedicatores Christi odis, religionem tollis, 5 tyrannus non iam humanorum sed diuinorum. Haec tibi a me atque illis socia atque communia sunt. At uero nunc propria tua accipe : christianum te mentiris, Christi nouus hostis es ; antichristum praeuenis et arcanorum mysteria eius operaris [a] : condis fides contra fidem uiuens, doctor 10 profanorum es, indoctus piorum [b] ; episcopatus tuos donas, bonos malis demutas. Sacerdotes custodiae mandas, exercitus tuos ad terrorem Ecclesiae disponis ; synodos contrahis et Occidentalium fidem ad inpietatem conpellis : conclusos urbe una minis terres, fame debilitas, hieme 15 conficis, dissimulatione deprauas. Orientales autem dissensiones artifex nutris, blandos elicis, fautores instigas, ueterum turbator es, profanus nouorum es. Omnia saeuissima sine inuidia gloriosarum mortium peragis. Nouo inauditoque ingenii triumpho de diabolo uincis et sine 20 martyrio persequeris.

B C α(IMOZ) γ = γ^1*(WL)* γ^2*(HhU)* γ^3*(JEV)*
  φ = φ^1*(DT)* φ^2*(APX)* φ^3*(FRSQ)* φ^4*(GN)*

7, 1 loquuturus *B C*^{1} *I U T R* ‖ 2 audissent α ‖ 3 pugnans *OZ P* ‖ 4 odisti α ‖ tolles *B C*^{1} ‖ 5 diuinorum] + es *MOZ* ‖ 6 socia atque : sociat quae *C*^{1} γ^1 *V* socia at quae *C*^{2} (al- social*C*^{3mg}) sotiatque γ^2 ‖ at : aut *I* ad *MOZ* ‖ 7 nouus : nomine *S* ‖ 8 arcanorum *B I* : archanorum *cett.* ‖ mysteria eius : ministeria eius *Z* eius misteria ∼ *M* φ^1 ‖ 9 condis : condes *C*^{ac} confidis *M* ‖ fides : fidem *IMZ* fideles *V*^{2} ‖ 10 tuos : tuus *Z* uel tuis *J*^{2sl} tuis *E* ‖ donans *O* ‖ 12 tuos : tuus *Z* ‖ terrorem : errorem *IOZ* ‖ synodus *W H* -dis *N* ‖ 13 contrahes *B C*^{ac} ‖ conpelles *B C*^{ac} ‖ 14 teres *S* ‖ 15 deprabas *B* ‖ 16 blandos : -ditiis *MO* ‖ elicis : eligis *I G* religas *M* ore ligas *OZ* elucis *S* ‖ fautor α factores *N* ‖

7. Je crie à ta face, Constance, ce que j'aurais déclaré à Néron, ce que Dèce et Maximien auraient entendu de ma bouche : tu combats contre Dieu, tu te déchaînes contre l'Église, tu persécutes les saints, tu hais les prédicateurs du Christ, tu anéantis la religion, tyran non plus en matière profane mais en matière religieuse. Voilà, d'après moi, ce qui te fait le complice de ces persécuteurs, ce que tu as de commun avec eux. Mais voici, à présent, ce qui t'est propre : tu te donnes faussement pour chrétien, toi qui es nouvel ennemi du Christ ; précurseur de l'Antichrist tu accomplis ses mystères de ténèbres[a] : tu inventes des formules de foi, alors que ta vie est contraire à la foi ; et tu enseignes l'hérésie alors que tu ignores la piété[b] ; tu récompenses tes créatures par l'épiscopat et tu remplaces les bons évêques par les mauvais. Tu mets en prison les évêques, tu ranges tes armées pour terroriser l'Église ; tu assembles des synodes et tu pousses à l'impiété la foi des Occidentaux : tu les enfermes tous ensemble dans une ville où tu les effrayes par tes menaces, où tu les exténues par la faim, où tu les épuises par l'hiver, où tu les égares par tes feintes. Quant aux Orientaux, avec fourberie tu nourris leurs discordes, tu séduis les flatteurs, tu excites tes partisans, tu bouscules les traditions et tu méconnais les innovations. Tu infliges les plus cruels traitements sans t'attirer l'odieux de morts glorieuses. Par un triomphe nouveau et prodigieux de ton génie tu l'emportes sur le diable et tu persécutes sans martyriser.

---

17 notorum *Z* ‖ es₂ *om. MOZ* ‖ 18 inuidia : inuiria *α* ‖ perages *B* ‖ nouo] + itaque *JE*² φ ‖ 19 ingenii : -nio *α* ‖ triumpho : -phas *MOZ* ‖ uincis : uinces *B*   triumphas φ³

---

7. a. cf. II Thess. 2,7 ‖ b. cf. Rom. 2,20-21

8. Plus crudelitati uestrae, Nero, Deci, Maximiane, debemus. Diabolum enim per uos uicimus. Sanctus ubique beatorum martyrum sanguis exceptus est et ueneranda ossa cottidie testimonio sunt, dum in his daemones mugiunt,
5 dum aegritudines depelluntur, dum admirationem opera cernuntur : eleuari sine laqueis corpora et suspensis pede feminis uestes non defluere in faciem, uri sine ignibus spiritus, confiteri sine interrogatione uexatos, agere omnia non minus cum profectu examinantis quam incremento
10 fidei. At tu, omnium crudelium crudelissime, damno maiore in nobis et uenia minore desaeuis. Subrepis nomine, blandimento occidis, specie religionis inpietatem peragis, Christi fidem Christi mendax praedicator extinguis. Non relinquis saltem miseris excusationes, ut aeterno iudici
15 suo poenas et aliquas laniatorum corporum perferant cicatrices, ut infirmitas defendat necessitatem. Scelestissime mortalium, omnia persecutionis mala ita temperas ut excludas et in peccato ueniam et in confessione martyrium. Sed haec ille pater tuus artifex humanarum mortium[a]
20 docuit uincere sine contumacia, iugulare sine gladio, persequi sine infamia, odire sine suspicione, mentiri sine intellegentia, profiteri sine fide, blandiri sine bonitate, agere quod uelles, nec manifestare quae uelis.

B C α(IMOZ) γ = γ¹(WKL) γ²(HhU) γ³(JEV)
    φ = φ¹(DT) φ²(APX) φ³(FRSQ) φ⁴(GN)

8, 1 nostrae *Z* ‖ nero deci maximiane : quam neronis decii (+ et *Z*) maximiani *MOZ* ‖ 2 uincimus *IOZ*ʳ *U V* ‖ 3 et ueneranda ossa cottidie mundo (m- *om. M*) testimonio sunt α *Cou.* : *om. cett.* ‖ 4 rugiunt φ ‖ 5 admirationem : tantarum admiracionum *I V²* tantarum administrationum *MOZ* ‖ 8 spiritus *B C* α *H* : specie γ (-*H*) spem φ ‖ confitere *I* ‖ interrogatione α -gantis *cett.* ‖ 8-9 uexatos age (agere *Cou.*) omnia non minus cum profecto (- tu *Cou.*) examinantis quam α *Cou.* : *om.* BC γφ ‖ 10 at : ac *Hh* ‖ crudelium *MOZ* : crudelitatum *B C I* γ φ ‖ 11 maiori... minori *MOZ* ‖ subripis *MOZ* ‖ 12 nominis *C²* φ ‖ occides *B C*ᵃᶜ ‖ 14 saltim *Z* ‖ 15 dilana(nia *Z*)torum(-rem *I*) α ‖ 17 omnium *MOZ* ‖ persecutionis : -cionis *I* -quutionis *B C* ‖ 19 pater tuus ille ∼ *M* ‖

8. Oui, Néron, Dèce, Maximien, nous sommes plus redevables à votre cruauté. Par vous, en effet, nous avons vaincu le diable. En tout lieu on a recueilli le sang sacré des bienheureux martyrs et leurs ossements vénérables portent quotidiennement témoignage, en faisant gronder les démons, en chassant les maladies, en opérant sous nos yeux des merveilles étonnantes : des corps se tiennent en l'air sans attache, des femmes sont suspendues par les pieds sans que leur robe retombe sur leur visage, des esprits brûlent sans flammes, tourmentés ils avouent sans qu'on les interroge et tous leurs actes contribuent au profit de celui qui les questionne non moins qu'au renforcement de la foi. Mais toi, le plus cruel de tous les hommes cruels, par tes sévices tu nous causes plus de dommage et tu nous laisses moins d'excuse. Tu t'insinues à la faveur de ton nom, tu nous tues par la flatterie, sous le couvert de la religion tu consommes l'impiété, faux prédicateur du Christ tu éteins la foi au Christ. Tu ne laisses même pas aux malheureux la justification de mettre sous les yeux de leur Juge éternel leurs supplices et quelques cicatrices sur leurs corps déchiquetés, pour que la contrainte excuse leur faiblesse. O le plus scélérat des hommes ! tu doses si bien tous les maux de la persécution que tu exclus l'indulgence pour les défaillants et le martyre pour les confesseurs de la foi. Mais c'est ton père, l'artisan de la mort des hommes[a], qui t'a enseigné à vaincre sans opposition, à égorger sans épée, à persécuter sans déshonneur, à haïr sans soupçon, à mentir sans te démasquer, à professer une foi que tu n'as pas, à flatter sans bienveillance, à agir à ta guise sans dévoiler tes intentions.

humanorum *MOZ*   homanorum *I* ‖ 21 odire : occidere α *Q*   odisse *JE*   ordire *Cou.* ‖ suspectione (- ccione *IO*) α ‖ 23 uelles *C JE* φ : uelle *B* α γ¹ *H V*   uelis *hU Cou.* ‖ quae : quod α *E* ‖ uellis *I*

8. a. cf. Jn 8,44. Act. 13,10. I Jn 3,8.10

9. Sed me ipse unigenitus Deus[a], quem in me persequeris[b], admonuit ne tibi crederem, neque me hoc fallax
in te ementitumque nomen inluderet, dicens : « Non omnis
qui mihi dicit : Domine, Domine, intrabit in regnum
5 caelorum, sed qui facit uoluntatem Patris mei, hic intrabit
in regnum caelorum[c]. » Agnoscisne nunc diuinae in te
prophetiae ueritatem et dominicae sententiae fidem, qua
non professio nominis in caeleste regnum sed oboedientia
paternae uoluntatis admittitur ? At uide tu si praeferens
10 nomen Domini in uerbis uoluntatem efficias Dei Patris in
rebus. Clamat ille : « Hic est Filius meus dilectus, in quo
bene conplacui[d]. » Et tu decernis non esse filium neque
esse patrem, sed adoptionis nomina, externas nuncupa-
tiones, et simulantem de se omnia Deum nouus hodie
15 religionis diuinae persecutor inducis. Antehac patres tui in
solum Christum hostes fuerunt : tu autem ad Patrem Deum
certas, ut mendax sit, ut fefellerit, ut hoc de se professus
sit quod non esset, quasi neque esse possit. Clamat Filius :
« Ego et Pater unum sumus[e] » ; et, « Operibus meis
20 credite, quia Pater in me et ego in Patre[f] » ; et, « Omnia

B C α(IMOZ) γ = γ¹(WL) γ²(HhU) γ³(JEV)
　　　　　　φ = φ¹(DT) φ²(APX) φ³(FRSQ) φ⁴(GN)

9, 2 hoc me ~ Z ‖ 3 ementitumque : -titum *MOZ J* ‖ inludere
C[ac] ‖ 4 dicit mihi ~ *C O* γ φ (*Vulg.*) ‖ 5 patris mei *B* α] + qui
in caelis est *C* γ φ (*Vulg.*) ‖ 7 ueritatem *om. MOZ* ‖ qua : quam
α ‖ 9 at : ad *I* et *MOZ* ‖ 11 in quo] + mihi α *EV*² *S* (*Vulg.*)
‖ 14 et] + s' (*sic*) decernis *C*²ˢˡ ‖ 15 induceris *C*² *JV*² φ ‖ antehac
B C γ : antehanc (- hinc *G* - hoc *N*) φ   nam antea α ‖ 16 ostes
Z ‖ 17 certas] + uerbum *C*²ˢˡ ‖ 18 filius : filius dei *M*   dei filius
OZ

9. Mais Dieu le Fils unique[a] en personne, que tu persécutes en moi[b], m'a averti de ne pas me fier à toi et de ne pas me laisser abuser par ce nom qui, en toi, est faux et mensonger, quand il déclare : « Ce n'est pas tout homme qui me dit : Seigneur, Seigneur, qui entrera dans le royaume des cieux ; mais celui qui fait la volonté de mon Père, celui-là entrera dans le royaume des cieux[c]. » Reconnais-tu maintenant en toi la vérité de la prophétie de Dieu et la véracité de la pensée du Seigneur par laquelle est admis au royaume des cieux, non pas celui qui professe le Nom, mais celui qui obéit à la volonté du Père ? Mais toi, examine si, en alléguant dans tes paroles le nom du Seigneur, tu accomplis dans tes actes la volonté de Dieu le Père. C'est lui qui proclame : « Celui-ci est mon fils bien aimé en qui j'ai mis toutes mes complaisances[d]. » Mais toi, tu décrètes qu'il n'y a ni fils ni père, mais des termes d'adoption, des appellations étrangères ; nouveau persécuteur de la religion divine tu représentes aujourd'hui un Dieu qui userait à son propre sujet de toutes sortes de feintes. Auparavant tes ancêtres marquaient leur hostilité contre le Christ seul ; toi, tu luttes avec Dieu le Père, de façon à faire de lui un menteur, à le convaincre d'imposture, à lui faire dire sur lui-même ce qu'il n'est pas, comme si ce n'était même pas possible. Le Fils proclame : « Le Père et moi nous sommes un[e] » ; et : « Croyez-en mes œuvres, car le Père est en moi et je suis dans le Père[f] » ; et encore : « Tout

---

9. a. cf. Jn 1,18 ‖ b. cf. Act. 9,4 ‖ c. Matth. 7,21 ‖ d. Matth. 3,17. cf. Matth. 17,5. II Pierre 1,17 ‖ e. Jn 10,30 ‖ f. Jn 10,38

quae Patris sunt mea sunt [g] » : tu Christum obiurgas
ueritatis, tu Patrem arguis professionis. Emendas Deum
homo, uitam moderaris corruptio [h], et nox lucem inlumi-
nas [i] et promulgas fidem infidelis et pietatem inpius
25 mentiris [j] et orbem terrae profana simultate committis,
negans hoc de Deo, quod ipse de se professus est.

10. Sed praeter hanc emendationem falsitatis, aliud me
Dominus ad intellegendum te dictum docuit, dicens :
Adtendite a pseudoprophetis qui ueniunt ad uos in uestitu
ouium, ab intus autem sunt lupi rapaces : a fructibus eorum
5 cognoscetis eos [a]. » Est enim aliquid in corde, quod
dissimulatur in uultu et uelatum est mente, et ouem
putantes lupum senserunt. Si quae ouium sunt agunt,
credantur et oues esse : si autem rapacium luporum opus
peragunt, lupi esse per opus suum intelleguntur ; et ges-
10 torum fructu uestimentorum species arguitur. Vestem ouis
tuae, lupe rapax, cernimus. Auro reipublicae sanctum Dei
oneras et uel detracta templis uel publicata edictis uel
exacta pœnis Deo ingeris. Osculo sacerdotes excipis quo et
Christus est proditus [b], caput benedictioni submittis ut

B C α*(IMOZ)* γ = γ¹*(WL)* γ²*(HhU)* γ³*(JEV)*
    φ = φ¹*(DT)* φ²*(APX)* φ³*(FRSQ)* φ⁴*(GN)*

23-24 inluminans *OZ N* ‖ 24 et pietatem : et (at *Q G*) contra pietatem *C*² *J* φ ‖ impiis *Z* impia *S* ‖ 25 mentires *Z* ‖ urbem *I* ‖
terrae *B* α : *om. C* γ φ ‖ committis : commisces *C*² *JE*² φ ‖ 26
negas *OZ*
    10, 1 sed] + ipse *Z* ‖ praeter : propter α pater *H* ‖ aliud] +
quoque α ‖ 3 uestimento α -tis γ¹γ² *EV TS (Vulg.)* ‖ 4 ab intus :
intus *M* intrinsecus *OZ (Vulg.)* ‖ 6 uultu : uultu≡ *B* uultum *I* ‖

---

9. g. Jn 16,15 ‖ h. cf. Gal. 6,8. II Tim. 1,10 ‖ i. cf. I Thess.
5,5. Jn 8,12 ‖ j. cf. II Tim. 3,5

ce que possède le Père est à moi[g] » : tu reproches au
Christ sa véracité, tu fais grief au Père de sa déclaration.
Homme, tu corriges Dieu, pourriture[h], tu règles la vie ;
nuit, tu éclaires la lumière[i], infidèle, tu promulgues la
foi, impie, tu simules la piété[j] ; tu mets en conflit toute
la terre par une rivalité sacrilège, en niant sur Dieu ce
qu'en personne il a déclaré sur lui-même.

10. Mais contrairement à cette correction mensongère,
le Seigneur m'a enseigné une autre parole pour te démasquer, quand il dit : « Gardez-vous des faux prophètes qui
viennent à vous, habillés en brebis, mais qui, au-dedans,
sont des loups rapaces : c'est à leurs fruits que vous les
reconnaîtrez[a]. » Car on trouve dans le cœur ce qui se
cache sur le visage et ce que dissimule la pensée : on
croit voir une brebis et l'on découvre un loup. S'ils
agissent en brebis, qu'ils passent aussi pour des brebis ;
mais s'ils accomplissent des actes de loups rapaces, leurs
actes les dénoncent comme des loups et le fruit de leurs
agissements condamne la fausse apparence de leurs vête-
ments. Nous discernons ton travestissement en brebis, loup
rapace. Tu charges de l'or de l'État le sanctuaire de Dieu
et ce qui a été arraché aux temples ou confisqué par
décrets ou extorqué dans les supplices tu l'accumules pour
Dieu. Tu accueilles les évêques avec le baiser qui a aussi
livré le Christ[b], tu inclines la tête sous leur bénédiction,

est *om.* C γ φ ‖ 7 agunt : id agunt ut α ‖ 8 et *om.* Z ‖ rapacium
α : rapaciam *JE* rapacia *cett.* ‖ opus α *P* : oues *cett.* ‖ 10 fructus
α ‖ 11 sanctum dei : spiritum dei *IMZ* spiritum *O* ‖ 12 detractas
α ‖ publicata edictis : pluplicae editis *I* publice editis *MOZ* ‖ 13
exactas α ‖ deo : opus deo (dei *MOZ*) α ‖ 14 benedictione Z

10. a. Matth. 7,15-16. cf. Jn 10,12. Act. 20,29 ‖ b. cf. Lc 22,48

15 fidem calces, conuiuio dignaris ex quo Iudas ad prodi-
tionem egressus est[c] ; censum capitum remittis quem
Christus ne scandalo esset exsoluit[d], uectigalia[e] Caesar[f]
donas ut ad negationem christianos inuites, quae tua sunt
relaxas ut quae Dei sunt amittantur. Haec tua, falsa ouis,
20 indumenta sunt.

11. At nunc fructus operum tuorum, lupe rapax, audi.
Neque ego alia potius quam quae gesta sunt in Ecclesia
refero, aut tyrannidem aliam praeter quam Dei proferrem.
Non queror, quia causam ignoro ; sed tamen querella
5 famosa est, iussos a te episcopos non esse, quos
condemnare nullus audebat, etiam nunc in ecclesiasticis
frontibus scriptos metallicae damnationis titulo recenseri.
Adest mecum Alexandria tot concussa bellis, tantum
conmotarum expeditionum pauens tumultum. Breuius enim
10 magis aduersum Persam quam aduersum eam armis cer-
tatum est. Mutati praefecti, electi duces, corrupti populi,
conmotaeque legiones, ne ab Athanasio Christus praedicaretur. Taceo de minoribus populis et ciuitatibus, quibus per
totum Orientem aut terror aut bellum est. Postquam,

B C α*(IMOZ)* γ = γ¹*(WL)* γ²*(HhU)* γ³*(JEV)*
    φ = φ¹*(DT)* φ²*(APX)* φ³*(FRSQ)* φ⁴*(GN)*

16 capitis *O J G* ‖ 17 scandalum α ‖ 18 negationem *C*² γ² φ :
negotiationem *B C*¹ *MOZ* γ¹γ³ neguaciacionem *I*
   11, 3 aut *B* α : ut *C*¹ *W* γ² *EV*¹ nec *C*² *L JV*² φ ‖ dei : in
deum α *V*² ‖ proferrem *B C*ᵃᶜ γ¹γ² *JV*¹ : proferam *IMO EV*²
praeferam *Z* proferre *C*ᵖᶜ φ ‖ 4 non (*in circulo C*) queror *B C*¹
γ : non quaero α   quaero *C*² φ (- *N*) queo *N* ‖ 5 est *om.* φ¹ *X
SQ* ‖ 6 etiam : et *U* ‖ 7 frontibus : promtibus (- mpt- *MO*) α ‖
scribtos *B* abscriptos *M* ‖ recensire α ‖ 8 tot : tota *MOZ* ‖
concussa : confusa α ‖ bellis *om. MOZ* ‖ tantarum α ‖ 9 tumultu
*MOZ*ʳ ‖ brenuus : leuius α breuius est *G* ‖ 10 magis *om. Z* φ ‖

afin de piétiner la foi, tu daignes assister au banquet d'où Judas est sorti pour sa trahison[c] ; tu exemptes de l'impôt de capitation que le Christ a payé[d] pour ne pas causer de scandale ; César[f], tu fais grâce des taxes[e] aux chrétiens pour les inciter à l'apostasie ; tu cèdes tes propres droits pour causer la perte des droits de Dieu. Tels sont, fausse brebis, tes déguisements.

11. Apprends maintenant, loup rapace, le fruit de tes œuvres. Pour moi, je ne rapporte d'autres faits que ceux qui se sont passés dans l'Église, ou bien ce serait de ma part dénoncer une autre tyrannie que celle contre Dieu. Je ne porte pas plainte, car j'ignore le procès. Et pourtant le sujet de plainte est bien connu : sur ton ordre, des évêques que nul n'osait condamner ont été déposés et maintenant encore ceux dont les noms restent inscrits au fronton des églises sont déclarés « condamnés aux mines ». Alexandrie est là, à mes côtés, secouée par tant de guerres, redoutant le désordre si grand des expéditions lancées contre elle. Les luttes armées contre le Perse ont été plus brèves que celles qu'elle subit. Changement de préfets, nomination de ducs, corruption de peuples, déplacement de légions : tout cela pour empêcher Athanase de prêcher le Christ. Je ne dis rien des peuples et des cités de moindre importance en proie, à travers tout l'Orient,

persas γ ‖ armis : nimis Z^r ‖ 12 conmotaeque legiones : commutaeque legiones *P* commotaque legio *OZ* ‖ 12-13 praedicetur *Z* ‖ 13 minoribus] + fama α ‖ 14 aut terror *adest iam denuo K* (*uide* **6**,22) ‖ postquam : post quae α

---

10. c. cf. Jn 13,30 ‖ d. cf. Matth. 17,25.27 ‖ e. cf. Rom. 13,7 ‖ f. cf. Matth. 22,21

15 omnia contulisti arma aduersum fidem Occidentis et exercitus tuos conuertisti in oues Christi : fugere sub Nerone
mihi licuit. At tu Paulinum beatae passionis uirum blandimento sollicitatum relegasti et ecclesiam sanctam Treue-
rorum tali sacerdote spoliasti. Edictis fidem terruisti. Ipsum
20 usque ad mortem demutasti exiliis et fatigasti, extra
christianum quoque nomen relegasti, ne panem aut de
horreo tuo sumeret aut de Montani Maximillaeque antro
profanatum expectaret. Mediolanensem piissimam plebem
quanto furoris tui terrore turbasti ! Tribuni tui adierunt
25 Sancta sanctorum et uiam sibi omni per populum crude-
litate pandentes protraxerunt de altario sacerdotes. Leuius
te putas, sceleste, Iudaeorum inpietate peccasse ? Effude-
runt quidem illi Zachariae sanguinem [a] ; sed, quantum in te
est, concorporatos Christo [b] a Christo discidisti. Vertisti
30 deinde usque ad Romam bellum tuum, eripuisti illinc
episcopum, et o te, miser, qui nescio utrum maiore
inpietate relegaueris quam remiseris ! Quos tu deinde in
ecclesiam Tolosanam exercuisti furores ! Clerici fustibus
caesi, diacones plumbo elisi, et in ipsum, ut sanctissimi

B C α$(IMOZ)$ γ $=$ γ$^1(WKL)$ γ$^2(HhU)$ γ$^3(JEV)$
    φ $=$ φ$^1(DT)$ φ$^2(APX)$ φ$^3(FRSQ)$ φ$^4(GN)$

11. 16 christi : dei γ^1 U V ‖ fugire I lugere γ ‖ 16-17 mihi sub
nerone ~ Z ‖ 17 mihi : nichil K ‖ pauline MOZ ‖ passionis :
confessionis α ‖ 18 religasti MOZ ‖ et om. Z ‖ 18-19 treuirorum
B triuerorum IM ‖ 20 et om. α ‖ 21 religasti MOZ WL ‖ ne :
ut IOZ ‖ aut$_1$ om. Z ‖ 22 montani γ^3 : montate S montanae
(- ne) cett. ‖ 23 profanatum (- ph- γ^1 E P G) : profanatam OZ ‖
expectare B ‖ mediolanensem] + autem IZ + aut O ‖ 24 quanto
α : quam tu cett. ‖ furoris tui terrore α $R^{1}SQ$: furore terroris tui
R^{2} cett. ‖ 25 omnem MOZ ‖ 26 alterio S ‖ 27 celeste U celoste
S ‖ 28 sed] + in γ^1 ‖ 29 concorporatos (incorp- S) B C γ^{1}γ^3 φ :

à la terreur ou à la guerre. Après quoi tu as porté toutes tes armes contre la foi de l'Occident et tu as retourné tes troupes contre les brebis du Christ : au temps de Néron, il m'eût été loisible de m'enfuir. Mais toi, c'est Paulin, ce héros à la passion bienheureuse, que tu as harcelé de tes flatteries, avant de l'exiler et de dépouiller d'un tel évêque la sainte Église de Trèves. Tes édits ont terrorisé la foi. Quant à lui, tu l'as changé d'exils et fatigué jusqu'à la mort ; tu l'as même relégué hors des frontières du nom chrétien, pour l'empêcher de prendre son pain de ton grenier ou d'attendre un pain profané, sorti du repaire de Montan et de Maximille. A Milan, quel trouble et quel effroi ta fureur a causés à un peuple si pieux ! Tes tribuns ont envahi le saint des saints et, se frayant par toutes sortes de sévices un chemin à travers la foule, ils ont entraîné les prêtres loin de l'autel. Crois-tu, scélérat, ton péché moins grave que l'impiété des Juifs. Ils ont sans doute versé le sang de Zacharie[a] ; mais toi, dans la mesure de ton pouvoir, tu as dissocié du Christ ceux qui sont incorporés au Christ[b]. Puis tu as porté ta guerre jusqu'à Rome, tu en as arraché l'évêque et, ô misérable ! je ne sais si tu as été plus impie en le reléguant ou en le renvoyant chez lui. Et ensuite, contre l'Église de Toulouse quelles fureurs tu as exercées ! Clercs roués de coups de bâton, diacres meurtris par le plomb des fouets ; et – que les saints comprennent comme moi !

---

concorporatus christo α   cum christo corporatos γ[2] ‖ discedisti *I* discessisti *MZ*   didicisti *N* ‖ 30 abripuisti (arr- *M*) α ‖ illic α ‖ 31 te *B* α *C* γ : ego *C*[2] φ *J*[2sl] ‖ miser *B C* γ φ : miserum α ‖ qui *B C* γ : et o (eo *I*) qui α quem φ ‖ maiorem *B*[ac] maiori *MOZ* ‖ 32 religaueris *MOZ* γ[1] *E* ‖ 33 exeruisti *C* ‖ 34 sanctissimi : sancti α

---

11. a. cf. II Chr. 24,21. Matth. 23,35. Lc 11,51 ‖ b. cf. Éphés. 3,6

35　mecum intellegant ! christum manus missae[c]. Haec,
Constanti, si ego mentior, ouis es, si uero tu peragis,
antichristus es.

　　12. Nunc quia haec quae conscientiae publicae tenentur,
non magis a me maledicta sunt dicta quam uera, si cui in
Christo spes[a] reliqua est, si quis iudicii diem[b] metuit, si
quis diabolo renuntiauit[c], si quis se regeneratum in uitam[d]
5　recordatur, accipiat quae dico et de his iudicio quo in se
iudicandum est iudicet[e]. Quae enim dicturus sum non
aliunde cognoui, sed ipse audiui et praesens adfui cum
gerebantur. In Christo itaque non mentior[f], quia discipulus
ueritatis, testis quoque nunc ueritatis adsisto. Orientalium
10　in Seleucia synodum repperi, ubi tantum blasphemorum est
quantum Constantio placebat. Nam prima secessione mea
deprehendi ut centum quinque episcopi *omoeousion*, id est
similis essentiae, praedicarent et decem et nouem *anomoeousion*, id est dissimilis essentiae, profiterentur, soli

$B \ C \ \alpha(IMOZ) \ \gamma = \gamma^1(WKL) \ \gamma^2(HhU) \ \gamma^3(JEV)$
$\qquad \varphi = \varphi^1(DT) \ \varphi^2(APX) \ \varphi^3(FRSQ) \ \varphi^4(GN)$

35 intellegunt *I Q G* ‖ christum : in christum *B* γ^1 E^1V *SQ N* ‖
manus *B* C^1 γ : sunt manus C^2 φ gentilium manus (manos *I*) α ‖
imissae *I* misisse *Z* ‖ 36 perages *B* C^{ac}
12, 1 quae *om. MO W U* φ^1 ‖ conscientiae publicae *B C* γ φ :
conscientia tua et publica *I* in conscientia tua publica *MOZ*
conscientia publica *Cou.* ‖ tenetur α ‖ 2 dicta *om. MOZ* si cui
C^2 *Cou.* : sicut *B* C^1 γ si et α si qua φ ‖ 3 diem metuit (- uet
B) : metuit diem $\sim$ *W U* ‖ 5 iudicio : -co C^{ac} ‖ 6 est iudicet :
eiudicet *Z* ‖ 7 cognoui sed : cognouisset *S* ‖ 8 gerebatur *B* C^{ac}
IMO^1*Z* ‖ 9 testis quoque nunc ueritatis *B* α : *om. C* γ φ ‖ 10
synodum α : synodo *cett.* ‖ ibi φ^3 *G* ‖ blasphemiorum (- fim- *I*) α
‖ est α : *om.* cett. ‖ 11 primam *O* $\gamma^1\gamma^3$: primam *cett.* ‖ secessione
mea *WL* γ^3 : -nem meam *B C* α γ^2 $\varphi^2\varphi^3$ *N* successione mea *K*

– sur l'oint même (du Seigneur) on a porté la main[c]. Si mes paroles sont mensongères, Constance, tu es une brebis ; mais si tels sont tes actes, tu es un Antichrist.

12. Maintenant, puisque les faits connus par l'opinion publique sont dans ma bouche, moins des accusations calomnieuses que des vérités, si l'on garde un reste d'espoir dans le Christ[a], si l'on craint le jour du jugement[b], si l'on a renoncé au diable[c], si l'on se souvient d'être rené[d] à la vie, qu'on accueille mes paroles et qu'on les juge avec le jugement par lequel on doit soi-même être jugé[e]. Car ce que je vais dire, je ne le tiens pas d'une source étrangère : je l'ai entendu moi-même, j'étais présent quand cela se passait. Aussi, dans le Christ je ne mens pas[f] : disciple de la Vérité, je siège encore maintenant comme témoin de la vérité. A Séleucie, j'ai trouvé un synode d'Orientaux où il y avait autant de blasphémateurs qu'il plaisait à Constance. La première fois où je quittai la salle, je surpris cent cinq évêques qui proclamaient l'*homoïousios* à savoir la similitude de nature, et dix-neuf qui professaient l'*anomoïousios*, à savoir la dissimilitude de

successionem meam φ[1] sessionem in ea *G* ‖ 12 homo eousion *OZ T*[pc] homousion *T*[ac] ‖ 13-14 similis – est *om. C O*[ac] γ φ ‖ 13 similis *B I J*[2] : dissimilis *MOZ* ‖ 14 soli : et soli *C*[2] *JE* φ

11. c. cf. I Sam. 24,7. II Sam. 1,14

12. a. cf. I Tim. 1,1 ‖ b. cf. Matth. 12,36. II Pierre 2,9 ; 3,7. I Jn 4,17 ‖ c. cf. II Tim. 2,26 ‖ d. cf. I Pierre 1,3 ‖ e. cf. Matth. 7,2 ‖ f. cf. Rom. 9,1

15 Aegyptii praeter Alexandrinum hereticum *omousion* constantissime obtinerent. Cogente itaque Leona comite in unum omnes congregati sunt. Ex his qui *omoeousion* praedicabant, aliqui non nulla pie uerbis praeferebant : quod et ex Deo esset, id est de substantia Dei filius, et semper
20 fuisset. Qui uero *anomoeousion* defendebant nihil nisi profanissimum adserebant, negantes quicquam substantiae Dei simile esse posse, neque de Deo posse existere generationem, sed esse Christum creaturam ; ita, quod creatus est, id ei natiuitas deputaretur, ex nihilo autem esse
25 et idcirco non esse filium, nec Deo similem.

   13. Loquor autem uobis quod ego ipse recitari in conuentu publice audiui, quod praedicatum episcopo Antiochiae exceptum habebatur. Haec ego ita dicta esse ab eo commemorabantur : « Erat Deus quod est, pater non erat
5 quia neque ei filius : nam si filius, necesse est ut et femina sit et conloquium sermonis et coniunctio coniugalis et uerbi blandimentum et postremum ad generandum naturalis ma-

---

B C α*(IMOZ)* γ = γ¹*(WKL)* γ²*(HhU)* γ³*(JEV)*
              φ = φ¹*(DT)* φ²*(APX)* φ³*(FRSQ)* φ⁴*(GN)*

15 omousion : homo usion *Z* ‖ 16 leona : leonate α ‖ 17 omnes *B C* α *H E G* : *om. cett.* ‖ ex : et ex *MOZ* ‖ his : ipsis α ‖ omoeousion : omousion *O* γ¹ *h JE G* homo usion *Z* ‖ 18 aliquis *I* ‖ *post* aliqui *add.* eorum *B C* γ φ ‖ 19 id est : idem *D PX* ‖ 20 anomoeousion *B* α : omoeousion *C* γ¹γ³ φ omeosion *J* omousion γ² an homo eousion *Z* ‖ 21 quiquam *Z* ‖ 22 de deo : ex deo *T A SQ* ‖ 23 ita : itaque *MOZ* ‖ 24 id ei natiuitas : in dei natiuitate α et ideo natiuitas *V*² ‖ autem : eum α.

13, 2 praedicatum : praedicante α ‖ episcopo *MOZ* : -pum *I om. B C* γ φ ‖ 2-3 anthiociae *B* antiociae *I* ‖ 3 haec : nec *Z* γ¹γ² *R*

nature ; seuls les Égyptiens, sauf l'hérétique d'Alexandrie, maintenaient très fermement l'*homoousios*. C'est pourquoi, sous la pression du comte Léonas, tous les évêques formèrent une seule assemblée. Parmi ceux qui proclamaient l'*homoïousios*, quelques-uns proposaient certaines formules orthodoxes : le Fils procédait de Dieu, c'est-à-dire de la substance de Dieu, et il avait toujours existé. En revanche, les défenseurs de l'*anomoïousios* n'affirmaient que les pires impiétés : rien ne pouvait ressembler à la substance de Dieu et il ne pouvait exister de génération à partir de Dieu, mais le Christ était une créature. Ainsi, le fait qu'il avait été créé devait passer pour une naissance, mais il était tiré du néant et, en conséquence, il n'était ni Fils de Dieu ni semblable à Dieu.

13. Or je vous parle de ce que j'ai personnellement entendu lire en public à l'assemblée, la relation, paraît-il, d'un sermon de l'évêque d'Antioche. Voici donc les paroles qu'on lui attribuait : « Dieu était l'être. Il n'était pas père, puisqu'il n'avait pas non plus de fils, car pour avoir un fils, il fallait nécessairement avoir une femme, nouer avec elle la conversation, s'unir conjugalement à elle, lui dire des paroles caressantes et, pour finir, engendrer avec le

non *S* ∥ 4 commemorabatur *OZ* ∥ 6 sermonis et coniunctio *JE*² et sermocinatio α et sermonis conpunctio *cett.* ∥ coniugalis *om* α ∥ 6-7 et uerbi blandimentum *JE*² : et blandimentum α uerbi et blandimentum *cett.* ∥ 7-8 macchinula *B* machinole *I* machinulae *OZ*

chinula. » O miseras aures meas quae tam funestae uocis sonum audierunt, haec de Deo ab homine dici et de
10 Christo in ecclesia praedicari ! Post multas autem istius modi inpietates, cum Patrem et Filium ex nominibus potius quam ex natura comparasset, ait : « Quantum enim filius se extendit cognoscere patrem, tantum pater superextendit se ne cognitus filio sit ᵃ. » Quibus recitatis, tumultus exortus
15 est.

14. Cum autem intellexissent et hi qui *dissimilem* Deum dicunt humanas aures tantae inpietatis uerba non suscepturas esse, rursum hi ipsi palatio potius quam Ecclesiae episcopi fidem scribunt, *omousion* et *omoeousion* et *dissi-*
5 *militudinem* damnant. Quod cum contrarium ipsis sensu audientium esset, ipse ego quendam eorum qui forte ad me pertemptandum accesserat, quasi ignorans rerum gestarum percontatus sum quid sibi uellet istud ut qui *unam substantiam* Filii esse cum Patre damnassent, uel esse
10 *similis substantiae* denegassent, *dissimilitudinem* damnarent. Tunc mihi ait Christum Deo similem non esse, sed similem Patri esse. Rursus hoc obscurius mihi adhuc uidebatur. De quo cum iterum interrogarem, tunc haec ita locutus est : « Dico eum dissimilem Deo esse, similem Patri posse

B C α*(IMOZ)* γ = γ¹*(WKL)* γ²*(HhU)* γ³*(JEV)*
        φ = φ¹*(DT)* φ²*(APX)* φ³*(FRSQ)* φ⁴*(GN)*

9 ab homine : abomine *OZ* homine *RS* ‖ 12 quam ex natura *om. M* ‖ 14 filio : filius φ

14, 1 hi *om. OZ* ‖ 3 hi : mihi *O* ‖ ipsi palatio : i- palatii *C² JE* i- fidacii *I* i- fallaces *OZ Cou.* fallaces i- *M* ‖ 4 omousion : omo eousion *Z* ‖ et₁ *om.* φ¹φ²φ³ ‖ omoeousion *B C* (≡omoeousion *sic C¹) I* γ¹γ¹γ³(- *J)* φ⁴ : omoiousion *C²* omeosion *J* omousion γ² anomoeousion *MO* an omo eousion *Z om.* φ¹φ²φ³ ‖ et₂ *C¹ MO : om. B C² I* γ φ ‖ 4-5 dissimilitudinem *om.* γ¹γ²γ³ ‖ 5 sensibus α ‖ 8 percontatus : -cunt- *I* -cunct- φ(-*Q)* ‖ 11 sed] + similem non esse sed *(dittogr) Z* ‖ 12 rursum *IOZ* ‖ obsecurius *S*

petit organe naturel. » Ah ! malheur à moi ! le son de cette voix maudite retentir à mes oreilles ! un homme parler de Dieu et prêcher sur le Christ en ces termes dans une église ! Or après beaucoup d'impiétés de ce genre, quand il eut défini le Père et le Fils à partir de leurs noms plutôt qu'à partir de leur nature, il ajouta : « Plus le fils se dresse pour connaître le père, plus le père se redresse pour ne pas être connu par le fils[a]. » Cette lecture publique souleva le tumulte.

14. Même les partisans d'un Dieu *dissemblable* s'étaient rendu compte que des oreilles humaines n'accepteraient pas des paroles si impies. Aussi, ces hommes mêmes, des évêques de cour plutôt que des évêques de l'Église, rédigent-ils une nouvelle formule de foi où ils condamnent et l'*homoousios* et l'*homoïousios* et la *dissimilitude*. Au jugement des auditeurs, ils se contredisaient eux-mêmes : j'interrogeai donc moi-même l'un d'eux qui s'était précisément approché pour m'éprouver ; feignant d'ignorer ce qui venait de se passer, je lui demandai le sens de cette déclaration : eux qui avaient condamné l'*unité de substance* du Fils et du Père, qui leur avaient même refusé la *similitude de substance*, pouvaient-ils condamner la *dissimilitude ?* Alors il me dit que le Christ n'était pas semblable à Dieu, mais semblable au Père. Cette fois, le sens me paraissait encore plus obscur. A une nouvelle question de ma part, voici quelle fut sa réponse : « Je dis qu'il n'est pas semblable à Dieu, mais qu'on peut le

---

13. a. cf. Matth. 11,27. Lc 10,22

15 intellegi, quia Pater uoluisset creaturam istius modi creare
quae similia sui uellet, et idcirco similem Patri esse, quia
uoluntatis esset potius filius quam diuinitatis ; dissimilem
autem Deo esse, quia neque Deus esset neque ex Deo, id
est de substantia Dei, natus esset. » Haec audiens hebui
20 neque credidi, donec cum publice ex consensu omnium
eorum profanissimae huius similitudinis ratio praedicaretur.

15. Hi autem, qui *omoeousion* praedicabant, omnes eos
qui maxime sine aliquo inpietatis pudore inpudentissime
haec loquebantur, condemnauerunt. Condemnati ad regem
suum aduolauerunt exceptique honorifice inpietates suas
5 quanta potuerunt ambitione confirmarunt, similem Deo
esse uel ex Deo natum uel naturalem esse filium dene-
gantes. Pauci plurium dominati sunt. Constantius res
blasphemiae suae metu exilii extorsit. Vicisse se iam
Orientales gloriatus, quia decem legatos uoluntati suae
10 subdidisse, comminatus et populo per praefectum et episcopis intra palatium, per maximas Orientis ciuitates hereticos episcopos subrogatos communione heretica muniuit.
Nihil prorsus aliud egit quam ut orbem terrarum, pro quo
Christus passus est [a], diabolo condonaret [b].

B C α*(IMOZ)* γ = γ[1]*(WKL)* γ[2]*(HhU)* γ[3]*(JEV)*
φ = φ[1]*(DT)* φ[2]*(APX)* φ[3]*(FRSQ)* φ[4]*(GN)*

‖ 15 creatura(m ?) *B* ‖ 18 esset *B C*[1] *IOZ E SQ* : esse *M* non
esset *C*[2] γ(- E) φ(- *SQ*) ‖ 19-20 hebui neque : erubui nec *MOZ* ‖
21 profanissimae *B C I L* : -me *cett.*

15, 1 qui *om. Z* ‖ homo eoussion *Z* omousion γ ‖ inpudenti
MOZ ‖ 4 aduolauerunt : conuol- *X R* ‖ excepti *Z* ‖ 5 confirmauerunt
α γ[2] *JE T FQ* φ[4] ‖ 7 plurimum *O*[2]*Z W* ‖ dominati : damnati *U*[2]
T ‖ 8 extorsit exilii ~ *C* γ φ ‖ 9 uoluntati : uiolentiae α ‖ 10
comminatus : -tusque *MOZ* ‖ 11 *post* maximas *add.* se *B C (expunct.)*
α γ[1]γ[2] ‖ orientis] + ≡≡≡ *C* ‖ 11-12 episcopos hereticos ~ *Z* ‖

comprendre semblable au Père, le Père ayant voulu créer une créature telle qu'elle eût une volonté semblable à la sienne ; c'est pourquoi le Fils est semblable au Père, parce qu'il est le fils de sa volonté plutôt que de sa divinité ; mais il n'est pas semblable à Dieu, parce qu'il n'est ni Dieu ni né de Dieu, c'est-à-dire de la substance de Dieu. » A ces mots je restai interdit, sans y croire, jusqu'au moment où, d'un commun accord, on proclama officiellement le mode de cette ressemblance absolument sacrilège.

15. Quant à ceux qui proclamaient l'*homoïousios*, ils condamnèrent tous ceux qui tenaient ces propos impudents et surtout sans pudeur pour une telle impiété. Les évêques condamnés accoururent chez leur prince. Reçus avec honneur, ils fortifièrent leurs impiétés par toutes les intrigues possibles, niant que le Christ fût semblable à Dieu, ou né de Dieu, ou qu'il fût son fils par nature. Un petit nombre l'emporta sur un plus grand. Constance, par la crainte de l'exil, extorqua l'approbation de la teneur de son blasphème. Fier déjà de sa victoire sur les Orientaux, parce qu'il avait soumis les dix délégués à ses volontés, menaçant le peuple par son préfet et les évêques dans les murs de son palais, il substitua aux anciens évêques dans les principales villes de l'Orient, des évêques hérétiques dont il se fit le soutien dans la communion hérétique. Bref il ne fit rien d'autre que de livrer au diable [b] le monde entier pour lequel le Christ a souffert [a].

---

12 subrogaturum communionem hereticam α ‖ 13 egit : elegit *M T* ‖ ut α *JV* [2] : *om. cett.* ‖ 14 condonaret *B C* [1] α γ *T X Q* : -are *C* [2] φ (- *TXQ*)

---

15. a. cf. Rom. 14,15. I Cor. 8,11. I Pierre 2,21 ‖ b. cf. Matth. 4,8-9. Lc 4,5-6

16. Utitur etiam nunc, ut in ceteris ante, artis suae consuetudine, ut per recti speciem praua[a] confirmet et per rationis nomen insana constituat. « Nolo, inquit, uerba quae non scripta sunt dici. » Hoc tandem rogo quis
5 episcopis iubeat et quis apostolicae praedicationis uetet formam ? Dic prius, si recte dici putas : « Nolo aduersum noua uenena nouas medicamentorum comparationes, nolo aduersum nouos hostes noua bella, nolo aduersum nouas insidias consilia recentia. » Si enim Arriani heretici idcirco
10 *omousion* hodie euitant quia prius negauerunt, nonne tu hodie idcirco refugis ut hi nunc quoque denegent ? Nouitates uocum, sed et profanas deuitari[b] Apostolus iubet : tu cur pias excludis, cum praesertim ab eo dictum sit : « Omnis scriptura diuinitus inspirata utilis est[c] » ?
15 Innascibilem scriptum nusquam legis : numquid ex hoc negandum erit quia nouum est ? Decernis *similem Patri Filium*. Euangelia non praedicant : quid est quod non refugis hac uoce ? In uno nouitas eligitur, in alio submouetur. Vbi inpietatis occasio patet, nouitas admittitur ;
20 ubi autem religionis maxima et sola cautela est, excluditur.

B C α*(IMOZ)* γ = γ[1]*(WKL)* γ[2]*(HhU)* γ[3]*(JEV)*
            φ = φ[1]*(DT)* φ[2]*(APX)* φ[3]*(FRSQ)* φ[4]*(GN)*

16, 1 nunc *om. Z* ‖ ante *om.* α ‖ 2 consuetudinem *Z* ‖ 4 non scripta : non scribta *B*   scripta non ~ *Z* ‖ tandem : tamen *Z* ‖ 5 episcopis : -pum *M H*[1]*h*   -pus *OZ H*[2]*U N* ‖ 6 si : sic *Z* ‖ 8 hostes nouos ~ *RSQ* ‖ 10 homo usion *Z* ‖ inuitant φ ‖ 11 hi : hic *WL h V* φ[1]φ[2]φ[3]   hinc *E* φ[4] ‖ nunc : quidem nunc *HU* ‖ 12 sed *om.* α ‖ et profanas : et uanas *G*   et aduenas φ[1]φ[2] *RS N*   + uoces *C*[2sl] ‖ 12-13 deuitari apostolus iubet *B C* γ : deuitare ap- iub- α *D* φ[2]φ[3] *G* ap- deuitare (uitare *T*) iub- *T N*   deuitare iub- ap- *Cou.* ‖ 15 innascibilem] + deum *MOZ* ‖ numquam *C Z L Hh JE* φ(-*D*) ‖ 16 erit : esset α ‖ decerni *Z* ‖ 18 hanc uocem α ‖ 19 patet] + ubi *I*   + ibi *MOZ*

16. Maintenant encore, comme auparavant en toutes autres circonstances, il recourt à son artifice habituel : sous prétexte de rectitude[a], il fortifie les déviations et sous le nom de raison, il instaure la folie. « Je refuse, dit-il les mots qui ne sont pas dans l'Écriture. » Mais enfin, je le demande : qui peut commander aux évêques et qui peut interdire une formule enseignée par les apôtres ? Dis plutôt si tu crois que c'est ainsi parler avec rectitude : « Contre de nouveaux poisons, je refuse l'apprêt de nouveaux remèdes ; contre de nouveaux ennemis, je refuse de nouvelles guerres ; contre de nouvelles embûches, je refuse des mesures récentes. » Si, en effet, les Ariens hérétiques écartent aujourd'hui l'*homoousios* parce qu'ils l'ont rejeté auparavant, ne le repousses-tu pas aujourd'hui pour qu'ils le refusent encore maintenant ? L'Apôtre recommande d'éviter les expressions nouvelles, mais en tant qu'impies[b]. Pourquoi veux-tu exclure celles qui sont orthodoxes, alors qu'il a dit expressément : « Toute Écriture divinement inspirée est utile[c] » ? Nulle part dans l'Écriture tu ne lis le mot innascible : faudra-t-il dès lors le rejeter parce qu'il est nouveau ? Tu décrètes que « le Fils est semblable au Père », l'expression n'est pas proclamée dans les évangiles : pourquoi ne la repousses-tu pas ? Dans un cas on choisit la nouveauté, dans l'autre on l'écarte. Quand s'offre une occasion d'impiété, on admet la nouveauté ; mais quand il s'agit du seul et suprême moyen de préserver la foi, on l'exclut.

---

16. a. cf. Is. 40,4. Lc 3,5 ‖ b. cf. I Tim. 6,20 ‖ c. II Tim. 3,16

17. Sed diabolici ingenii tui fallentem subtilitatem non tacebo. *Similem,* quod scriptum non est, *Patri Filium* decernis praedicari, ut *aequalem Christum Deo,* quod scriptum est, taceas. Domini enim mortis haec causa est :
5 « Propter hoc magis quaerebant eum Iudaei occidere, quia non solum soluebat sabbatum, sed quod Patrem suum dicebat Deum, aequalem se faciens Deo[a].» Hoc Iohannes loquens magna uoce proclamat, ut professus Filius sibi Patrem Deum professum se aequalem esse Deo intelle-
10 gatur. Quod si forte dicis aequalitatem sibi et Deo negasse Christum, quia dixerat : « Non potest Filius facere a se quicquam nisi quod uiderit Patrem facientem[b] », memento Christum et respondisse de sabbato quod uiolasse argue-batur, ut in hoc ipso Patris in se operantis praeferret
15 auctoritatem, et aequalitatem sibi uirtutis honorisque sump-sisse : « Omnia quaecumque Pater facit, eadem et Filius facit similiter[c] » ; et iterum : « Vt honorificent Filium, sicut honorificant Patrem[d] » ; et : « Qui non honorificat Filium non honorificat Patrem qui misit illum[e]. » Si uirtus eadem
20 est, si honor idem est, quaero in quo desit aequalitas.

B C α(IMOZ) γ = γ[1]*(WKL)* γ[2]*(HhU)* γ[3]*(JEV)*
  φ = φ[1]*(DT)* φ[2]*(APX)* φ[3]*(FRSQ)* φ[4]*(GN)*

17, 1 diabulae (- ole *MO*) α ‖ 2 patris α ‖ 3 deo *conieci* : deum *codd.* ‖ 4 domino *MOZ* ‖ hae causa mortis ~ *Z* ‖ 5 quaerebant eum iudaei *B* α : iud- qu- eum (e-qu-~*N*) ~ *C* γ φ *Cou.*‖ 7 hoc ioannes : hoc ioannis *I* haec iohannes *OZ* ideo *K U* γ[3] φ ‖ 8 proclamabat *C* γ[1]γ[3] φ ‖ 9 professum : -ssus γ[2] *JE* φ ‖ 11 dixerit α ‖ 12 quiquam *Z* ‖ meminit α ‖ 13 et : hoc eis α ‖ 15-16 sumpsisse *MZ* : -sissit *I* -sisset *cett.* ‖ 18-19 honorificat... honorificat : -cant ... -cant *IMO*

17. Mais je ne tairai pas la subtilité trompeuse de ton génie diabolique. Tu veux qu'on prêche que « le Fils est semblable au Père », ce qui n'est pas dans l'Écriture ; c'est que tu veux taire que « le Christ est égal à Dieu », ce qui est dans l'Écriture. Voici, en effet, ce qui cause la mort du Seigneur : « les Juifs cherchaient avec plus d'ardeur à le tuer, pour la raison que, non content de violer le sabbat, il appelait Dieu son propre Père, se faisant égal à Dieu[a]. » Voilà ce que les paroles de Jean proclament bien haut, afin de faire comprendre que le Fils, en attestant que Dieu est son Père, attestait qu'il était égal à Dieu. Et si par hasard tu objectes que le Christ a nié son égalité avec Dieu, parce qu'il avait dit : « Le Fils ne peut rien faire de lui-même, sauf ce qu'il a vu faire au Père[b] », rappelle-toi, d'une part, que le Christ a répondu au sujet du sabbat, dont on lui reprochait la violation, de manière à mettre en avant, sur ce point précis, l'autorité du Père qui agissait en lui, et d'autre part, qu'il s'est attribué une égalité de puissance et d'honneur : « Tout ce que le Père fait, c'est identiquement ce que le Fils aussi fait semblablement[c] » ; et encore : « Afin qu'ils honorent le Fils comme ils honorent le Père[d] » ; et : « Qui n'honore pas le Fils n'honore pas le Père qui l'a envoyé[e] ». Si la puissance est la même, si l'honneur est le même, je te demande en quoi l'égalité fait défaut.

---

17. a. Jn 5,18 ‖ b. Jn 5,19a ‖ c. Jn 5,19b ‖ d. Jn 5,23a ‖ e. Jn 5,23b

18. Sed similitudo tibi placet, ne audias : « Ego et Pater
unum sumus [a].» Numquid et hoc quod *unum sumus,* in
quo neque unio neque diuersitas relinquebatur, calumnian-
tibus rursum Iudaeis quod se per hoc dictum Deum faceret,
5 Dominus denegauit, dicens : « Si non facio opera Patris
mei, nolite mihi credere ; si autem facio et non uultis mihi
credere, uel operibus meis credite, quia Pater in me et ego
in Patre [b] » ? Quid, rogo, aequalitati Dei deest ? An opus ?
an natura ? an professio ? Nam « Pater in me est et ego in
10 Patre » aequalitas est, quae uicissitudinem aequalitatis ex-
pressit, dum inesse atque esse commune est. Opera uero
Patris sui facere non aliud est quam uirtutem in se
paternae diuinitatis operari. Vnum uero quod sunt, hoc est
non aequalitatem abnuere, sed incremento intellegentiae
15 fidem aequalitatis instruere.

19. Vetas igitur non scripta dici et ipse non scriptis
tamen uteris, neque quae scripta sunt loqueris. Similem uis
Patri Filium praedicari, ne ab Apostolo audias : « Qui cum
in forma Dei esset non rapinam arbitratus est esse se
5 aequalem Deo, sed exinaniuit se formam serui accipiens [a]. »
Non rapit quod erat Christus, id est in forma Dei esse.
Non esset aequalitas Dei in forma Dei esse, si non

B C α(IMOZ) γ = γ¹*(WKL)* γ²*(HhU)* γ³*(JEV)*
φ = φ¹*(DT)* φ²*(APX)* φ³*(FRSQ)* φ⁴*(GN)*

18, 1 audeas *S* ‖ 4 se per : semper *IZ* γ¹γ² φ¹ *S* ‖ 8 aequalitati :
-tate *I* -tatem *SQ* ‖ 8-9 an opus - professio *om. I Q* ‖ 10
aequalitas : aequalis *Z*
19, 1-2 tamen non scriptis ~ *OZ h V* φ¹ *Cou.* ‖ 3 audeas *S* ‖
4 se esse ~ *Z* ‖ 5 exinaniuit se : semetipsum exin- *MOZ T S*
(Vulg.) ‖ 7 non] + enim *C²* φ ‖ esset : est α *FSQ N* ‖ aeq- esset
~ *G*

18. a. Jn 10,30 ‖ b. Jn 10,37-38

18. Mais si la similitude te plaît, c'est pour ne pas entendre ceci : « Le Père et moi nous sommes un[a] ». Cette expression : « nous sommes un », qui ne laissait place ni à l'unicité ni à la diversité, quand de nouveau les Juifs l'accusaient à tort de se faire Dieu par cette déclaration, est-ce que le Seigneur l'a refusée par hasard, quand il dit : « Si je ne fais pas les œuvres de mon Père, ne me croyez pas ; mais si je les fais et que vous ne vouliez pas me croire, croyez-en du moins mes œuvres, puisque le Père est en moi et que je suis dans le Père[b] » ? Dis-moi, que manque-t-il pour l'égalité avec Dieu ? L'œuvre ? la nature ? la déclaration ? Car ces mots : « Le Père est en moi et je suis dans le Père » signifient l'égalité en exprimant une réciprocité d'égalité, puisque « être-dans-l'autre » et « être-en-soi » sont une réalité commune aux deux. Or faire les œuvres de son Père n'est rien d'autre (pour le Fils) qu'exercer en lui-même la puissance de la divinité paternelle. Et dire qu'ils sont un, ce n'est pas nier leur égalité, mais étayer la foi en cette égalité par un accroissement de l'intelligence que nous en avons.

19. Ainsi donc, tu interdis de professer ce qui n'est pas dans l'Écriture, et toi, néanmoins, tu fais usage d'une expression qui n'est pas dans l'Écriture et tu refuses une expression qui s'y trouve. Tu veux qu'on proclame que « le Fils est semblable au Père », pour ne pas écouter l'Apôtre te dire : « Alors qu'il subsistait dans la forme de Dieu il n'a pas regardé comme un vol d'être égal à Dieu, mais il s'est anéanti lui-même en prenant la forme d'esclave[a]. » Le Christ ne vole pas ce qu'il était, à savoir « *être dans la forme de Dieu* ». « Être dans la forme de Dieu » ne signifierait pas être égal à Dieu, si « être dans

---

19. a. Phil. 2,6-7

aequalitas hominis est esse in forma serui. Quod si in
forma serui homo Christus est, quid aliud in forma Dei
10 quam Deus Christus est ? Similem itaque ob id praedicari
uis ne in fide tua sit : « Et omnis lingua confiteatur
quoniam Dominus Ihesus in gloria Dei Patris est [b]. »

20. O fallax blandimentum tuum ! Paleis enim aquas
tegis et foueas cespitibus occultas et escis laqueos subponis.
Satisfacere ignorantibus putas, quia dicis *similem Patri*
secundum Scripturas. Audi etiam nunc inpietatis tuae
5 artem. Numquid non pie dicimus similem hominem Deo
secundum Scripturas, quia dictum est : « Faciamus hominem
ad imaginem et similitudinem nostram [a] » ? Homo ergo ad
imaginem et similitudinem Dei Patris et Dei Filii est. Et
cuiusmodi imago est, catholici si requirantur docebunt. Nunc
10 autem homo ad similitudinem et imaginem Dei conditur, non
etiam similitudo intra Patrem et Filium praedicatur. Id enim
quod ait *nostram* aequalitatis est demonstratio, dum non dif-
ferat cuius in sacramento et imago sit et similitudo.

B C α(IMOZ) γ = γ[1]*(WL)* γ[2]*(HhU)* γ[3]*(JEV)*
              φ = φ[1]*(DT)* φ[2]*(APX)* φ[3]*(FRSQ)* φ[4]*(GN)*

8 hominis] + *6 litt. eras.* C^2 ‖ est : esset C^2 ‖ 10 quam deus
christus *B MOZ* : quam chr- deus ∼ *C* γ φ *Cou.* cum deo christo
I ‖ 12 quoniam : quia *MOZ P S N (Vulg.)* ‖ ihesus] + christus α
T FS (Vulg.) ‖ dei patris est *B* : est patris Z est d- p- ∼ *cett.*
(Vulg.)

20, 2 escis (aes- *B C O*) : scis *I* ‖ 3 satisfacere] + te α ‖ dicis
] + filium φ[1] ‖ 5 numquid non pie dicimus : nam (iam *M*) non est
pie dicere α ‖ 9 requirantur docebunt (do ▓▓▓▓▓▓ *illegibile*
propter erosionem et fragm. pellis insuper Z) *MOZ G* : requirent
docebuntur *cett.*

la forme d'esclave » ne signifie pas être égal à l'homme. Et si le Christ, dans la forme d'esclave, est homme, qu'est donc le Christ, dans la forme de Dieu, sinon Dieu ? C'est pourquoi, tu veux qu'on proclame qu'il est semblable (au Père), pour n'avoir pas à croire ceci : « Et que toute langue confesse que Jésus est Seigneur à la gloire de Dieu le Père[b]. »

20. Oh ! que tes flatteries sont trompeuses ! Tu couvres les eaux de brins de paille, tu caches les fosses avec des mottes de gazon, tu dissimules les lacets sous des appâts. Tu crois satisfaire les ignorants en disant que le Christ est « semblable au Père selon les Écritures ». Entends une fois encore l'artifice de ton impiété. N'affirmons-nous point avec piété que l'homme est semblable à Dieu selon les Écritures, car il a été dit : « Faisons l'homme à notre image et à notre ressemblance[a] » ? L'homme est donc à l'image et à la ressemblance de Dieu le Père et de Dieu le Fils. Et de quelle sorte d'image il s'agit, les catholiques, interrogés, l'enseigneront. Mais, en ce moment (il est dit que) l'homme est créé à la ressemblance et à l'image de Dieu ; pour autant, il n'est pas déclaré (qu'il y a) ressemblance entre le Père et le Fils. Le fait de dire « notre », en effet, prouve l'égalité, tandis que, dans le mystère, on ne distingue ni de qui est l'image ni de qui est la ressemblance.

---

19. b. Phil. 2,11
20. a. Gen. 1,26

21. De Filio autem nusquam similitudinem repperies. Imaginem autem eum Dei esse Apostolus dicit, sed cum additamento fidei, ne imaginem conformatione sentires. Ait enim : « Qui est imago Dei inuisibilis [a] », ut imago inuisi-
5 bilis Dei, etiam per id quod ipse inuisibilis est, inuisibilis Dei imago esset. Similitudinem uero cum imagine ad Deum homini deputauit, ne ueritatis proprietas existimaretur cui ad imaginem similitudo esset adiuncta. Denique, ubi ad significationem uirtutis aequat et similitudo in Filio de-
10 monstratur operandi, cum profectus uero intellegentiae praedicatur, tum ita dicit : « Omnia quaecumque facit Pater, eadem et Filius facit similiter [b]. » Facere *similiter* parum uisum est nisi eadem fierent quae similia fiebant. Atque ita similitudo faciendi pie demonstrata est in
15 eorundem proprietate factorum. Est autem et *similitudo* in Domino *carnis peccati* [c] *;* sed illi non similitudo carnis est, sed similitudo carnis peccati est, ut quod *in forma Dei* est [d] homo sit, quod autem in *similitudine carnis peccati* est hominis sit similitudo, dum in hominis statura est et extra

---

$B \ C \ \alpha(IMOZ) \ \gamma = \gamma^1(WL) \ \gamma^2(HhU) \ \gamma^3(JEV)$
$\qquad\qquad\quad \varphi = \varphi^1(DT) \ \varphi^2(APX) \ \varphi^3(FRSQ) \ \varphi^4(GN)$

21, 2 eum dei esse $B \ C \ \alpha$: eum esse dei WL dei eum esse *cett.* ‖ dicit : docet SQ ‖ 3 imaginem] + corporalem α ‖ conformatione $B \ \gamma^2 \ J$: -onem $C \ \gamma^1 \ EV \ \varphi$ confirmatione α ‖ 4 imago (inm- I) $B \ IMZ \ L$: imaginem *cett.* ‖ 5 quod : quo $C \ WK \ \gamma^2 \ EV$ φ^4 ‖ 6 imagine : -nem $B \ C^{ac}I \ AP$ ‖ 7 ueritas C^{ac} (-tatis C^{pc}) -tati Z ‖ existimaretur : ex his timaretur C ‖ 9 aequatur $M \ \gamma^1 \ SQ$ aequaetur (- que-Z) IOZ ‖ 11 tum *om.* Z. ‖ dicit : dicitur α ait φ^1 ‖ 13 fierent : fiebant A faceret $h \ \varphi^1 \ PX \ \varphi^3\varphi^4$ ‖ 18 homo : deus α ‖ in similitudine : in -em IMO in -tudo Z ‖ 19 dum in hominis *om.* $\varphi^1 \ X \ S$ ‖ in : in id in I in id MZ ‖ statura $B \ C^1$ $\alpha \ \gamma$ (*praeter* L^{ac}) : uel natura $C^{2sl} \ J^{2sl} \ \varphi(- \varphi^4)$ uel natura seu statura G uel naturalis statura N factura L^{ac}

21. Or, tu ne trouveras nulle part « *ressemblance* » à propos du Fils. L'Apôtre dit qu'il est l'*image* de Dieu, mais avec une addition de foi, pour que tu ne te représentes pas une image d'après un modèle. Il dit en effet : « Lui qui est l'image du Dieu *invisible*[a] », voulant indiquer que le Fils, image du Dieu invisible, par le fait même qu'il est lui-même invisible, est l'image du Dieu invisible. Au contraire, l'Écriture a attribué à l'homme la ressemblance à Dieu avec l'image, pour que celle-ci ne soit pas regardée comme la vraie nature de celui pour qui la ressemblance a été jointe à l'image. Puis, quand l'Écriture recourt à l'égalité à propos de la Puissance et qu'elle montre la similitude d'opération dans le Fils, et que, d'autre part, elle proclame son dire en explicitant la pensée, alors elle s'exprime ainsi : « Tout ce que le Père fait, c'est identiquement ce que le Fils aussi fait semblablement[b]. » Faire *semblablement* aurait paru insuffisant, si n'était fait identiquement ce qui était fait semblablement. Et ainsi la ressemblance d'action est montrée d'une façon orthodoxe dans la nature propre d'actes identiques. Mais il y a aussi dans le Seigneur une « ressemblance de la chair du péché[c] ». Il ne s'agit pas, du reste, d'une (simple) ressemblance de la chair, mais d'une ressemblance de la chair du péché, de sorte que ce qui est « dans la forme de Dieu[d] » est un homme, mais que ce qui existe dans « la ressemblance de la chair du péché » est une ressemblance d'homme, puisqu'il est dans l'état d'homme, mais

---

21. a. Col. 1,15. cf. II Cor. 4,4 ‖ b. Jn 5,19 ‖ c. cf. Rom. 8,3 ‖ d. cf. Phil. 2,6 ‖ e. cf. Gen. ‖ f. cf. Jn 5,18. Phil. 2,6

20 hominis peccatum est. Quae ergo callida religionis tuae
professio est *similem secundum Scripturas Patri Filium*
dicere, cum ad imaginem et similitudinem Dei[e] homo
tantum factus sit ? Quid itaque uerbis fallis ? quid arte
eludis ? cur non *aequalem Deo*[f], hoc enim secundum
25 Scripturas, pie dicis ?

22. Sed uereris ne *aequalem* dicens *innascibilem*
significes ? Sed uerum intellege quod hinc aequalis Deo
esse intellectus est, quia \<patrem\> sibi proprium Deum
professus est esse, et protestari patrem sibi proprium Deum
5 esse[a] natiuitatis demonstratio est. Mihi quidem similitudo,
ne unioni detur occasio, sancta est ; sed tibi a me non
concedenda est, quia aequalem eundem et similem postea
pie fatebor. Similem autem Patri, similem quoque et Deo
religiose praedicabo, similem uero ita ut similitudini hoc
10 dictum semper anteferam : « Ego et Pater unum sumus[b]. »
Tu autem his omnibus contradicis, quia similitudinem
excusatione defendis : negas Filium per natiuitatem, negas
Deum per naturam, negas similem per aequalitatem, negas
uerum per unitatem. Et iam quaero quid ei relinquas
15 similitudinis, cui nihil ad quod filius est proprietatis
inpertias.

B C $\alpha(IMOZ)$ $\gamma = \gamma^1(WL)$ $\gamma^2(HhU)$ $\gamma^3(JEV)$
$\varphi = \varphi^1(DT)$ $\varphi^2(APX)$ $\varphi^3(FRSQ)$ $\varphi^4(GN)$

20 callida C MOZ : -dae B I LE F -de *cett.* ‖ 22 homo *om.* C.
(suppl. int. lin. C^1) ‖ 24 eludes B C^{ac} ‖ quur B C
22, 2 hinc aequalis B C^1 α γ : inaequalis C^2 φ ‖ 3-4 quia – est
om. α ‖ 3 \< patrem \> *coni. Cou.* ‖ 4 et *om.* $\gamma^1\gamma^2$ J ‖ 6-8 sed
... est quia ... fatebor B C α γ : quia ... fatebor sed ... est ~ φ
‖ 9 religiose : pie N ‖ 13 per$_2$ *om.* α ‖ 15 ad] + id α

qu'il est hors du péché de l'homme. Comment donc qualifier la fourberie de ta profession de foi qui prétend que « le Fils est semblable au Père selon les Écritures », alors que c'est seulement l'homme qui a été fait à l'image et à la ressemblance de Dieu[e]. Pourquoi donc ces paroles trompeuses ? Pourquoi cette ruse menteuse pourquoi ne pas dire, d'une façon orthodoxe, que « le Fils est égal à Dieu » ? Car c'est cela qui est conforme aux Écritures.

22. Mais tu crains, en affirmant qu'il est *égal*, de donner au mot le sens d'*innascible*. Comprends, au contraire, qu'en vérité le Christ a été compris comme égal à Dieu par le fait qu'il a déclaré que Dieu était son propre (Père). Or proclamer que Dieu est son propre Père[a], c'est montrer qu'il est né de lui. Pour moi, la « ressemblance », pourvu qu'elle ne donne pas prise à l'unicité, est sainte, mais je ne dois pas te la concéder, car c'est celui que j'aurai reconnu d'abord comme égal, que je reconnaîtrai ensuite de façon orthodoxe comme semblable. Je proclamerai en conscience que celui qui est semblable au Père, celui-là est aussi semblable à Dieu, semblable toutefois d'une façon telle que je fasse toujours précéder le mot « ressemblance » par la parole de l'Écriture : « Le Père et moi, nous sommes un[b]. » Or toi, tu es en désaccord sur tous ces points, car tu emploies de faux prétextes pour la défense du mot « ressemblance » : tu nies que le Christ soit Fils par sa naissance, tu nies qu'il soit Dieu par sa nature, tu nies qu'il soit semblable par son égalité, tu nies qu'il soit véritable par son unité. Voilà pourquoi je demande maintenant ce que tu laisses en fait de ressemblance à celui à qui tu ne donnes en partage rien de ce caractère propre selon lequel il est Fils.

----

22. a. cf. Jn 5,18 ‖ b. Jn 10,30

23. Hoc nunc a te, Constanti, requiro in qua tandem
fide credas. Ego enim nunc perpendo demutationis tuae
tempora, quibus usque in imum blasphemiae tuae baratrum
descendens per gradus praecipites cucurristi. Namque post
5 primam uere fidem synodi Nicaenae, congregato rursum
Antiochiae concilio, fidem tibi renouas. Sed accidit tibi
quod inperitis aedificatoribus, quibus sua semper displicent,
accidere solet, ut semper destruas quod semper aedifices.
Ac ne me iniquum uoluntatis tuae iudicem arguas, quid tibi
10 in eadem Encaeniorum fide displiceat renuntiabo. Ni me
fallit, illud quod tuum est : « Qui generatus est ex Patre,
Deum de Deo, totum de toto, unum de uno, perfectum a
perfecto, regem de rege, inconuertibilem, diuinitatis essen-
tiaeque uirtutis et gloriae incommutabilem imaginem[a]. »
15 His quidem ego, intra Nicaeam scripta a patribus fide
fundatus manensque, non egeo ; sed tamen haec tu emendando rescindis[b] ac sine fidei meae damno tibi requiris

$B \ C \ \alpha(IMOZ)$ $\gamma = \gamma^1(WKL) \ \gamma^2(HhU) \ \gamma^3(JEV)$
$\varphi = \varphi^1(DT) \ \varphi^2(APX) \ \varphi^3(FRSQ) \ \varphi^4(GN)$

23, 2 ego enim : ergo usque *MOZ* ‖ perpendo *J* : per *cett.* ‖ 3
quibus *om. M* ‖ usque *B* α γ^3 : quisque B^{pc} *C* $\gamma^1\gamma^2$ φ ‖ imum :
unum *L H E* φ^1 *AP FSQ* ‖ 4 cucurris *N* ‖ 5 uerae *C E D AX
F* ‖ fidem α : fidei *cett.* ‖ nicaenae *scr. Cou.* (-cenae *JE F* -cene
Q φ^4) : -cini *I* -caeni *B* -ceni *cett.* ‖ 8 accedere *Z* ‖ solent (n
expunct. et cancell.) *B* ‖ aedificas *MOZ* ‖ 9 quid : quod *Z* ‖ 10
encaeniorum *Cou.* (-ce- B^{pc} *C* γ^2 *JV* φ) : encheniorum B^{ac} ingeniorum α nicenorum γ^1 *E* ‖ 10-11 ni me fallit *B* : minime fallit *C*
γ φ nempe α ‖ 11 qui : quod α ‖ 12 a : de *SQ* ‖ 13-14 essentiae
quae *Z* ‖ 15 nicaeam : nicheam γ^3 niciam *B I* ‖ scripta *Cou.*
(-bta *B* C^1) : conscripta C^2 γ φ scriptis α ‖ 16 manensque α :
manens quae (*uel* que) *B C* γ *Q* φ^4 m- quem $\varphi^1\varphi^2$ *FRS* ‖ egeo
coni. Cou. : ego *codd.*

23. Maintenant je te le demande, Constance : selon quel symbole de foi crois-tu enfin ? Car j'examine maintenant les étapes de tes variations, étapes par lesquelles de marche en marche tu es descendu dans une course précipitée jusqu'au fond du gouffre de ton blasphème. En effet, après le premier et authentique symbole de foi du synode de Nicée, tu réunis un nouveau concile à Antioche où tu décides pour toi un nouveau symbole. Mais il t'arrive ce qui arrive d'ordinaire aux bâtisseurs novices qui ne sont jamais contents de leur travail : tu ne cesses de démolir ce que tu ne cesses de bâtir. Et pour que tu ne m'accuses pas d'être un juge inique de tes intentions, je vais t'exposer ce qui te déplaît dans ce même symbole des *Encénies* : sauf erreur, c'est ceci, qui est de toi : « Le Fils est né du Père, Dieu issu de Dieu, Tout tiré du Tout, Un tiré de l'Un, Parfait tiré du Parfait, Roi issu de Roi, incapable de changement, Image immuable de sa Divinité et de son Essence, de sa Puissance et de sa Gloire [a]. » Pour moi, qui m'appuie solidement sur le symbole de foi écrit par les Pères à Nicée et qui y persiste, je n'ai pas besoin de telles déclarations. Mais toi, néanmoins, par des amendements, tu les annules et, sans porter atteinte à ma foi, tu cherches à te procurer

---

23. a. cf. Jn 5,18 ‖ b. Jn 10,30

perfidiae occasionem. Post synodum deinde Serdicensem,
omnem rursum aduersum Fotinum Sirmium catholicae
20 doctrinae tuae conmoues curam. Sed tibi statim hoc quod
utraque fide continebatur exhorret : « Eos autem qui dicunt
de non extantibus esse filium Dei, uel ex alia substantia, et
non ex Deo, et quod erat aliquando tempus aut saeculum
quando non erat, alienos nouit sancta et catholica Ec-
25 clesia. » Tuis ipsis dissides et aduersus tuos hostis rebellas.
Nouis uetera subuertis, noua ipsa rursum innouata emenda-
tione rescindis, emendata autem iterum emendando
condemnas. Suscipis etiam aduersum deliramenta Osii et
incrementa Vrsaci ac Valentis emendationum tuarum dam-
30 nationes. Sed mox emendanda tua omnia esse, uel potius
damnanda constituis ; offenderis enim his paucis inimicissimis tibi uerbis : « Et si qui seniorem temporis Patrem
dicat Filio esse unigenito, iuniorem autem Filium Patri,
anathema sit. »
35

24. Non calumniamur de rescissis, de quibus magis post
Nicaenam synodum institui conquerimur. Nam etiamsi his
omnibus nihil uitiorum subiacere adfirmetur, non tamen
causa religiosae uoluntatis inesset, quia mali meditatio est
5 bonorum demutatio et non necessaria emendatio peruersi-

B C α(IMOZ) γ = γ¹(WKL) γ²(HhU) γ³(JEV)
        φ = φ¹(DT) φ²(APX) φ³(FRSQ) φ⁴(GN)

18 sardicensem *MOZ* γ ‖ 21 utraque *I* : uera *MOZ* utrimque *J*
utrumque *cett.* ‖ 25 hostes α γ¹γ² *V*² ‖ 26 subuertes *B* ‖ 27 scindis
Hh JE φ ‖ 28 hosii *IOZ* ‖ 29 ursaci *B* : -cii (-tii) *cett.* ‖ 30
emendata *Z* ‖ 31-32 paucis inimicissimis : paucissimis *OZ* ‖ 32 et :
ut α ‖ qui *B IM* : quis *cett.* ‖ tempore *MOZ J* ‖ 33 patre *h JE*
φ ‖ 34 an anathema (*ditt.*) *Z*
24, 2 institui : institutis *apud Cou.* ‖ conquerimur *C* γ φ :
conquaerimur *B I* conqueri *MOZ* ‖ his : in his α et his *K* ‖ 3
adfirmetur : adseritur *Z*

une occasion d'infidélité. Puis, après le synode de Sardique, tu te soucies encore beaucoup de ta doctrine catholique à Sirmium, contre Photin. Mais aussitôt, le contenu de la profession de foi de ces deux synodes te fait horreur : « Ceux qui affirment que le Fils de Dieu tire son existence du néant ou qu'il est tiré d'une autre substance et non pas de Dieu, ou qu'il y eut jadis un temps ou un siècle où il n'existait pas, ceux-là, la sainte Église catholique les tient pour excommuniés. » Tu te sépares de tes amis eux-mêmes et tu te dresses en ennemi contre les tiens. Tu renverses les traditions par des innovations, tu annules à nouveau ces innovations mêmes par des amendements renouvelés, mais par ces amendements tu les condamnes en les amendant à nouveau. Tu prends même à ton compte, face aux divagations d'Ossius et aux amplifications d'Ursace et de Valens, des condamnations de tes amendements. Mais bientôt tu décides d'amender tout ce que tu as fait ou plutôt de le condamner. Car tu achoppes sur ces quelques mots, tes pires ennemis : « Si quelqu'un dit que le Père est plus ancien que son Fils unique, mais que le Fils est plus jeune que le Père, qu'il soit anathème. »

24. Nous ne portons pas d'accusations mensongères sur des annulations dont nous déplorons l'accroissement depuis le synode de Nicée. Car, même si l'on établit que toutes ces formules ne recouvrent rien de défectueux, elles ne seraient pas pour autant inspirées par une volonté croyante, car c'est projeter le mal que de changer les bonnes définitions, et un amendement qui n'est pas indispensable

tatis occasio est. Taceo cur nostra apud Nicaeam a patribus
gesta rescindis : non enim cum his tibi conuenit. Hoc
tantum quaero cur tua damnas. *Fidem enim unam et unum
baptismum*[a] Apostolus praedicat : iam quicquid apud te
10 praeter fidem unam est, perfidia non fides est. Nam qui
fidem emendando condemnas, damnationem fidei esse
constituis, dum apud te aboletur per alteram quae per
alteram rursus abolenda est.

25. Cuius enim tu exinde episcopi manum innocentem
reliquisti ? Quam linguam non ad falsiloquium coegisti ?
Quod cor non ad damnationem anterioris sententiae demutasti ? Damnare *omousion* decernis antiquitatis fidem et
5 pietatis securitatem. Anathematizari *omoeousion* ab his
ipsis a quibus usurpatum est constituisti : quod tamen etsi
nobis ad fidem otiosum est, tamen rescindentibus fidei
suae damnatio est. Damnas quoque et *substantiae*[a] nomen,
quo te et Serdicensi synodo et Sirmiensi pium esse
10 Occidentalibus mentiebaris : quod tamen prophetica aucto-
ritate susceptum fidei intellegentiam continebat. Omne
itaque quod probatum antea est damnare iubes ; quod

B C α(IMOZ) γ = γ¹*(WKL)* γ²*(HhU)* γ³*(JEV)*
                φ = φ¹*(DT)* φ²*(APX)* φ³*(FRSQ)* φ⁴*(GN)*

6 quur *B* ‖ aput *B C*¹ ‖ nicaeam (-ceam) : niciam *B* nicenam *HU*
AP ‖ 8 quaero *MOZ* quero *I* γ¹ *G* querar *B C* γ² *V* queror *JE*
φ (-*G*) ‖ quur *B* ‖ tuam α ‖ 9 baptisma *MOZ* (*Vulg.*) ‖ quiquid
Z ‖ aput *B* ‖ 12 aput *B*
   25, 1 te *Z* ‖ 4 homo usion *Z* ‖ 5 anathematizari *B C MOZ* :
anathemizari *I* anathemare *N* anathema *cett.* ‖ 7 otiosum (- cio-*Z*)
MZ : ociusum *IO* uitiosum (uic-) *cett.* ‖ resindentibus *Z* ‖ 8
substantia *C*ᵃᶜ ‖ 9 quod *IOZ* ‖ sirmience *Z* ‖ 10-11 auct- proph-
~ *Z* ‖ 11 continebant *Z* ‖ 12 est antea ~ φ¹ *X G*

est un prétexte à dévier du droit chemin. Je passe sous silence le motif qui te pousse à détruire nos formules de foi, œuvre des Pères à Nicée : c'est bien que tu n'es pas d'accord avec eux. Je me borne à te demander pourquoi tu condamnes ton œuvre. Car l'Apôtre prêche « une seule foi et un seul baptême[a] ». Dès lors, tout ce qui chez toi est en dehors de l'unique foi est infidélité et non foi. En effet, toi qui condamnes la foi en l'amendant, tu décides la condamnation de la foi, puisque chez toi une foi est abolie par une autre, qui à son tour doit être abolie par une autre.

25. De quel évêque, depuis lors, as-tu laissé la main innocente ? Quelle langue n'as-tu pas contrainte au mensonge ? Quel cœur n'as-tu pas détourné pour lui faire condamner son opinion antérieure ? Tu décrètes la condamnation de l'*homoousios*, qui est la foi des anciens et l'appui sûr de l'orthodoxie. Tu as décidé de faire anathématiser l'*homoïousios* par ceux-là mêmes qui se prévalaient de cette formule, ce qui, quoique inutile pour notre foi, n'en est pas moins une condamnation de leur foi, pour ceux qui la rétractent. Tu condamnes également le nom de *substance*[a], par lequel, aux synodes de Sardique et de Sirmium, tu te donnais de faux airs de piété aux yeux des Occidentaux. Et pourtant, ce mot qui est admis par l'autorité des Prophètes, contenait la juste intelligence de la foi. En conséquence, tout ce qui a été précédemment approuvé, tu le fais condamner, et ce qui a toujours été

---

24. a. Éphés. 4,5
25. a. cf. Hébr. 1,3 ‖

inprobatum semper est sanctificare conpellis. O tu sceleste
qui ludibrium de Ecclesia facis ! Soli canes ad uomitum
15 suum redeunt[b] ; tu sacerdotes Christi resorbere ea quae
expuerant coegisti. Probare eos id in se confessionibus suis
praecipis quod ante damnauerant : in negando reos suos
absoluunt et se ipsos reos reddunt. Omnia in inpietatem et
in reatum detrusisti, dum omnes reos se esse atque inpios,
20 aut ex praesentibus statuunt aut ex praeteritis confitentur.
Non recipit mendacium ueritas, nec patitur religio inpietatem.

26. Christianum te loqueris, sed quam non sis ipse
testaris, nec professioni tuae gesta conueniunt. Substrauisti
enim uoluntati tuae Orientales episcopos, neque solum
uoluntati tuae, sed et uiolentiae. Mandas tibi subscriptiones
5 Afrorum, quibus blasphemiam Vrsaci et Valentis condem-
nauerant, reddi. Renitentibus comminaris et postremum ad
diripiendos mittis. Quid ? Existimas Christum non nisi per
litteram[a] iudicare et ad arguendam uoluntatem egere
cartula Deum ? aut quod semel scriptum est et per te

$B\ C\ \alpha(IMOZ)\ \gamma\ =\ \gamma^1(WKL)\ \gamma^2(HhU)\ \gamma^3(JEV)$
$\qquad\qquad\quad \varphi\ =\ \varphi^1(DT)\ \varphi^2(APX)\ \varphi^3(FRSQ)\ \varphi^4(GN)$

13 est simper ~ Z ‖ sanctificare α : -ari *cett.* ‖ conpelles B ‖ 14
qui : quod γ φ ‖ ludibrium : delubrum α ‖ 16 expauerant Z ‖ in
se : in h JE φ ‖ 18 absolbunt B ‖ 18-19 et in : et Hh JE φ ‖
detruxisti (- sisti Z^pc) MZ destruxisti S
26, 1 loqueris] + et praedicas α V ‖ quam : quia Z ‖ 3 enim
] + fidem N ‖ uoluptati I ‖ 3-4 orientales – tuae B α : *om.* C γ
φ ‖ 5 blasphemiam C² φ : -mia B C^ac I WK H¹h E¹V¹ -mias
MOZ L H²U JE²V² ‖ ursatii Z ‖ 7 non *om.* Z ‖ 11 abolere α ‖
et quidem te : equidem te h J φ te quidem α ‖ in *om.* Z

désapprouvé tu obliges à le tenir pour sacré. O scélérat, qui fais de l'Église un objet de risée ! Seuls les chiens retournent à leurs vomissures [b] : toi, tu as contraint les évêques du Christ à ravaler ce qu'ils avaient recraché. Tu leur fais approuver contre eux-mêmes par leurs professions de foi ce qu'ils avaient précédemment condamné : par ce reniement ils dégagent la culpabilité de ceux qu'ils accusaient et se rendent eux-mêmes coupables. Tu as tout précipité dans l'impiété et la culpabilité, car tous se rendent coupables et impies par suite de leur conduite présente, ou avouent qu'ils le sont par suite de leur conduite passée. La vérité n'admet pas le mensonge, la religion ne souffre pas l'impiété.

26. Tu te dis chrétien, mais tu témoignes personnellement à quel point tu ne l'es pas, et tes actes ne s'accordent pas avec ta profession de foi. En effet, tu as écrasé sous ta volonté les évêques orientaux, et non pas seulement sous ta volonté, mais aussi sous ta violence. Tu réclames les signatures des évêques africains qui avaient condamné le blasphème d'Ursace et de Valens. Comme ils résistent, tu les menaces, et finalement, tu envoies des gens pour les arracher. Eh quoi ! penses-tu que le Christ ne juge que sur la lettre [a] et que Dieu ait besoin d'un morceau de papier pour mettre en lumière la volonté d'un homme ? ou que ce qui a été une fois écrit et que tu as arraché

---

25. b. cf. Prov. 26,11. II Pierre 2,22
26. a. cf. Rom. 2,29 ; 7,6. II Cor. 3,6

10 uiolenter abreptum, id de conscientia posse diuinae potestatis aboleri ? Sequentur et quidem te in cineres [b] cartulae,
sed criminosorum apud Deum uiuent damnationes. Vnum
tantum proficis ut posteritas, quid decernere in eos debeat,
instructa sit timendo.

15

27. Et o quantis ad inpietatem proficis incrementis ! Et
ceteri quidem mortales semper cum uiuis bella gesserunt,
dum homini ad hominem ultra mortem nihil causae est ;
tibi uero inimicitiarum nullus est finis. Receptos enim iam
5 in aeternam quietem patres nostros lacessis et in decreta
eorum peruersus inrumpis. Apostolus *communicare* nos
sanctorum memoriis [a] docuit ; tu eas damnare coegisti.
Estne aliquis hodie aut uiuus aut mortuus cuius tu non
dicta rescideris ? Episcopatus ipsos qui nunc uidentur
10 sustulisti penitus, quia nemo non iam per se damnatus est
et eum, a quo sacerdotium sumpsit, non iam et ipse
damnauit. Cui nunc *sanctorum memoriae communicabitur ?*
Anathema tibi trecenti decem et octo conuenientes apud
Nicaeam episcopi sunt. Anathema deinde omnes qui uariis
15 exinde expositionibus adfuerunt. Ipse quoque pridem iam
mortuus anathema tibi pater tuus est, cui Nicaena synodus

B C α(IMOZ) γ = γ¹(WKL) γ²(HhU) γ³(JEV)
φ = φ¹(DT) φ²(APX) φ³(FRSQ) φ⁴(GN)

27, 1 et o : eo C^{ac} et φ ‖ 3 morte Z ‖ 5 quietem : patriam φ³
(quietem $F^2R^2Q^2$) ‖ 8-9 dicta non ~ Z ‖ 9 rescinderis I rescindis
MOZ ‖ episcopatos Z ‖ 11 et₂ : se MOZ ‖ 12 communicatur S ‖
13 CCCXVIII Z ‖ 13-14 aput niciam B ‖ 15 positionibus α ‖ 16
pater tuus *ante* pridem *transp.* γ

de force puisse être effacé de la pensée de la puissance divine ? Oui, les papiers seront réduits en cendre [b] après toi, mais les condamnations des coupables resteront vivantes auprès de Dieu. Le seul profit que tu retires, c'est que la postérité apprenne en tremblant le décret qu'elle doit porter contre eux.

27. Et quels progrès dans ta marche vers l'impiété ! Les autres mortels en vérité n'ont jamais fait la guerre qu'aux vivants, puisque, d'homme à homme, il n'y a plus de contentieux au-delà de la mort ; mais tes haines à toi n'ont point de fin. Bien que déjà reçus dans l'éternel repos, nos pères sont par toi harcelés, et ta malice s'acharne contre leurs décrets. L'Apôtre nous a enseigné à nous associer aux souvenirs des saints : toi, tu nous as contraints à les condamner. Existe-t-il aujourd'hui un vivant ou un mort dont tu n'aies détruit les paroles ? Même les sièges épiscopaux qui paraissent encore subsister, tu les as complètement anéantis, puisqu'il n'y a plus d'évêque qui ne se soit condamné lui-même et qui n'ait condamné celui qui lui a conféré l'épiscopat. Au souvenir de quels saints sera-t-on maintenant associé ? Anathèmes à tes yeux, les trois cent-dix-huit évêques réunis à Nicée. Anathèmes ensuite, tous ceux qui, depuis lors, ont participé aux diverses définitions de la foi. Et ton père lui-même, mort depuis longtemps déjà, est pour toi anathème, lui qui avait pris à cœur ce synode de Nicée que toi, tu déshonores

---

26. b. cf. Job. 34,15. Ez. 28,18. II Pierre 2,6
27. a. Rom. 12,13

fuit curae, quam tu falsis opinionibus infamatam perturbas
et contra humanum diuinumque iudicium cum paucis
satellitibus tuis profanus inpugnas. Sed non licet tibi nunc
20 regno potenti etiam in posterum praeiudicare. Extant enim
litterae, quibus id quod tu criminosum putas, pie tunc esse
susceptum docetur. Audi uerborum sanctam intellegentiam,
audi Ecclesiae inpertubatam constitutionem, audi patris tui
professam fidem, audi humanae spei confidentem securi-
25 tatem, audi hereticae damnationis publicum sensum, et
intellege te diuinae religionis hostem et inimicum memoriis
sanctorum et paternae pietatis rebellem.

B C $\alpha(IMOZ)$ γ = $\gamma^1(WKL)$ $\gamma^2(HhU)$ $\gamma^3(JEV)$
φ = $\varphi^1(DT)$ $\varphi^2(APX)$ $\varphi^3(FRSQ)$ $\varphi^4(GN)$

27, 17 curae quam : quur aquam α ‖ 18 iuditium Z ‖ cum *om.*
α ‖ 19 profanus α V^2 : profanis *cett.* ‖ 20 regno potenti etiam :
regni potentiam α ‖ posterum B C α : postremo γ φ ‖ existant N
‖ 21 putas : pietas Z^r ‖ 22 doceor MOZ ‖ 24 paternae pietatis
rebellem B C^1 φ : rebellem paternae pietatis heredem α *supra*
pietatis *inter lineas* heredem *add.* C^2 *inde* paternae pietatis heredem
rebellem γ ‖ rebellem] + explicit liber in Constantium B C^1 *addunt*
etiam iidem incipit (+ liber C^1) eiusdem ad Constantium. Benignifica
B C^1 *Ceteri codd.*, *id est* α C^2 γ φ, *finem subdititium addunt* ;
in mg. tamen obseruant « additum ex L. II de Trin.» *WU* « de 2°
libro sumpta sunt» P N(ota) N *Post finem subdititium* (« ... in
Dei rebus ignarus ») *iidem ceteri addunt* (*cf., sis, supra, codd.*
descriptionem) : 1° *suscriptionem praecedentis solam IMOZ* C^2 ;
2° *suscriptionem praecedentis et inscriptionem sequentis* V DT $(A)X$
S GN ; 3° *inscriptionem sequentis solam* WK HhU JE FRQ ;
4° *neutram earum* L (*nota* P *centum lineis mutilum esse*).

et ruines totalement par tes idées erronées, que tu attaques avec impiété, au mépris du jugement des hommes et de Dieu, avec une poignée de tes satellites. Mais tu n'as pas le droit, malgré le pouvoir impérial dont maintenant tu es le maître, de préjuger encore de l'avenir. Car il reste des lettres qui montrent qu'on a reçu comme orthodoxe ce que tu juges condamnable. Entends le sens sacré de leurs paroles, entends l'immuable constitution de l'Église, entends la foi professée par ton père, entends la confiante sécurité de l'espérance humaine, entends la conscience du peuple qui condamne l'hérésie, et comprends que tu es l'adversaire de la religion divine, l'ennemi du souvenir des saints et un insurgé contre l'orthodoxie de ton père.

Notes sur l'*In Constantium*

Les renvois sont établis sur les lignes du texte latin

1,1. Tempus est. L'exorde est un centon de citations bibliques groupées autour du thème central du *Livre contre l'empereur Constance* : il faut dénoncer l'*homéisme* (proclamé à Rimini en 359), hérésie majeure parce qu'elle nie la divinité du Christ. Hilaire se veut « guetteur » qui élève la voix pour signaler le péril. Il combat en Constance un nouvel Antichrist.

1,2. obtinuit. *Obtinere,* employé absolument, signifie « prévaloir, l'emporter, triompher ». Il appartient surtout à la langue juridique. Cf. *TLL s.u.* Quant à *expectetur,* on peut avantageusement le traduire par « attendons-nous », comme le faisait M.N.S. Guillon, (dans son *Cours d'éloquence sacrée,* IIe P., t. VII, Paris 1828). Hilaire croit à un avènement prochain du Christ en voyant le triomphe de l'Antichrist. Dans un contexte semblable, Cyprien, *epist.* 58, 7, 1, écrit : *Venit antichristus, sed superuenit Christus.* « L'Antéchrist vient, mais après lui vient le Christ ». (Trad. Bayard, « Les Belles Lettres », Paris 1961, p. 165).

1,5. saeuiens. La plupart des auteurs anciens et la *Vulgate* portent *rugiens.* On trouve *saeuiens,* chez Hilaire, Cassiodore, Grégoire le Grand, cf. en *I Pierre* 5,8 *Vetus Latina* (Thièle), *ad loc.* Dans les citations scripturaires, le texte d'Hilaire est souvent différent de celui de la *V.L.* Il est possible que notre auteur ait utilisé une ancienne version latine qui nous est inconnue. Notons l'emploi du verbe *saeuire* au ch. 7 : *contra Ecclesiam saeuis.* Cf. Cypr., *Epist.* 58, 7, 1.

1,5. per has uoces. Le *per has uoces* est assez obscur. A. Blaise (*Saint Hilaire de Poitiers,* Namur 1964, p. 111) traduit : « En disant cela, sortons pour courir au martyre... »

G. Giamberardini (*S. Ilario di Poitiers,* Cairo 1956, p. 199) écrit : « Offriamo il martirio per salvare codeste pecorelle. » Il suppose la version : *per has oues,* qui ne se lit dans aucun manuscrit. Les autres traducteurs omettent le membre de phrase, sauf Guillon (*op. cit.*), qui écrit « avec ces paroles à la bouche », c'est-à-dire, pensons-nous, les citations scripturaires qui précèdent.

1,6. angelum lucis. Sur ce travestissement de Satan en ange lumineux, voir les remarques de J. Fontaine, *Sulpice Sévère - Vie de Saint Martin,* 24, 4, *SC* 135, p. 1022-1028 et B. Studer, *Zu einer Teufelserscheinung in der Vita Martini des Sulpicius Severus,* dans *Oikouménè,* Univ. di Catania 1964, p. 351-404.

1,7. ianuam. Les mss anciens de la V.L. se partagent entre *ianuam* et *ostium.* C'est ce dernier qu'a retenu la Vulgate.

1,8. probati. L'allusion à l'épreuve des justes est fréquente dans la Bible. Outre les références indiquées dans notre apparat scripturaire, on peut signaler *Prov.* 17,3. *Mal.* 3,3. Voir aussi les commentaires de Tertullien, notamment *Praescr.* IV, 6 : *Et ideo haereses quoque oportebat esse, ut probabiles quique manifestarentur.* Ce passage a pu inspirer Hilaire. Autres références aux œuvres de Tertullien dans *SC* 46, p. 93, n.3.

1,14. scalpentes. Dans cette citation de *II Tim.* 4,3, la forme *scalpentes aures* (*scalp.* se rapportant à *magistros*) est propre à Cyprien et à Hilaire. Cf. Hil., *De Trin.* X,2, *CCL* 62A, p. 459,5 (v. également 460,32). La plupart des mss postérieurs du *De Trin.* et deux des plus anciens ont glissé à *prurientes* de Vulg. sans toutefois passer au datif *auribus.* Chez Cypr., *Test. III,* 67, *CSEL III,* 1, p. 169, l'expression est bien attestée – cinq mss contre un – ; on se demande pourquoi Hartel ne l'a pas acceptée.

1,21. potestates. En *Lc* 12,11, deux des mss de *V.L.* portent : *et ad principes et potestates :* les autres avec la *Vulg.* : *et ad magistratus et potestates.* Cf. *Éphés.* 6,12 : *aduersus principes et potestates* (*Vulg.*). Deux passages parallèles : *Matth.* 10,18 et *Lc* 21,12 ont : *reges* et *praesides.*

Hilaire s'écarte donc, là encore, des autres versions latines. « Quant au mot *potestates* (en grec τὰς ἐξουσίας), il ne paraît pas avoir été employé au pluriel en dehors du N.T. ; nous disons tout à fait de même les " autorités " ». (M.-J. LAGRANGE, *Évangile selon S. Luc,* Paris 1952⁴, p. 356, note).

1,25. occidere. *Occidere in gehennam.* CYPRIEN aussi emploie dans la citation le mot *occidere,* cf. *Epist.* 58,7, *CSEL* III, 2, p. 663,2.

2,1. Ego fratres. Pour les événements évoqués dans ce ch. 2, cf. *Introd.*, ch. I, p. 35 s.

2,2. testes sunt. Hilaire a présenté sa justification devant les évêques des Gaules au cours des « nombreux conciles » (qu'il réunit à son retour d'exil, à partir de l'été 360. (Cf. SULPICE SÉVÈRE, *Chronic.* II, 45). Les amis d'Hilaire étaient peut-être Servais de Tongres et Phébade d'Agen qui avaient si bien résisté aux pressions des ariens, à Rimini. Nous ne connaissons pas les noms des autres évêques des Gaules, sauf les hérétiques Saturnin d'Arles et Paterne de Périgueux.

2,3. Longe antea... quinto abhinc anno. Ces deux notations chronologiques ne semblent pas se recouvrir. Le sens du texte serait le suivant : « si j'ai excommunié, il y a plus de quatre ans de cela, Saturnin, Ursace et Valens, c'est que je pressentais de longue date le péril que courait la foi. » Ainsi l'hérésie arienne aurait été connue d'Hilaire bien avant le synode de Milan (355) à la suite duquel eut lieu l'excommunication des évêques hérétiques. Et il aurait prévu la menace qu'elle faisait peser sur la foi des évêques des Gaules. Or cette connaissance ne peut guère remonter au-delà de 353, date probable du synode d'Arles (exil de Paulin), où pour la première fois semble-t-il, les évêques des Gaules eurent à se prononcer pour ou contre Athanase, pour ou contre la « foi de Nicée », c'est-à-dire le *consubstantiel* (ὁμοούσιος). Dans ce cas, l'expression *longe antea* est bien hyperbolique, puisqu'elle ne représente que deux années. Mais il y a plus grave ! Hilaire affirme, dans le *De Synodis,* 91, « qu'il n'a jamais entendu parler de la foi de Nicée si ce n'est à la veille de son exil ». Par conséquent, le *longe antea* s'amenuise encore. Il ne faut donc pas prendre à la lettre ce qui est une exagération d'orateur.

2,4. Paulini. Paulin, evêque de Trèves, probablement après S. Maximin († 12 sept. 349), est convoqué au synode d'Arles à la fin de 353. Comme il refuse de condamner Athanase, il est exilé en Phrygie où il meurt quatre ou cinq ans après, en tout cas avant les synodes de Rimini et de Séleucie (359). Cf. Hilaire, *Fragm. Hist.* I,6 ; *Ad Const. I*, 8 ; *In Const.* 11. Sulp. Sév, *Chron.* II,45.

2,4. Eusebi. Eusèbe, évêque de Verceil, convoqué au synode de Milan en 355, résiste à Constance. Relégué d'abord à Scythopolis, en Palestine, où il subit les vexations de l'évêque arien Patrophile, il est transféré en Cappadoce, puis en Égypte. Amnistié par l'empereur Julien en 362, il se rend au synode d'Alexandrie, sur l'invitation d'Athanase, puis à Antioche. De là, il vient en Illyrie, puis en Italie où il reprend possession de son siège à Verceil. Il y meurt le 1er août 371. Cf. Athanase, *Hist. Arian.* 34 ; Hilaire, *Fragm. Hist.* XI, 5 ; Libère, *Epist. ad Euseb. Vercell.* Ambroise, *Epist.* 63 ; Jérôme, *De viris inl.* 96 ; Rufin, *H.E.* I, 30, 31 ; Épiphane, *Haeres.* 30,5 ; Socrate, *H.E.* III, 9 ; Eusèbe de Verceil, *Epist.* 2.

Luciferi. Lucifer, évêque de Cagliari (Calaris) est exilé en même temps qu'Eusèbe et pour le même motif. Relégué d'abord en Cappadoce, il est transféré ensuite à Germanicia en Célésyrie où il est persécuté par l'évêque arien Eudoxe. On le retrouve plus tard à Éleuthéropolis en Palestine où il est persécuté par les évêques ariens Eutychius, puis son successeur Turbo. Enfin, il est relégué en Thébaïde Seconde. Amnistié par Julien, il refuse d'aller au synode d'Alexandrie (362), mais il se rend à Antioche où il ordonne Paulin évêque de cette ville. Revenu en Sardaigne, il rejette les décrets du synode d'Alexandrie et rompt la communion avec Rome, créant la secte des Lucifériens. Il meurt vers la fin de 370 ou au début de 371.

Dionisi. Denis, évêque de Milan, exilé en même temps qu'Eusèbe et Lucifer, fut relégué en Cappadoce ou en Arménie, où il mourut avant 362. Ambroise parle plusieurs fois de son glorieux prédécesseur v.g. *Sermo contra Auxentium* 18 ; *Epist.* 63, 68 et 70. Cf. G. Bardy, dans *Catholicisme,*

t. 3, col. 617 (1952) ; R. Van Doren, dans *DHGE* t. 14, col. 263 (1960).

2,5. Saturnini. Saturnin devient évêque d'Arles probablement après le synode de cette ville (fin 353), puisqu'on ne l'y voit point paraître. En 355, il est présent à Milan, aux côtés des évêques ariens. Excommunié par les évêques des Gaules à la fin de cette même année, il se venge en faisant exiler Hilaire de Poitiers et Rhodanius de Toulouse, au synode de Béziers en 356. Nous le retrouvons avec Ursace et Valens à Rimini, puis à Constantinople où il refuse d'être confronté avec Hilaire. Au synode de Paris (fin 360 ou début 361), il est de nouveau excommunié et déposé. On ne sait ce qu'il est devenu par la suite. Cf. Hil., *De Syn.* 3 : *Ad Const.* II, 2 ; *In Const.,* 2 ; *Fragm. Hist.* XI, 4. Sulp. Sév. *Chron.* II, 40, 45.

Ursaci et Valentis. Ursace et Valens furent les chefs de l'arianisme en Occident de 335 à 370. Valens, évêque de Mursa (Eszeg) et Ursace, évêque de Singidunum (Belgrade) s'acharnèrent contre Athanase durant tout le règne de Constance II dont ils furent les « conseillers ecclésiastiques » à partir de 351. Ils furent présents aux principaux synodes : à Tyr en 335, à Sardique en 343, à Milan en 347, à Sirmium en 351, à Arles en 353, à Milan en 355, à Sirmium en 357 et 358, à Rimini en 359. Leur influence déclina à la mort de l'empereur Constance (361). On perd leur trace à partir de 370, après leur condamnation au concile de Rome, sous le pontificat de Damase. Cf. la notice de J.-M. Szymusiak, *SC* 56, p. 189 et la thèse de M. Meslin, *Les Ariens d'Occident,* 355-430, p. 71-84.

2,7. consortibus. Au sens juridique, l'adjectif *consors* signifie : « qui partage le patrimoine, cohéritier ou qui vit en communauté de biens, copropriétaire (en qualité de frère, sœur, parent) ». En un sens plus large, *consors,* appliqué à des sujets personnels, se traduit par « associé, compagnon, partisan », parfois « complice », mais avec un complément de chose. La construction avec un complément de personne *consortibus eorum* est tout à fait insolite. Les exemples en sont fort rares. (*TLL, s.u.*) Néanmoins la signification du texte d'Hilaire reste claire. Cf. Doignon, *Hilaire...* p. 434, n. 6 et p. 459, n. 2.

2,8-9. fetida...membra. Cf. *Didascalie ou Doctrine des douze apôtres*, II, 41, 7 (*Const. apost.* t. I, *SC* 320, 1985, p. 274). « Mais si le chancre continue à grandir malgré les cautérisations, examine quel est le membre atteint. Alors, avec d'autres médecins, tu tiendras conseil et, après avoir longuement réfléchi, tu couperas ce membre putride pour qu'il ne corrompe pas tout le corps » (traduction C. Vogel, *Le pécheur et la pénitence dans l'Église ancienne*, Paris 1966, p. 75).

2,10.18-19. Confessor Christi, confessio Christi. « Confesseur du Christ, confession du Christ ». Confesser le Christ, c'est proclamer qu'il est Seigneur et Dieu, au péril de sa vie. Le *confesseur* devient *martyr* s'il périt dans les tourments. Cf. H.A.M. HOPPENBROUWERS, *Recherches sur la terminologie du martyre de Tertullien à Lactance*, dans *Latinitas Christianorum Primaeua*, fasc. 15, Nimègue 1961.

2,23. antichristi synagoga. Le texte de l'*Apocalypse* est *synagoga satanae*. Pour renforcer l'antithèse avec *Christi ecclesiam*, Hilaire écrit *antichristi synagoga*.

2,26. orationis domus. Maison de prière. Sur cette appellation, cf. G.J.M. BARTELINK, « " Maison de prière " comme dénomination de l'église en tant qu'édifice, en particulier chez Eusèbe de Césarée », dans *REG* 84, 1971, p. 101 s.

2,28. paenitentiam. Comme il arrive souvent, *paenitentia*, désigne la vertu de pénitence, le regret du péché, mais aussi les actes de la pénitence canonique que devaient accomplir les pécheurs publics avant leur réconciliation avec l'Église : aveu des péchés à l'évêque, prières, jeûnes. Voir C. VOGEL, *op. cit. supra* 2,8.

3,11-12. debere non taceam. Cf. CYPR. *Demetr.* 2, *CSEL* 3, p. 352.

4,1. utinam. Plus tard, le disciple d'Hilaire, Martin de Tours, regrettera lui aussi, au soir de sa vie, de n'avoir pu verser son sang pour le Christ. Son biographe, Sulpice Sévère, s'inspire visiblement de ce passage dans la deuxième lettre adressée au diacre Aurèle, 2, 9-10. Cf. J. FONTAINE, *Sulpice*

Sévère, Vie de saint Martin, t. I, 1967, *SC* 133, p. 328, 330 et t. III, 1969, *SC* 135, p. 1218-1229.

4,6. Domini et Dei. L'expression *Dominus et Deus* est inhabituelle dans le N.T. où l'on trouve *Deus et Dominus* dans les épîtres de Paul et *Dominus Deus* dans l'Apocalypse. Domitien se fit appeler « Seigneur et Dieu » jusque dans les actes de chancellerie. Cf. SUET., *Dom. 13,4.* A la suite de TERTULLIEN (*Apol.* 34,1 ; 35,1), Hilaire réserve l'appellation « Seigneur et Dieu » au seul Jésus Christ.

4,7. calens. Faisant allusion à *Rom.* 12,11, Hilaire emploie *calens* au lieu de *feruens.*

4,8. desectum Esaiam. L'écrit apocryphe du 1ᵉʳ siècle av. J.-C., *le Martyre d'Isaïe,* est à l'origine de cette légende dont se souvient l'*Épître aux Hébreux,* 11,37.

4,9. meminissem. Cf. CYPR., *Epist.* 58, 5, 1 ; 67, 8, 2. HIL., *De Trin.* 10,45.

4,14. absolutos. Hilaire emploie très souvent le mot *absolutus,* soit au sens d'« achevé, parfait » (*De Trin.* IV, 16 : *absoluta et perfecta confessio* ; XII, 2 : *uera atque absoluta... natiuitas*), soit au sens de « clair, manifeste » (*De Trin.* IV,1 ; X, 57...). Cf. *Cod. Iust.* 4,39,1 : *certum et absolutum est.* C'est le second sens que nous avons ici.

4,14-15. felix certamen. « Un combat heureux », c'est-à-dire « victorieux ». J.-M. SZYMUSIAK, *SC* 56, p. 47, traduit très justement : « Mon combat eût été un triomphe ». Tous les autres traducteurs écrivent, comme LARGENT, *S. Hilaire,* p. 79 : « Ce m'eût été un bonheur de combattre ». Ainsi, Gorini, Griffe, Blaise. Cf. LIV. 38, 51,7 : *bene ac feliciter pugnaui.* 27, 45, 8 : *felix pugna.*

5,7. auro occidit. Il est hors de doute que l'or de Constance a joué un rôle dans certaines défections d'évêques, témoin le « dialogue de l'empereur Constance et de Libère pape de Rome », conservé par THÉODORET (*H.E.* II, 16, *PG* 82, 1033 C). Libère accuse les évêques qui ont condamné sans jugement Athanase d'avoir préféré les *présents* du prince à la gloire de Dieu.

5,9. ut dominetur. Aux synodes d'Arles, de Milan, de Rimini, l'empereur interdit toute discussion sous peine d'exil. Mais il savait également user de flatterie. LUCIFER DE CAGLIARI accuse Constance d'employer tour à tour la séduction et la terreur, *De sancto Athanasio* II, 11, *CSEL* 14, p. 167, comme ce fut le cas pour briser la résistance du vieil Ossius de Cordoue, selon ATHANASE, (*Hist. Arian. ad mon.* 43, *PG* 25, 744).

5,11. sacerdotes onerat. Cela signifie que Constance charge d'honneurs les évêques en tant que revêtus du sacerdoce. Mais il voudrait les cantonner dans leurs fonctions culturelles et les empêcher d'exercer leurs fonctions de chefs de communautés et, par là, de s'opposer à la politique impériale qui prétend intervenir dans les questions de foi.

5,12. tecta struit. Selon THÉODORET (*H.E.* III, 12 = *PG* 82, 1100D), Constantin et Constance avaient donné aux églises de magnifiques vases sacrés. Nous savons aussi que Constance avait réuni à Antioche en 341 le synode des *Encénies,* à l'occasion de la dédicace de l'église d'or qu'il avait fait construire. Cf. LUCIFER, *De non parcendo...* 27 (*CSEL* 14, p. 268). Le texte fait peut-être allusion à la construction de Sainte-Sophie à Constantinople.

6,2. Veritatis. La majuscule suggère qu'il s'agit du Christ qui s'est proclamé « la Vérité » (*Jn* 14,6). De même, plus loin, ch. 12, 9. Cf. P. ANTIN, *Propos d'Hilaire à Martin,* dans *Actes du Colloque de Poitiers,* Paris 1969, p. 105.

6,11. perdis. La construction : *perdere aliquem de aliqua re,* inconnue de la langue classique, est usuelle en latin chrétien. Cf. *Ps.* 33,17 ; *ut perdat de terra memoriam eorum ; Prov.* 2,22 : *impii de terra perdentur.*

6,18. torquebit. Les deux citations de II *Macc.* 7,9. 16-17 sont légèrement différentes de la *Vulgate.* Pour la seconde, le texte d'Hilaire est presque identique à celui de LUCIFER, *De non parc.* 21 (*CSEL* 14, p. 255) sauf *habens* et *ipsius.* Lucifer : *habes* et *illius.* Aucune des versions latines ne traduit littéralement le texte grec de la Septante : εἰς αἰώνιον ἀναβίωσιν ζωῆς.

6,23. **reconciliabitur servis suis.** Curieusement Hilaire attribue à la mère les paroles de son septième fils. Cette erreur provient peut-être d'une distraction. Hilaire s'inspire de Lucifer. Il omet la longue citation de la mère, mais il n'a pas pris garde au changement d'interlocuteur, indiqué par la petite phrase : *Cum haec illa dixisset, ait adolescens : Quem sustinetis ? non oboedio...* etc. Comme Lucifer, Hilaire écrit : *nobis uiuis,* en addition au texte des *LXX,* et de *Vulg.* La majorité des mss porte : *recordabitur,* mais nous préférons la leçon : *reconciliabitur* qui est celle de α γ[3], de Lucifer et de *Vulg.* en conformité avec *LXX* : καταλλαγήσεται. D'ailleurs, *recordari* avec un dat.-abl. n'est pas attesté. Texte de LUCIFER, *op. cit.* 22 (*CSEL* 14, p. 258).

7,2. **Decius et Maximianus.** Hilaire a déjà nommé Dèce et Néron (ch. 4), comme types de persécuteurs. On attendrait ici Dioclétien et non Maximien. Étonnés du fait, des traducteurs : LARGENT, LABRIOLLE, GRIFFE, écrivent : « Maximin », et GORINI : « Maxence ». Mais tous les mss portent : *Maximianus.* Aucune correction textuelle ne s'impose. Hilaire, suivant LACTANCE, fait de Galère l'instigateur de la grande persécution de 303-304 et l'appelle *Maximianus,* jamais *Galerius* (*C. Galerius Valerius Maximianus*). Cf. EUSÈBE, *Hist. eccl.* L. VIII-*appendice, SC* 55, p. 41 ; LACTANCE, *De Mortibus persecutorum,* IX, 1 ; X, 6, *SC* 39, p. 87, 89, 255. Chez AMMIEN MARCELLIN (25, 7, 9), *Maximianus* désigne Galère.

7,3. **contra deum pugnas.** Le thème de *théomachos* est traditionnel dans la littérature antique, profane et biblique. Cf. J. MOREAU, *Lactance. De la mort des persécuteurs, SC* 39, p. 60-64.

7,5-6. **tibi a me atque illis.** Il faut « relier *tibi atque illis* ». Le datif complément de *communis* est classique. *Socius* est suivi du datif seulement chez les poètes et les auteurs chrétiens. *Socius* a souvent le sens péjoratif de « complice », cf. TERT. *Apol.* 2, 4, 7. Quant à la tournure *a me,* elle suppose un verbe sous-entendu, v.g. *dicta.* Cf. HIL. *Ad. Const. II*, 3.

7,8. **antichristum...mysteria.** Hilaire applique à Constance ce que LACTANCE disait de Néron (*De mort. pers.* II, 8).

LUCIFER DE CAGLIARI a des expressions semblables (*De non parc.* 6, *CSEL* 14, p. 220). S. Paul a inspiré la seconde partie de la phrase : *II Cor.* 11, 13-15, et surtout II *Thess.* 2,7. Hilaire emploie *arcanorum* au lieu d'*iniquitatis*. (ἀνομίας).

7,9. fides contra fidem. L'opposition *fides* (au sg.), « règle de foi » immuable et *fides* (au pl.), « formulaires de foi » proposés dans les multiples synodes, est fréquente dans les œuvres d'Hilaire. Voir *De Syn.* 84 ; *De Trin.* XI,1 ; *Ad Const. II,* 4. Hilaire s'explique sur ce point, *C. Const.* ch. 24.

7,10. profanorum...piorum. Ces gén. pl. sont, croyons-nous, des neutres et non des masculins, comme plus haut : *tyrannus non iam humanorum sed diuinorum.* Le *TLL* (*s.u. doctor* col. 1780) propose l'explication suivante : *profana doces, ignarus pietatis.* Il semble que *profana* ne désigne pas ici les « matières profanes », mais les « doctrines impies » c'est-à-dire hérétiques. Nous avons modifié la ponctuation de *PL* 10, 583 B, car les mots : *doctor profanorum es, indoctus piorum* constituent l'explication de *condis fides, contra fidem uiuens.*

7,10. episcopatus. Le mot *episcopatus* (employé au pluriel ici) désigne la « dignité » ou la « charge épiscopale » donnée à plusieurs plutôt que les « sièges épiscopaux » (LARGENT), les « évêchés » (GORINI, GRIFFE). Hilaire fait allusion aux nombreuses dépositions et promotions d'évêques à la suite des conciles de Rimini et Séleucie. SOZOMÈNE (*H.E.* IV, 24, *PG* 67, 1189-1193) nous en donne la liste. Voir aussi ATHANASE, *Hist. Arian. ad mon.,* 72, *PG* 25, 780. LUCIFER, *De non parc.* 27, *CSEL* 14, p. 268. Cf. *C. Const.*, ch. 15.

7,12. synodos. Hilaire fait allusion au synode de Séleucie présidé par le questeur du sacré palais Léonas (*C. Const.*, ch. 12) et à celui de Rimini présidé par le préfet du prétoire Taurus. Ce tableau des épreuves subies par les évêques d'Occident à Rimini est confirmé par SULPICE SÉVÈRE, *Chron.* II, 41-44 ; JÉRÔME, *Aduers. Lucif.* 17-18.

7,16. dissensiones...nutris. Hilaire fait allusion ici aux discordes attisées en Orient, notamment à Antioche, Alexandrie et Constantinople. Sous le règne de Constance, les sièges épiscopaux furent disputés par plusieurs prétendants qui s'excommuniaient mutuellement.

7,17. ueterum turbator es, profanus nouorum es doit être expliqué par ce que dit notre auteur au ch. 16. Constance refuse le mot *innascibilis* « parce qu'il est nouveau » : *quia nouum est.* Mais il décrète l'emploi du mot *similis.* Or c'est aussi « une nouveauté, une innovation » : *nouitas.* Au ch. 23, Hilaire oppose *uetera* et *noua* c'est-à-dire « ce qui est ancien, traditionnel » et « ce qui est nouveau, révolutionnaire », le second terme étant le plus souvent péjoratif chez les Latins. Ainsi, pour les chrétiens *uetus* = *uerus*, parce que c'est la tradition qui se réclame des apôtres, et *nouus* = *impius.* Cependant, il y a des *nouitates* légitimes comme l'affirme Hilaire au ch. 16, en se référant à S. Paul (I *Tim.* 6,20). Cette question a été très bien exposée par J.-Cl. FREDOUILLE, *Tertullien et la conversion de la culture antique,* Paris 1972, p. 235-300. Quant à l'adjectif *profanus,* il équivaut à *indoctus, imperitus.* Cf. MACR., *Somn. Scip.* 1,18 : *litterarum profani.*

7,19-20. sine martyrio persequeris. Hilaire a déjà évoqué cette persécution qui ne fait pas de martyrs, mais produit des apostats. Cf. ch. 5. Il y reviendra au ch. 8.

8,5. cernuntur. Sur l'omission accidentelle par *PL* 10,584 des mots = *dum admirationum opera cernuntur* voir A. WILMART, *R.B.* 24, 1907, p. 149. Le gén. *admirationum* équivaut à un adjectif épithète. Dans la phrase, la conjonction *dum* a le sens causal. Voir A. BLAISE, *Manuel du latin chrétien* § 281 p. 160-161 ; ERNOUT-THOMAS, *Syntaxe latine* § 347 p. 349-350.

8,9-10. incremento fidei. Des miracles de ce genre abondent dans les « Passions » des martyrs. Voir ceux que cite *PL* 10, 584, note *j.*

8,18. excludas...martyrium. Cf. TERT., *Praescr.* 4,5 (*SC* 46 p. 93) – CYPR., *Laps.,* 13 (*CSEL* 3, p. 246).

8,19. pater tuus. Le « père » de Constance est évidemment le diable. *Contumacia* signifie « révolte », « opposition ». Constance vainc sans qu'on se révolte contre lui, sans qu'on lui résiste.

9,2-3. fallax...nomen. Cf. ch. 8 : *subrepis nomine,* « tu l'insinues à la faveur de ton nom ». Constance n'était pas encore baptisé en 360. Il reçut le baptême à son lit de mort (3 nov. 361), des mains de l'évêque arien d'Antioche, Euzoïus.

9,6-7. diuinae, dominicae, paternae. Nous traduisons ces adjectifs par les noms correspondants, soit : Dieu, le Seigneur, le Père. « Professer le Nom », c'est proclamer sa foi en la Personne du Christ Seigneur, et en même temps accomplir la volonté du Père. Le Père et le Fils ne doivent pas être séparés dans cet hommage du croyant, car le Christ n'est pas le « fils adoptif » (cf. ligne 13, *adoptionis nomina*), mais le « Fils Unique ». Hilaire développe cette doctrine dans la deuxième partie de l'*In Const.* 16-27.

9,15. patres tui. Il s'agit des persécuteurs déjà cités : Néron, Dèce, Maximien.

9,17. ut mendax sit. En niant que le Christ soit le « Fils bien-aimé », Constance convainc le Père de mensonge, puisqu'il professe une chose impossible, c'est-à-dire que Dieu est Père et qu'Il a un Fils. En somme, affirmer que le Christ n'est que le fils adoptif de Dieu, c'est nier à la fois le Père et le Fils, c'est être proprement l'Antichrist, selon I *Jn* 2,22 : *Hic est Antichristus qui negat Patrem et Filium.*

9,22. arguis professionem. Hilaire conclut le raisonnement précédent. Le Christ a dit *vrai* en proclamant son unité de nature avec le Père (*Jn* 10,30,38 ; 16,15). Le Père a *déclaré* que le Christ est son « Fils bien-aimé » (*Matth.* 3,17). Dans l'*In Const.* 18, *professio* a aussi le sens de « déclaration ».

10,1. emendationem rappelle 9,20 *emendas*. Quant au gén. *falsitatis,* il équivaut à un adjectif. Voir plus haut, 7,7 *arcanorum mysteria,* 8,5 *admirationum opera.* Pour le sens de : *ad intellegendum te,* voir 8,19 *sine intellegentia.*

10,11. auro reipublicae. Selon Hilaire, Constance aurait enrichi les églises chrétiennes (*sanctum Dei*) avec les dépouilles des temples païens. C'est probable. D'après LIBANIOS, en effet, Constance aurait aggravé les mesures prises par Constantin contre les temples des dieux, « Son père avait dépouillé les dieux de leurs richesses ; lui, il rasa les temples, abolit tous les rites sacrés et se donna à qui ? Nous le savons. »

Texte cité par P. de LABRIOLLE, dans l'Histoire de l'Église (Fliche-Martin) t. 3, p. 182. Au dire de SOZOMÈNE, *H.E.* V, 5, (*PG* 67, 1228 B), Julien « enleva aux églises leurs ressources, leurs offrandes votives (τὰ ἀναθήματα) et leurs vases sacrés et contraignit ceux qui avaient démoli les temples, sous le règne de Constantin et de Constance, à les rebâtir et à payer la dépense. » En cas de refus, les évêques et les clercs étaient torturés et jetés en prison. Même remarque dans AMMIEN MARCELLIN, (22, 4, 3) : Julien exerça des reprises sur nombre de *palatini* « gavés de dépouilles des temples ». Sous Constance, les temples auraient donc été spoliés au profit des églises. L. DUCHESNE (*Hist. anc. de l'Égl.* t. 2, p. 324) peut écrire avec raison : « Bien des municipalités avaient commencé à détruire les temples ; leurs dotations en biens fonds et leur mobilier avaient été ou confisqués par l'État ou aliénés par les curies. » Mais Hilaire, au lieu de louer Constance, lui fait grief de ses largesses. Car, dira-t-il un peu plus loin, c'est « pour inciter les chrétiens à l'apostasie ». L'insinuation est injuste et partiale. Cf. R. KLEIN, *Constantius II und die christliche Kirche* (Coll. : *Impulse der Forschung, Bd 26),* Darmstadt, 1977.

10,16. censum capitum. Il s'agit de l'impôt personnel, *caput,* par opposition à *iugum,* impôt foncier. *Capita* est traduit par « unités imposables ». Voir E. GALLETIER, *Panégyriques latins,* t. II (éd. « Les Belles Lettres ») Paris 1952, p. 82 et la bibliographie n. 2.

10,18-19. quae tua sunt relaxas. Le Code Théodosien contient plusieurs mesures en faveur du clergé ; en particulier, une loi du 23 juin 318 autorise le dessaisissement des tribunaux ordinaires au profit de la juridiction épiscopale. (*Cod. Theod.* I, 27, 1). C'est ainsi que l'empereur « cède ses propres droits ». Nous savons que Constance promulgua des lois accordant aux clercs des exemptions d'impôts en 359-360. (*Cod. Theod.* XVI, 2, 15). Cf. note de COUSTANT (*PL* 10. 587 *b*). Mais Hilaire paraît encore noircir les intentions de Constance.

11,7. frontibus scriptos. Il n'est pas nécessaire de supposer, comme le fait COUSTANT (*PL* 10, 588 *d*), que Constance aurait restauré la coutume barbare, abolie par Constantin, de marquer au front les hommes condamnés aux mines. Le texte suggère un autre sens. Ce n'est pas le *front* des condamnés qui porte l'inscription diffamatoire, mais le *fronton* des églises où est affichée la liste des condamnés. Le mot *titulus* a bien ce sens d'*inscription*. (Cf. *Mc* 15,26 ; *Jn* 19,19-20).

11,7. metallicae damnationis. Que des évêques aient été victimes d'une telle peine, Lucifer de Cagliari nous l'affirme clairement, (*Moriendum esse...* 3, *CSEL* 14, p. 288-289). De même, Athanase, (*Hist. Arian. ad mon.* 60, *PG* 25, 765) nous apprend que le sous-diacre Eutychios fut envoyé aux mines de Phaeno, en Palestine. Beaucoup de martyrs y avaient laissé la vie dans la grande persécution de 303-304. (Cf. Eusèbe, *H.E.* 1. VIII, 12,10 ; 13,5). Mais nous ne pouvons dire le nombre et les noms des victimes sous Constance II.

11,12. ne ab Athanasio. Les violences exercées contre les fidèles d'Alexandrie sont bien connues par les écrits d'Athanase. Hilaire a sans doute lu l'*Apologie à Constance* et l'*Apologie de la fuite,* peut-être aussi l'*Histoire des Ariens*. D'autre part, il a certainement recueilli lors du synode de Séleucie les témoignages de ses collègues d'Égypte (*C. Const.*, 12,9). Parmi les « ducs » qui se distinguèrent par leurs atrocités, Athanase nomme Syrianus (*Apol. ad Const.* 25, *SC* 56, p. 115-116 ; *Apol. de fuga sua* 24, *SC* 56, p. 162-163 ; *Hist. Arian.* 48, *PG* 25, 752), et Sebastianus (*Apol. de fuga sua* 6, *SC* 56, p. 139-140 ; *Hist. Arian.* 59, *PG* 25-764). Quand Hilaire écrit que la guerre contre les Perses dura moins longtemps que les vexations infligées au peuple d'Alexandrie, il exagère à peine. Sans doute la guerre contre Sapor II se prolongea durant un quart de siècle (338-363). Mais chaque exil d'Athanase (il en subit cinq de 335 à 366 !) fut le signal de soulèvements, en sa faveur, du peuple fidèle et, par contre-coup, de répressions brutales de la part des préfets d'Égypte et des « ducs ». Cf. Lucifer, *Moriendum esse...* 2.

11,14. terror aut bellum. L'empereur n'est sans doute pas toujours intervenu dans les compétitions qui opposèrent les évêques en plusieurs villes d'Orient. Mais les soldats aidaient les intrus à chasser les évêques légitimes, à Ancyre, à Constantinople, à Jérusalem, à Antioche et en d'autres villes. Pendant ses années d'exil en Phrygie, Hilaire connut toutes ces intrigues et fut témoin du mouvement incessant des troupes.

11,17. mihi licuit. Hilaire fait allusion aux synodes d'Arles, de Milan, de Béziers, de Sirmium, de Rimini. (Cf. *Introd.*, ch. 1er). Les mots : *fugere sub Nerone mihi licuit* ne visent nullement une fuite réelle d'Hilaire hors de Constantinople en janvier 360. Sur cette question, voir Y.-M. DUVAL, « *La " manœuvre frauduleuse " de Rimini* », dans *Actes du Colloque de Poitiers*, Paris 1969, p. 52, n. 3.

11,17. Paulinum. Sur Paulin, voir note **2,4** *supra* et *Introd.* p. 63. l'expression : *beatae passionis uirum*, « ce héros à la passion bienheureuse » met en évidence la gloire qui auréole le martyr fidèle au Christ jusqu'à la mort. « Alors que *confessio* et *martyrium* désignent le martyre sous tous ses aspects, *passio* met surtout l'accent sur la phase finale, la mort, et désigne en particulier l'aboutissement du martyre. » HOPPENBROUWERS, *Recherches sur la terminologie du martyre de Tertullien à Lactance*, dans *Latinitas Christianorum Primaeva*, fasc. 15, Nimègue, 1961, p. 117. Les mots : *extra christianum nomen* sont bien expliqués par COUSTANT, *PL* 10, 588 *h* : « C'était trop peu pour Constance d'avoir exilé Paulin parmi les Phrygiens (où sévissait les sectateurs de Montan et de Maximille), il le fit encore chasser hors du nom chrétien, c'est-à-dire chez les barbares ». Mais nous ignorons en quelle contrée. Il s'agit peut-être des brigands d'Isaurie dont le comte Lauricius dut repousser les incursions en 359, pour assurer la sécurité du synode de Séleucie. G. SABBAH, (*Amm. Marc. Hist.* t. II, Livres XVII-XIX, « Les Belles Lettres », Paris 1970, p. 224) écrit que « la présence d'un duc assimile l'Isaurie à une région frontière ». Livrer Paulin aux brigands d'Isaurie, c'était en quelque sorte le « reléguer hors des frontières du nom chrétien ». L'expression *panem profanatum*, « pain profané », désigne un pain souillé par l'hérésie de Montan.

11,24. terrore turbasti. Evocation probable des incidents du synode tenu à Milan en 355. Cf. *Ad Const. I*, 8 (*CSEL* 65, p. 187). Les mots *sancta sanctorum* désignent la partie la plus vénérée du temple de Jérusalem où seul pénétrait le grand-prêtre, une fois par an, au grand jour des Expiations. (*Ex.* 26,34 ; *Hébr.* 9,3). Par extension, ils désignent la partie réservée au clergé, c'est-à-dire le chœur où se trouve l'autel (*altarium*, pour *altare*, en latin chrétien). Cf. Conc. Tvron. II, cap. 4 (Mansi 9, c. 793). Cf *supra* ch. 10 : *sanctum Dei oneras*, où *sanctum* désigne l'église chrétienne (édifice). Ici *sacerdotes* désigne à la fois l'évêque de Milan, Denis, et son clergé, son *presbyterium*. La dernière phrase : *concorporatos Christo a Christo discidisti* évoque la division introduite parmi les chrétiens de Milan par suite de l'arrivée d'Auxence, l'évêque intrus, à la place de l'évêque légitime. Hilaire a écrit ailleurs (*De syn.* 4) les violences qui accompagnaient l'installation des intrus. Ambroise (*De Spiritu Sancto,* 3, 10, 59, *CSEL* 79, p. 174) nous dit que son prédécesseur Auxence ne put être intronisé que sous la protection de l'armée.

11,30-31. illinc episcopum. Sur l'affaire Libère, cf. *Introd.* p. 61-62. L'enlèvement du pape de Rome en 355 s'accompagna de violences contre ses clercs fidèles, le prêtre Eutrope et le diacre Hilaire. Voir le récit dramatique qu'en fait Athanase, *Hist. Arian.* 35-41, (*PG* 25, 733-741).

11,35. christum manus. Hilaire parle à demi-mot, non pas d'une profanation du Corps du Christ dans l'Eucharistie, comme le pensait Coustant (*PL* 10,589 *d*), mais des violences subies par l'oint du Seigneur » (*Christum*), le martyr Rhodanius, et il se fait ainsi comprendre des évêques et des clercs (*sanctissimi*). Dans une autre interprétation, on pourrait faire du martyr l'image du Christ. Mais le titre de *christus* est appliqué, dans la Bible aux rois et aux grands prêtres (cf. I *Sam.* 24,7). Il est meilleur de se rallier à l'opinion de J. Doignon, « " Christ " ou " Oint " » ? Un vocable biblique appliqué par Hilaire de Poitiers à l'évêque Rhodanius de Toulouse » dans *R.H.E* LXXII (1977), n° 2, p. 317-326. – Sur le sens de *sanctissimi*, cf. A.P.R. Bastiaensen, *Le cérémonial épistolaire des chrétiens latins* (Graecitas et latinitas christianorum, Suppl. 2) Nimègue 1964, p. 28. La correction *sancti* de Coustant ne s'impose donc pas.

11,36. ouis es. Le développement, commencé au ch. 10 et illustré par des faits au ch. 11, est conclu ici en deux courtes phrases antithétiques. Le texte de *Matthieu* 7,15 sur les faux prophètes déguisés en brebis alimente beaucoup de commentaires patristiques. Tertullien, *Praescr.* 4,2-5, *SC* 46, p. 92,93). Lucifer (*Moriendum esse...* 11, *CSEL* 14, p. 306).

12,1. conscientiae publicae. Le datif d'intérêt avec un verbe passif se comporte comme un complément d'agent, dès l'époque impériale, même à l'*infectum*. Voir ERNOUT-THOMAS, *Synt. lat.* p. 74-75 ; BLAISE, *Manuel du latin chrétien*, p. 87-88. Il n'est donc pas nécessaire de corriger par un ablatif (*conscientia*), comme le fait COUSTANT (*PL* 10,590 A). Hilaire ne prétend pas révéler un secret. Les actes du synode de Séleucie étaient connus du grand public. Mais il insiste sur des faits dont il fut le témoin oculaire.

12,5. recordatur. Il y a une allusion au baptême dans les expressions : « renoncer au diable » et « renaître à la vie ». Cf. HIPPOLYTE DE ROME, *La tradition apostolique*, 21, (SC 11 bis, p. 82).

12,12. omoeousion. Nous avons gardé l'orthographe de la majorité des manuscrits qui transcrivent les mots grecs avec le maximum de fidélité. Le premier iota d'ὁμοιούσιον est seulement remplacé par *e*, dans *omoeousion* et *anomoeousion*. Dans *omousion* (14,4 et 16,9), il y a une contraction (pour *omoousion*).

12,15. Alexandrinum hereticum. Il s'agit de Georges de Cappadoce, évêque intrus d'Alexandrie. Cet ancien receveur d'une ferme du trésor est ordonné prêtre, puis il est fait évêque par le concile hérétique d'Antioche le 24 février 357. Il vient s'installer comme évêque d'Alexandrie, à la place d'Athanase exilé, avec l'appui du duc Sebastianus. Ses exactions provoquent des soulèvements populaires. Le 2 octobre 358, il doit quitter Alexandrie. Il y revient après la mort de Constance le 26 novembre 361, mais il est massacré par le peuple, un mois plus tard. ATHANASE parle plusieurs fois de ce triste personnage, v.g. *Apol. ad Const* 31 ; *Hist. Arian.* 48,51. Au synode de Séleucie, il siège avec les anoméens.

12,16. Leona comite.Léonas était questeur du sacré palais (*quaestor sacri palatii*). Cf. A.H.M. JONES, *The later roman Empire 284-602*, Oxford 1964, vol. I, p. 118. Représentant l'empereur Constance, il présidait le synode de Séleucie, assisté par Lauricius, chef militaire de la province d'Isaurie (*comes rei militaris*). Léonas est appelé « comte » par Hilaire. Le titre de *comes* est, en effet, accordé à de hauts fonctionnaires, parmi lesquels les membres du Conseil de l'Empire (*comites consistoriani*), dont fait partie le « questeur du sacré palais ». Voir, G. HUMBERT, art. *comes*, dans *DAGR*, t. I, p. 1372. AMMIEN MARCELLIN, (20,9,4-8) raconte l'ambassade de Léonas près de Julien en 360. Sur son rôle à Séleucie, lire le récit de L. DUCHESNE, *Hist. anc. de l'Égl.* t. 2, p. 300-302.

13,2-3. episcopo Antiochiae. Selon THÉODORET (*H.E.* 23, *PG* 82, 1068 A), Eudoxe, évêque d'Antioche, soutenait les blasphèmes d'Aèce. Déposé par la majorité homéousienne en octobre 359 à Séleucie, il vint en ambassade à Constantinople et gagna la faveur de l'empereur qui le nomma évêque de cette ville à la place de Macédonius déposé et exilé (27 Janvier 360). LUCIFER (*Moriendum esse...* 11, *CSEL* 14, p. 306) parle aussi du « blasphème » d'Eudoxe (qu'il surnomme Adoxe), mais sans préciser ses propos. Cf. M. MESLIN, *Les Ariens d'Occident*, p. 122.

13,7-8. naturalis machinula. Hilaire est seul à rapporter les paroles scandaleuses de l'évêque d'Antioche. L. DUCHESNE, (*Hist. anc. de l'Égl.* t. 2, p. 287) ne traduit que les premiers mots. Il ajoute en note : « Le reste ne peut se traduire en français ». Il vise évidemment le caractère réaliste du propos. Mais l'idée, sinon les mots, est déjà dans la *Thalie* d'Arius. Cf. E. BOULARAND, *L'hérésie d'Arius et la « foi de Nicée »*, 1ʳᵉ Partie, p. 55.

13,14. cognitus filio sit. Ces mots sont une parodie des textes évangéliques sur la connaissance réciproque du Père et du Fils et un écho des paroles d'Arius. Cf. *De Trin.* IV, 2 : *Non secundum naturas corporales de Deo sentire credamur*. Plus tard, AMBROISE (*De fide ad Gratianum* 12,78, *CSEL* 78, p. 34) réfutera les ariens et défendra cette génération du Verbe en la rapprochant de la maternité virginale de Marie.

14,10. dissimilitudinem. Hilaire reprend, mais traduits en latin, les mots grecs employés au ch. 12 et au début de ce même ch. 14. Cependant, il semble répugner à l'emploi du mot *anomoïousion* (12, 18), qu'il remplace plus volontiers par son équivalent latin, *dissimilitudo*. Cf. aussi 23, 20 : *ex alia substantia*.

14,20. **natus esset**. Pour l'explication de ce passage, voir *Introd.* ch. II, p. 80 s. C'est la doctrine d'Eunome. Né en Cappadoce vers 335 (Cf. GRÉGOIRE DE NYSSE, *Orat. contra Eun.*, I, *PG* 45,260), Eunome fut disciple d'Aèce qu'il rejoignit à Antioche, puis à Alexandrie (fin 356). Revenu à Antioche pour le synode de 358, il y fut ordonné diacre par l'évêque Eudoxe. Ses opinions hérétiques le firent condamner au synode d'Ancyre et lui valurent d'être exilé par Constance. Protégé par Eudoxe à Séleucie (359) et à Constantinople (360), il devint même évêque de Cyzique à la place d'Éleusius. Mais il démissionna au bout de quelques mois et l'évêque légitime, Éleusius, put reprendre son siège. Quant à Eunome, il retourna dans sa patrie. Son activité de chef de parti se prolongea jusqu'à sa mort vers 395. Voir X. LE BACHELET, *art. Eunomius*, dans *DTC* 5, 1913, 1501-1514 ; M. SPANNEUT, *art. Eunomius*, dans *DHGE* 15, Paris 1963, 1399-1405. BASILE DE CÉSARÉE, *Contre Eunome* (*SC* 299 et 305), 1983.

14,21. **donec cum**. Forme attestée dans tous les manuscrits, semble un compromis entre la forme archaïque *donicum* et la forme classique *donec*. Voir aussi *Hil. in Matth.* 12,10 ; 17,3 (*SC* 254, p. 276 ; in Ps 131,5, *CSEL* 22, 664, etc. 258, p. 64).

15,12. **muniuit**. Le préfet du prétoire d'Orient est, depuis l'été 358, Hermogénès. Cf. AMM. MARC. 19, 12 ; 6 ; SOZ. *H.E.* IV, 24, *PG* 67, 1189 C. Sur les nombreuses dépositions d'évêques en janvier 360, lire les détails dans SOZ. *H.E.* IV, 24.

16,20. **excluditur**. Le même argument *ad hominem* avait été utilisé par HILAIRE, *De Synodis* 81. Seulement, ici, ce n'est plus l'*homoïousios* qui est imposé par Constance, mais le simple *homoïos* ou *similitudo*.

17,3. **Christum Deo**. Tous les manuscrits ont *aequalem Christum Deum*, ce qui peut s'entendre : « le Christ (qui est) Dieu est égal (au Père) ». Ainsi traduit A. BLAISE, *Saint-Hilaire...* p. 121. Mais en corrigeant *Deum* en *Deo*, on rejoint le texte de *Jn* 5,18 cité aussitôt après par Hilaire *aequalem se faciens Deo* qui fonde toute sa démonstration sur cette expression scripturaire.

17,8-9. sibi patrem. Hilaire emploie *sibi patrem* pour *patrem suum* (*Jn* 5,18). Au ch. 22, il écrira *patrem sibi proprium*, dans le même sens.

18,3. neque unio. Le mot *unio* a un sens particulier chez Hilaire. Il désigne « l'unicité de personne » ou erreur sabellienne. Au contraire, *unitas* désigne « l'unité de substance » (dans la trinité des personnes). Cf. P. SMULDERS, *La doctrine trinitaire de S. Hilaire de Poitiers*, p. 122 (Rome 1944) et la note de P. COUSTANT, à *De Trin.* IV, 42, *PL* 10, 128. Le mot *diuersitas* désigne la « diversité » c'est-à-dire la « différence de nature ».

18,15. aequalitatis instruere. Cf. *De Synodis* 72 : Non est *aequalitas in dissimilibus, nec similitudo intra unum*, et les observations de P. SMULDERS, *op. cit.*, p. 231-235. Évidemment, nous sommes au cœur du Mystère de la Trinité. Du moins, Hilaire démontre que ce n'est pas absurde, contradictoire, irrationnel, de joindre ces deux affirmations : deux sujets égaux ayant une seule nature. Cf. *De Trin.* XI, 12 ; XII, 18. « ... Si le Verbe est engendré, comment peut-il être éternel ? et s'il est dépendant du Père, comment peut-être son égal ? Voilà les Ariens deux fois triomphants. Mais avant de rien examiner, Hilaire de Poitiers leur répond qu'il vaut mieux se fier à la Parole divine qu'aux raisonnements de l'astuce humaine. La naissance éternelle du Verbe au sein de Dieu comme sa qualité de Fils à la fois égal et soumis au Père sont pour lui des mystères de foi, dont il ne s'étonne pas de ne pas posséder d'emblée la clé dans sa raison. » H. DE LUBAC, *Le mystère du surnaturel*, Paris 1965, p. 211-212.

20,1-2. Paleis... subponis. Saluons ces rares métaphores ! Hilaire se souvient sans doute des auteurs classiques qu'il a fréquentés dans sa jeunesse, v.g. VIRGILE, *Enéide* IV, 236-237 ; VII, 108-110 ; HORACE, *Épode* 2, 35-36.

20,8. Dei filii est. L'homme est à la ressemblance des deux Personnes à la fois, c'est-à-dire de leur unique Nature.

20,13. in sacramento. Il faut rapprocher le mot *sacramentum* de ses synonymes *mysterium, dispensatio*. Hilaire fait un emploi très fréquent de ces mots, v.g. *De Trin.*, VII, 26-27 ; IX, 53-56 ; 62-63. Le mot *sacramentum* revient près de 250 fois dans le *De Trinitate*, le plus souvent au sens de « mystère ». Ici, le contexte montre qu'il s'agit du mystère de la création, mystère des paroles divines lors de la création de l'homme.

21,1. De Filio. Ce chapitre, au style extrêmement elliptique, est difficile à rendre. La tradition manuscrite montre d'ailleurs que les copistes aussi ont eu de la peine à suivre le style d'Hilaire. On constatera que nous nous sommes écarté plusieurs fois du texte de P. Coustant (*PL* 10, 596-597).

21,3. additamento fidei. Cette « addition de foi » est l'adjectif « invisible » que l'Apôtre accole au mot « image ». Mais, comme le remarque P. Coustant (*PL*, 10, 596 note *h*), c'est aussi toute la suite du texte de *Col.* 1,15, qui démontre la transcendance du Christ, supérieur à tout l'ordre créé.

21,3. conformatione. Le sens du mot *conformatio* (= *forma*) est difficile à préciser. Les mss. du groupe α ajoutent *corporalem* à *imagimem*. Cette interpolation, nous paraît trop matérialisante. L'adj. « figuratif » devrait, plus discrètement, rendre le sens du texte.

21,7. ueritatis proprietas. Le génitif *ueritatis* est un génitif de qualité ayant le sens d'un adjectif ; *ueritatis proprietas* = *uera proprietas*. Cf. ERNOUT-THOMAS, *Syntaxe latine*, p. 46 ; A. BLAISE, *Manuel du latin chrétien*, p. 82.

21,9. ad significationem uirtutis. Phrase énigmatique que P. Coustant explique assez bien, mais en modifiant les mots du texte (*PL* 10, 597 note b). *Ad significationem uirtutis* = *ad significandam uirtutem*. Quel est le sens de *uirtus* ? « Pour Hilaire et d'autres contemporains, le mot *uirtus* ne signifie pas seulement la puissance agissante, mais encore et en premier lieu la racine de celle-ci, la puissance et l'intensité d'être, ce que nous appellerions la nature ou l'essence. Le nœud de cette ressemblance parfaite se trouve précisément en ce que le Fils est Dieu » (P. SMULDERS, *Eusèbe d'Émèse comme source du « De Trinitate » d'Hilaire de Poitiers*, dans *Actes du Colloque de Poitiers*, Paris 1969, p. 198). Nous exprimons cela en mettant une majuscule à Puissance. En réalité, Hilaire se réfère à plusieurs textes du N.T. où *uirtus* désigne la puissance divine qui s'exerce dans la nature humaine du Christ, v.g. *Mc* 5,30, *Lc*, 6-19. Paul dit clairement que le Christ est « la puissance de Dieu et la sagesse de Dieu » *I Cor*. 1,25. Nous pensons, avec Coustant, que *profectus intellegentiae* a le même sens qu'*incrementum intellegentiae* du ch. 18.

21,12-15. **Facere... factorum**. Sens : l'égalité de puissance du Père et du Fils est démontrée, non seulement par une ressemblance d'action (ou d'opération), *similitudo faciendi* (ou *operandi*), mais par l'identité des actes : *eadem... facit, eadem fierent*. Ils font les mêmes actes d'une manière semblable. Une théologie postérieure dirait que les opérations *ad extra* sont l'œuvre de la Nature divine ou l'œuvre commune des trois Personnes. – Dans le texte : *uisum est* équivaut à un conditionnel. Cf. ERNOUT-THOMAS, *Syntaxe latine*, § 264 et 265, et p. 247-249. *Pie*, comme *religiose* (ch. 22) signifie : « conformément à la piété ou à la foi ou à la religion, d'une façon orthodoxe ». Les mots *pietas, fides, religio* sont à peu près synonymes dans *C. Const*. Voir l'Index, *infra*.

21,18. **homo sit**. La variante des mss de la famille α : *deus* pour *homo* peut venir d'un scrupule théologique ou d'une courte vue de copiste, mais ne se justifie pas. Hilaire affirme que le Christ, tout en restant *in forma Dei*, est un « homme » véritable et non une apparence d'homme. En revanche, il n'a qu'une « ressemblance de la chair de péché » ou mieux, d'humanité pécheresse. Le génitif *peccati* équivaut à l'adj. *peccatrix* ; cf. ch. 1 : *angelus lucis ; spiritus erroris* ; ch. 8 *admirationum opera*.

21,20. **religionis tuae professio**. Pour l'expression, comparer LUCIFER, *De sancto Athanasio* II, 38, *CSEL* 14, p. 134.

21,23-24. **arte eludis**. Expression analogue dans ATHANASE, *Oratio II contra Arianos* 19, *PG* 26,185.

22,3. < **patrem** >. Avec Coustant (*PL* 10, 597 *note g*), il faut lire : *quia patrem sibi proprium*. Le mot < patrem > aura sans doute été omis à cause de celui de la ligne suivante.

Quant au mot *proprium* pour *suum*, voir l'explication donnée
par HILAIRE, *De Trinitate*, VI, 45, *PL* 10, 194. Cf. *supra*,
n. 17,8-9.

22,5. detur occasio. *Occasio* = prétexte ; cf. 16,17 ; 24,5.
Ce mot est toujours associé à « l'hérésie ». Le mot *unio*
« unicité » (de personne) désigne l'hérésie de Sabellius. Cf.
supra, n. 18,3.

23,2. perpendo. « J'examine ». On voit par l'apparat critique que ce mot est une conjecture de J. (ms. de Salzbourg
XI/XIIe s.), car tous les autres mss portent *per*. Ce *per* n'était
peut-être, dans le texte authentique, qu'une préposition se
rapportant à *tempora*. De toute façon, il faut un verbe à la
première personne. Coustant, qui ne connaissait pas J, conser-
vait *per* à sa place, mais proposait de remplacer *ego* par
pergo. La conjecture de J, à défaut du texte authentique,
nous paraît acceptable. – Ici, la corruption du texte des deux
groupes de mss permet clairement, avec d'autres fautes
communes à B et α, fautes ordinairement corrigées par C
ou C², de remonter à un archétype, sans doute assez lointain,
des deux familles.

23,6. Antiochiae concilio. Le concile des Encénies, en 341.

23,15. His quidem. Hilaire cite un passage du symbole des
Encénies qu'il transcrit en entier dans son *De Synodis* 29-30
(*PL* 10, 502-504). Le *De Synodis* présente un texte légèrement
différent. Pour le texte grec, lire ATHANASE, *De Syn.* 23
(*PG* 26, 721-724).

23,16. non egeo. Le texte, corrompu, a été restitué avec
beaucoup de vraisemblance par P. Coustant (*PL* 10, 599 A),
dont la conjecture (*egeo* pour *ego*) s'appuie sur un passage
parallèle de l'*Ad Constantium II*, 8, (*CSEL* 65, p. 203) : *ego
enim penes me habeo fidem, exteriore non egeo : quod accepi
teneo, nec demuto quod Dei est*.

23,17. rescindis. Le verbe *rescindo* est employé un seule
fois dans la *Vulgate*, en *Mc* 7,13. Le mot a le sens juridique
d'annuler, d'abroger (*abrogare, abolere, irritum esse iubere*),
v.g. SCAEVOL. *Dig.* 2,15,3 : *rescissum testamentum* « testament

annulé ». L'empereur Constance annule, abroge, *c'est-à-dire détruit la foi* en changeant le formules, les symboles de foi.

23,18. Post synodum. On croit que le synode de Sardique (Sofia) eut lieu en 343 ou 344 (et non en 347, comme l'écrit P. Coustant, cf. *PL* 10, 599 A). Y eut-il un synode à Sirmium en 347 ? G. BARDY, *Hist. de l'Égl.* (Fliche-Martin), t. 3, p. 137, est favorable à cette hypothèse, non sans hésitation d'ailleurs. Au surplus, Photin sera de nouveau condamné et déposé à Sirmium en 351. Photin (ou Fotin), instruit par Marcel d'Ancyre qui le fit diacre de son église, fut condamné comme son maître pour avoir professé les mêmes erreurs. Il « refuse d'admettre que le Verbe ait eu une *subsistance* personnelle avant de descendre dans le Christ : c'est seulement depuis qu'il a pris notre chair de la Vierge, il n'y a pas encore quatre cents ans, que le Verbe est Christ et Fils de Dieu ». Tel est le résumé de sa doctrine d'après G. BARDY, art. *Photin*, dans *DTC* 12, 1532-1536. Devenu évêque de Sirmium vers 343, il fut maintes fois condamné. Mais son peuple lui restant fort attaché, il se maintint à son poste durant plusieurs années. Germinius fut nommé à sa place en 351. Il reprit possession de son siège en 362.

23,21-25. Eos... Ecclesia. Dans le *De Synodis* 38, Hilaire donne une formule un peu différente. Le synode de Sirmium (351) reprend la formule de Sardique (343) qui reproduit, en l'explicitant, celle de Nicée (325). Voir DENZINGER, 126 et 140. *Alienos nouit* chez Hilaire correspond au grec ἀναθεματίζει.

23,25. dissides. L'empereur Constance opéra deux revirements spectaculaires en faveur de l'orthodoxie, le premier en 346 lorsqu'il rappela d'exil Athanase d'Alexandrie, le second en 358 au synode de Sirmium. Dans ces circonstances, il se séparait de ses amis, spécialement Ursace et Valens.

23,26. Novis uetera. Cf. *supra*, note 7,15.

23,28. deliramenta Osii. L'évêque de Cordoue, Ossius, plus que centenaire, signa la deuxième formule de Sirmium en 357. Il rétracta peu après cette déclaration hérétique. Cf. M. AUBINEAU, « La vie grecque de " saint " Ossius de Cordoue », dans *Anal. Boll.* t. 78 (1960), p. 356-361.

23,29. incrementa Ursaci. Le « blasphème » de Sirmium (357), auquel Hilaire fait ici allusion, fut désapprouvé par Constance, l'année suivante, sous l'influence de Basile d'Ancyre et de Georges de Laodicée. En 357, le « trio illyrien » Ursace, Valens et Germinius éliminent les mots *homoousios, homoïousios* et *ousia* (substance). En 358, à Sirmium de nouveau, le mot *homoïousios* est rétabli à l'instigation de Basile d'Ancyre. En 359, le *Credo* daté (22 mai) ne garde plus que ὅμοιος κατὰ πάντα « semblable en tout ». Enfin, à Rimini, à la fin de 359, les mots : « en tout » disparaissent. C'est le triomphe de l'*homéisme*. Lire un bon résumé des événements et des doctrines dans P. HADOT, *Marius Victorinus – Traités théologiques sur la Trinité* 1, *SC* 68, Paris 1960, p. 44-47.

23,34. anathema sit. Hilaire reproduit l'anathème 11 du synode d'Ancyre (printemps 358). Il y a quelques différences (temporis/-re ; esse/ex se ; patri/-tre) avec son texte du *De Synodis*. Nous gardons le génitif *temporis*, contre Coustant ; la leçon de *M O J* ne s'impose pas. C'est un génitif de point de vue ou de relation, assez fréquent chez les poètes et leurs imitateurs. Voir ERNOUT-THOMAS, *Syntaxe latine*, § 72, p. 58. De même, le complément du comparatif, *patri* au lieu de *patre*, est un usage du latin tardif. Cf. id., *ibid.* § 198, p. 171-172 ; A. BLAISE, *Manuel du latin chrétien*, § 105, p. 89.

24,1. non calumniamur. Le mot *calumnior* s'emploie absolument au sens de « porter des accusations mensongères ». Voir *TLL s.u. De rescissis* est un neutre pluriel et désigne les « destructions ou annulations de la foi » (*supra*, n. 23, 17). *Magis* indique la recrudescence des attaques contre la « foi » de Nicée, de 325 à 360. Le « consubstantiel » (*homoousios*), défini à Nicée, provoquait beaucoup de réticence chez les Orientaux, qui croyaient y voir une résurgence de l'hérésie de Sabellius. Quant à l'infinitif *institui*, donné par tous les manuscrits, c'est un passif impersonnel. La correction de Coustant, *institutis*, fournirait un sens acceptable, mais elle n'a pas d'appui dans les mss.

25,8. damnatio est. Les synodes des *Encénies* (341), de Sardique (343), de Sirmium (351), tout en évitant le mot *homousion* (ὁμοούσιον) affirmaient que le Fils n'était pas

d'une autre substance (*ex alia substantia*) que le Père. C'est
dire équivalemment qu'il est d'une substance semblable,
homoeousios (ὁμοιούσιος). Au synode de Sirmium en 357,
les deux mots sont bannis. Cf. *De Syn.* 11. Ce n'est évidemment pas Constance qui est l'auteur de tous les formulaires
de foi. Mais comme les synodes se réunissent avec son
approbation et son soutien, Hilaire peut le rendre responsable
des décisions qui y sont prises. Ceux qui « rétractent » leur
foi antérieure sont avant tout Ursace et Valens, spécialistes
des palinodies.

25,9. Serdicensi synodo et Sirmiensi. Au synode de Sirmium
en 358, Basile d'Ancyre fit rétablir le mot *omoeousion*
(ὁμοιούσιον). Mais un an plus tard, le *Credo* daté (22 mai
359) supprimait de nouveau les mots *omousion* (ὁμοούσιον),
omoeousion (ὁμοιούσιον) et *ousie* (οὐσία, *substantia*), pour
ne garder que la formule de Macédonius, « semblable en
tout », ὅμοιον κατὰ πάντα. C'est moins au mot *substance*
qu'à la réalité qu'il exprime que les catholiques sont attachés.
Cf. *Introd.*, ch. II, p. 83. Sans l'hérésie arienne, ils se seraient
contentés du symbole baptismal. Aux synodes de Rimini (359)
et de Constantinople (360), les mots « en tout » sont sup-
primés. On ne doit garder que la formule « *Filium similem
Patri* », le Fils est « semblable au Père ». Hilaire a combattu
sans trêve l'*homéisme* de Rimini – Constantinople, parce qu'il
ruinait la foi en Jésus Christ Fils de Dieu, non pas *semblable*,
mais *égal* au Père. Or le mot *consubstantiel* (ὁμοούσιος)
« contient la juste intelligence de la foi », en ce sens qu'il
est le plus apte à nous faire comprendre le lien qui unit le
Fils au Père.

25,18. se ipsos reos reddunt. Jusqu'à Sirmium (357), Ursace,
Valens et beaucoup d'autres évêques admettaient le mot
omoeousios (substance semblable) comme expression de la
foi. En le condamnant en 357, puis en 359 (Sirmium et
Rimini) et en 360 (Constantinople), ils innocentent les *anoméens* et se rendent eux-mêmes coupables de l'hérésie *anoméenne*.

26,7. ad diripiendos mittis. A Séleucie, la majorité homéousienne groupée autour de Silvain de Tarse et d'Éleusius de
Cyzique fut soumise à une pression telle qu'elle finit par

céder, après une résistance désespérée le 31 décembre 359. Mais beaucoup d'évêques furent exilés pour leur foi. S'ils signèrent le formulaire de Nikê, présenté par Ursace, Valens, Germinius et Gaïus, on a des raisons de penser qu'ils restaient fidèles à l'orthodoxie dans le fond de leur cœur. Il faut rappeler qu'à Nikê, la belle profession de foi des premiers jours fit place à une honteuse capitulation le 10 octobre 359. Restitut de Carthage signa la formule préparée par Ursace, Valens, Germinius et Gaïus. Cf. *Introd.*, p. 72 s. Les évêques des Gaules et d'Afrique avaient signé une première confession de foi orthodoxe, condamnant le « blasphème d'Ursace et de Valens », c'est-à-dire probablement la deuxième formule de Sirmium en 357. Cf. Hilaire, *De Syn.* 11. Mais, ensuite, Constance, par son préfet Taurus, président du synode à Rimini, « réclame les signatures » et oblige tous les évêques à signer le formulaire de Nikê, homéen par la forme, anoméen par le sens. Pour d'autres détails, lire les remarques de Coustant, *PL* 10, 601-602, note *f*.

26,11. **cartulae.** Selon le *TLL, s.u., cartula* (ou *chartula*) est synonyme de *libellus, scriptum*. Ce diminutif apparaît, en outre, dans le Code Théodosien, chez Jérôme, Rufin, Sulpice Sévère et Prudence.

27,7. **sanctorum memoriis.** La leçon *memoriis* (ταῖς μνείαις) pour *Rom.* 12,13, au lieu de *necessitatibus* (ταῖς χρείαις), retenue par la *Vulgate*, est celle d'un bon nombre d'écrivains anciens. Cf. P. Sabatier, *Vetus latina in h. l.* A Rimini, au début, les évêques déclaraient « qu'ils ne devaient pas s'écarter du symbole reçu... ni de la foi transmise à eux par les prophètes... dans les évangiles et tous les écrits apostoliques comme elle se maintient jusqu'à maintenant par la tradition des Pères selon la succession apostolique jusqu'au texte élaboré à Nicée pour s'opposer à l'hérésie qui avait alors surgi ». Hilaire, *Fragm. Hist.* VII, 3, *PL* 10, 697. Mais peut-on, après Rimini, s'associer aux souvenirs des saints ? Hilaire se posait déjà la question à l'époque où il écrivait le *De Synodis* (fin 358 – début 359). « Pensons à tant de saints évêques entrés dans leur repos : quel jugement portera sur nous le Seigneur, si nous les anathématisons maintenant ? Qu'en sera-t-il de nous qui en arrivons au point de cesser nous aussi d'être évêques, puisqu'ils ne l'ont pas été ? Car nous avons été ordonnés par eux et nous sommes leurs successeurs. Renonçons à l'épiscopat, puisque nous avons reçu cette charge des mains d'un anathème », *De Syn.* 91, *PL* 10, 543-544.

27,14. apud Nicaeam episcopi. Le nombre 318, pour les Pères de Nicée, est traditionnel depuis Hilaire, qui en souligne l'origine « sainte », puisqu'il représente les 318 serviteurs qu'Abraham prit avec lui pour battre les quatre rois impies qui s'étaient emparés de Lot son parent (*Gen.* 14,14), *De Syn.* 86, *PL* 10, 538-539. C'est probablement un « nombre mystique ». Cf. M. AUBINEAU, *Les 318 serviteurs d'Abraham et le nombre des Pères au concile de Nicée* (325), dans *RHE*, LXI, 1966, p. 183 et H. CHADWICK, *ibid.*, p. 808-811. Les historiens sont plus prudents et parlent d'environ 300 évêques. Nous n'avons pas la liste complète des Pères de Nicée.

27,17. fuit curae. Hilaire croit de bonne foi à la parfaite orthodoxie de Constantin. C'était aussi l'opinion des évêques occidentaux réunis à Rimini. Cf. *Fragm. Hist.* VIII, 2, *PL* 10, 700. Les historiens sont plus réservés.

27,21. criminosum putas. Ce que Constance juge condamnable c'est le terme *ousie (substantia)*, et particulièrement les deux mots qui le contiennent *omoeousios* et surtout *omousios*. Or le sens en est parfaitement clair. Hilaire l'a déjà dit dans son *De Synodis* 91, (*PL* 10,545) : « Ne condamnons pas les Pères, ne fortifions pas les hérétiques, de peur de nourrir l'hérésie en voulant écarter l'hérésie. Nos Pères ont fourni une interprétation orthodoxe de la nature de l'*omousios*, après le synode de Nicée, des livres subsistent, une conscience générale demeure : s'il faut ajouter un point précis à leur interprétation, organisons une consultation commune. Nous pouvons entre nous définir le meilleur statut de la foi, pour ne pas porter atteinte à ce qui a été bien établi et pour retrancher ce qui a été mal compris ».

27,27. pietatis rebellem. Nous croyons que le mot *pietatis* ne désigne pas *la piété,* mais *l'orthodoxie* de Constantin. C'est le sens qu'il a dans tout le livre. Par ailleurs, nous avons rejeté le mot *heredem* comme addition de α interpolée après coup en C γ φ. Sans l'addition, cette finale a bien plus fière

allure, avec ses trois membres de phrase parallèles : *hostem...
inimicum... rebellem*, et l'excellente clausule : *pietatis rebellem.*
Quant au génitif avec *rebellem* et *hostem*, il n'est pas inconnu
même de la langue classique. Cf. ERNOUT-THOMAS, *Syntaxe
latine*, § 79, p. 65. TERTULLIEN, *Praescr.* IV, 4, écrit : *Qui
antichristi... nisi Christi rebelles ?*

TABLES

INDEX SCRIPTURAIRE

Les citations littérales – moins de 30 – sont indiquées par des chiffres en italique ; les citations implicites et les allusions sont en romain.

12,36	12,3
14,4	6,10
17,5	9,12
25.27	10,17
22,21	10,17
23,35	11,28
24,11	1,8
24,21.22	1,11

Marc

6,18	6,10
7,13	23,17

Luc

3,5	16,2
4,5.6	15,14
10,22	13,14
11,51	11,28
12,11	1,21.26
22,48	10,14
23,43	4,11

Jean

1,18	9,1
5,18	*17,7*
	21,24
	22,5
5,19a	*17,12*
19b	*17,17*
19	*21,12*
23a	*17,18*
23b	*17,19*
8,12	9,24
44	8,19
10,2	1,7
8.9	1,4
12	10,5
13	1,3
15	1,4
10,30	*9,19 ; 18,2 ; 22,10*
37.38	*18,8*
38	*9,20*

14,6	1,8
16,15	*9,21*
19,31.33	4,10

Actes des Apôtres

4,29.31	4,19
5,41	1,21
9,4	9,2
16	1,21
13,10	8,19
15,26	1,21
18,25	4,7
19,8	4,19
20,29	10,5
28,31	4,19

Romains

2,20.21	7,10
2,29	26,8
4,20	1,29
7,6	26,8
8,3	21,16
9,1	12,8
10,9	5,12
12,1	4,6
11	4,7
13	*27,7*
13,7	10,17
14,15	15,14

I Corinthiens

8,11	15,14
10,29	6,6
11,19	1,9

II Corinthiens

1,3	4,3
3,6	26,8
4,4	21,4
11,13	2,12
14	1,6

Apocalypse

		4,8.11	4,6
		11,17	4,6
1,8	4,6	15,3	4,6
2,9	2,23	16,7	4,6
3,9	2,23	19,6	4,6

INDEX DES MANUSCRITS CITÉS

Les chiffres renvoient aux pages du présent volume. On trouvera un stemma partiel à la p. 130 et un autre à la p. 134.

INDEX DES NOMS PROPRES ET ASSIMILÉS

INDEX DE MOTS

On a choisi les mots les plus significatifs des aspects doctrinaux et religieux du « Contre Constance ». Toutes les occurrences des mots choisis sont recensées. Renvoi au chapitre et à la ligne.

iniuria : 3,2.7.
innascibilis : 16,15 ; 22,1.
innocens : 25,1.
inpietas : 2,24 ; 7,13 ; 8,12 ; 11,27.32 ; 13,11 ; 14,2 ; 15,2. 4 ; 16,19 ; 20,4 ; 25,18.19.21 ; 27,1.
inpius : 9,24 ; 25,19.
inpudentissime : 15,2.
intellegentia : 4,21 ; 8,22 ; 18,14 ; 21,10 ; 25,11 ; 27,22.
inuentor : 6,20.
inuisibilis : 21,4.4.5.5.
iudex : 1,21 ; 8,14 ; 23,9.
iudicium : 12,3-5 ; 27,18.
iudico : 12,6.
iustitiam : 1,18.

legatus : 15,9.
libertas : 3,3 ; 5,5 ; 6,5.
littera : 26,8 ; 27,21.
lupus : 10,4.7.8.9.11 ; 11,1.

maledicens : 6,3.
maledico : 1,17.
maledictum : 2,21 ; 6,1 ; 12,2.
malitia : 6,20.
martyr : 6,10 ; 8,3.
martyrium : 1,5 ; 7,20 ; 8,18.
meditatio : 24,4.
memoria : 27,7.12.26.
mendacium : 1,28 ; 6,1 ; 25,21.
mendax : 8,13 ; 9,17.
mentior : 2,22 ; 7,7 ; 8,13.21 ; 9,25 ; 11,36 ; 12,8 ; 25,10.
minister : 6,2.
ministerium : 4,4.
misericordia : 4,6.
modestia : 1,30 ; 3,6 ; 6,5.
mundus : 1,10 ; 6,12.
mysterium : 7,8.

natiuitas : 12,24 ; 22,5.12.
natura : 13,12 ; 18,9 ; 22,13.
naturalis 13,7 ; 15,6.
negatio : 10,18.
nomen : 1,21 ; 8,12 ; 9,3.8.8.10. 13 ; 11,21 ; 13,11 ; 16,3 ; 25,8.
nouitas : 16,12.18.19.
nouus : 7.7.17.18 ; 9,14 ; 16,7.7. 8.8.8.16
nuncupatio : 9,13.

oboedientia : 9,8.
omnipotens : 4,1.
omoeousion : 12,12.17 ; 14,4 ; 15,1 ; 25,5.
omousion : 12,15 ; 14,4 ; 16,10 ; 25,4.
operor : 7,9 ; 17,14 ; 18,13 ; 21,10.
opus : 8,5 ; 9,19 ; 10,8.9 ; 11,1 ; 18,5.7.8.11.
oratio : 2,26.
ouis : 1,4 ; 10,4.6.7.8.10.19 ; 11,16.36.

paenitentia : 2,28.
paradisus : 4,9.
passio : 11,17.
pater, patres : *le diable* : 8,19 ; *ancêtres* : 9,15 ; 27,5 ; *pères du concile* : 24,6 ; *le père de Constance* : 27,16.23. – *v.* Pater.
paternus : 9,9 ; 18,13 ; 27,27.
pax : 1,8 ; 2,7.27 ; 5,10.
peccatum : 8,18 ; 21,16.17.18.20.
perfidia : 23,18 ; 24,10.
periculum : 1,30 ; 2,3.
perpendo (*mot douteux ;* cf. *apparat*) : 23,2.
persecutio : 4,21 ; 8,17.
persecutor : 4,16 ; 5,1 ; 9,15.

TABLE DES MATIÈRES

SOURCES CHRÉTIENNES

Fondateurs : H. de Lubac, s.j.
† J. Daniélou, s.j.
C. Mondésert, s.j.
Directeur : D. Bertrand, s.j.
Directeur-adjoint : J.-N. Guinot

Dans la liste qui suit, dite « liste alphabétique », tous les ouvrages sont rangés par nom d'auteur ancien, les numéros précisant pour chacun l'ordre de parution depuis le début de la collection. Pour une information plus complète, on peut se procurer deux autres listes au secrétariat de « Sources Chrétiennes » – 29, rue du Plat, 69002 Lyon (France) – Tél. : 78.37.27.08 :

1. la « liste numérique », qui présente les volumes et leurs auteurs actuels d'après les dates de publication ; elle indique les réimpressions et les ouvrages momentanément épuisés ou dont la réédition est préparée.
2. la « liste thématique », qui présente les volumes d'après les centres d'intérêt et les genres littéraires : exégèse, dogme, histoire, correspondance, apologétique, etc.

LISTE ALPHABÉTIQUE (1-334)

SOURCES CHRÉTIENNES

SOURCES CHRÉTIENNES

SOURCES CHRÉTIENNES

SOURCES CHRÉTIENNES

SOURCES CHRÉTIENNES

SOUS PRESSE

GRÉGOIRE DE NAZIANZE : **Discours 38-41**. P. Gallay et C. Moreschini.
ATHANASE D'ALEXANDRIE : **Deux apologies** (2ᵉ éd.). Jan M. Szymusiak.
Les Constitutions apostoliques, tome III. M. Metzger.
EUSÈBE DE CÉSARÉE : **Préparation évangélique**, Livres XIV-XV. E. des Places.
LACTANCE : **Epitome**, M. Perrin.
ISAAC DE L'ÉTOILE : **Sermons**. tome III. G. Raciti.
PALLADIOS : **Vie de S. Jean Chrysostome**, (2 tomes). A.-M. Malingrey.

EN PRÉPARATION

LACTANCE : **Institutions divines**, tome II. P. Monat.
TERTULLIEN : **Le mariage unique**. M. Mattei.
Conciles mérovingiens des VI-VIIᵉ siècles. P. Gaudemet et B. Basdevant.

ÉGALEMENT AUX ÉDITIONS DU CERF

LES ŒUVRES DE PHILON D'ALEXANDRIE
publiées sous la direction de
R. ARNALDEZ, C. MONDÉSERT, J. POUILLOUX.
Texte original et traduction française.

1. **Introduction générale. De opificio mundi**. R. Arnaldez (1961).
2. **Legum allegoriae**. C. Mondésert (1962).
3. **De cherubim**. J. Gorez (1963).
4. **De sacrificiis Abelis et Caini**. A. Méasson (1966).
5. **Quod deterius potiori insidiari soleat**. I. Feuer (1965).
6. **De posteritate Caini**. R. Arnaldez (1972).
7-8. **De gigantibus. Quod Deus sit immutabilis**. A. Mosès (1963).
9. **De agricultura**. J. Pouilloux (1961).
10. **De plantatione**. J. Pouilloux (1963).
11-12. **De ebrietate. De sobrietate**. J. Gorez (1962).
13. **De confusione linguarum**. J.-G. Kahn (1963).
14. **De migratione Abrahami**. J. Cazeaux (1965).
15. **Quis rerum divinarum heres sit**. M. Harl (1966).
16. **De congressu eruditionis gratia**. M. Alexandre (1967).
17. **De fuga et inventione**. E. Starobinski-Safran (1970).
18. **De mutatione nominum**. R. Arnaldez (1964).
19. **De somniis**. P. Savinel (1962).
20. **De Abrahamo**. J. Gorez (1966).
21. **De Iosepho**. J. Laporte (1964).
22. **De vita Mosis**. R. Arnaldez, C. Mondésert, J. Pouilloux, P. Savinel (1967).

SOURCES CHRÉTIENNES

23. **De Decalogo**. V. Nikiprowetzky (1965).
24. **De specialibus legibus**. Livres I-II. S. Daniel (1975).
25. **De specialibus legibus**. Livres III-IV. A. Mosès (1970).
26. **De virtutibus**. R. Arnaldez, A.-M. Vérilhac, M.-R. Servel et P. Delobre (1962).
27. **De praemiis et poenis. De exsecrationibus**. A. Beckaert (1961).
28. **Quod omnis probus liber sit**. M. Petit (1974).
29. **De vita contemplativa**. F. Daumas et P. Miquel (1964).
30. **De aeternitate mundi**. R. Arnaldez et J. Pouilloux (1969).
31. **In Flaccum**. A. Pelletier (1967).
32. **Legatio ad Caium**. A. Pelletier (1972).
33. **Quaestiones in Genesim et in Exodum. Fragmenta graeca**. F. Petit (1978).
34 A. **Quaestiones in Genesim**, I-II (e vers. armen.). Ch. Mercier (1979).
34 B. **Quaestiones in Genesim**, III-IV (e vers. armen.). Ch. Mercier et F. Petit (1984).
34 C. **Quaestiones in Exodum**, I-II (e vers. armen.) (en prépar.).
35. **De Providentia**, I-II. M. Hadas-Lebel (1973).
36. **De animalibus**. A. Terian et J. Laporte (en prép.).
37. **Hypothetica**. M. Petit (en prép.).

OÙ PEUT-ON TROUVER RÉGULIÈREMENT
LA COLLECTION SOURCES CHRÉTIENNES ?

LIBRAIRIES

06	*La Procure*	10, rue de Suisse	06000 Nice
12	*Maison du Livre*	Passage des Maçons	12000 Rodez
13	*Le Baptistère*	13, rue Portalis	13100 Aix-en-Provence
	Le Centurion	43, bd Paul-Peytral	13006 Marseille
21	*Université*	17, rue de la Liberté	21000 Dijon
22	*SOFEC Procure*	1, place Saint-Pierre	22000 Saint-Brieuc
25	*Chevassus*	119, Grande-Rue	25000 Besançon
26	*Peuple libre*	2, rue Emile-Augier	26001 Valence
29	*Procure*	9, rue de Frout	29000 Quimper
31	*Jouanaud*	8, rue des Arts	31000 Toulouse
	Sistac	33, rue Croix-Baragnon	31000 Toulouse
33	*Bons Livres*	35, rue Fondaudège	33000 Bordeaux
34	*Chemins*	4, rue Massane	34000 Montpellier
35	*Procure Matinales*	9, rue de Bertrand	35000 Rennes
37	*Sacré-Cœur*	89, rue de la Scellerie	37000 Tours
38	*Notre-Dame*	10, place Notre-Dame	38000 Grenoble
41	*Mariale Francis*	9, rue de Vauquois	41000 Blois
42	*Culture et Foi*	20, rue Berthelot	42100 Saint-Etienne
44	*Lanoé*	2, rue de Verdun	44000 Nantes
45	*Blanchard*	15, rue Bannier	45000 Orléans
49	*Richer*	6, rue Chaperonnière	49000 Angers
51	*Comptoir Pasteur*	25, rue Pasteur	51000 Châlons-sur-Marne
	Largeron	23, rue Carnot	51100 Reims
53	*Siloé*	22, rue du Jeu-de-Paume	53000 Laval
54	*Procure le Vent*	30, rue Gambetta	54000 Nancy
	Auxiliaire ens. rel.	101, rue Saint-Georges	54000 Nancy
	Agence de Presse	38, rue Saint-Dizier	54000 Nancy
56	*Lire et Ecrire*	22, rue du Mène	56000 Vannes
59	*Tirloy*	62, rue Esquermoise	59000 Lille
	Decanord	39, rue de la Monnaie	59042 Lille
63	*Religieuse*	1, place de la Treille	63000 Clermont-Ferrand
65	*Abbaye Notre-Dame*		65190 Tournay
67	*Alsatia*	31, place de la Cathédrale	67000 Strasbourg
	Oberlin	19, rue Francs-Bourgeois	67000 Strasbourg
68	*Union*	4, place de la Réunion	68100 Mulhouse
69	*Decitre*	6, place Bellecour	69002 Lyon
	Ed. Ouvrières	9, rue Henri-IV	69002 Lyon
	Saint-Paul	8, place Bellecour	69002 Lyon
74	*Procure*	3, rue J.-Jacques Rousseau	74000 Annecy
75	*Fischer*	29, bd Latour-Maubourg	75007 Paris
	Protestante	140, bd Saint-Germain	75006 Paris
	Gabalda	90, rue Bonaparte	75006 Paris
	Procure	3-5, rue de Mézière	75006 Paris
	Apostolat des Ed.	46, rue du Four	75006 Paris
	Saint-Paul	6, rue Cassette	75006 Paris
	Lys d'Amour	61, rue Vaugirard	75006 Paris
	Maison Diocésaine	8, rue Ville-l'Evêque	75007 Paris
76	*Procure*	24, rue de la République	76000 Rouen
81	*SODEC*	Saint-Benoît-en-Calcat	81100 Dourgne
83	*Catholique Saint-Louis*	6, rue Anatole-France	83100 Toulon
85	*Sypé*	58, rue Joffre	85000 Roche-sur-Yon
86	*Cordeliers*	15, rue des Cordeliers	86000 Poitiers

GROSSISTES – VENTE AUX LIBRAIRES

13	*Centrale des éditeurs*	Z.I. des Paluds, B.P. 86	13673 Aubagne
31	*Comptoir du Livre*	4, impasse D.-Daurat	31400 Toulouse
75	*OGL*	14 bis, rue J.-Ferrandi	75006 Paris
	SFL	57, rue de l'Université	75007 Paris
	CELF	22 bis, rue Barrat	75013 Paris

ÉTRANGER

Allemagne

Dokumente Verlag — Postfach 1340 — 76 Offenburg
Otto Harrassowitz — Taunusstrasse, 5 — 6200 Wiesbaden

Autriche

Martineau — Burgerstrasse, 6 — 6020 Innsbruck

Belgique

UOPC — Chaussée de Wavre, 216 — 1040 Bruxelles
Centre Diocésain — Rue des Prémontrés, 40 — 4000 Liège
Documentation
Cabay — Rue Agora, 11 — 1348 Louvain-la-Neuve

Canada

Ed. Paulines — Filles de Saint-Paul — 4362 Saint-Denis
Montreal QUE H2J 2L1

Service Documentation — 312 Est, rue de Sherbrooke — Montreal QUE H2X 1E6
Pastorale

Espagne

Amigos — Condal, 27 — Barcelone 2
del Catecismo

Italie

Ancora — Via della Conciliazione, 63 — 00193 Rome
Herder — Piazza Montecitorio, 120 — 00186 Rome
Paoline — Via della Conciliazione, 20 — 00193 Rome
Procure — Piazza S. Luigi dei Francesi, 23 — 00186 Rome
Sole — Via di S Eufemia n° 11 — 00187 Rome
San Paolo — Via Altabella, 8 — 40126 Bologne

Japon

Gakuji Sha & Co — Sansei bldg 105
1 29 11 Kami Ochiai — Shinjuku Tokyo 161

Liban

Cedlusek — Université St-Esprit — Kaslik

Portugal

Verdade e Vida — Apartado, 19 — Fatima Centro

Sénégal

Clairafrique — 2, rue Sandimery, BP 2005 — Dakar

Suisse

Saint-Paul — 38, bd de Pérolles — 1700 Fribourg
Saint-Augustin — 88, rue de Lausanne — 1700 Fribourg
Office du Livre — 101, route de Villars — 1701 Fribourg
Martingay — 1, rue R.L.-Piachaud — 1204 Genève
Œcuménique — 53, rue de Carouge — 1205 Genève
La Nef — 10, avenue de la Gare — 1000 Lausanne

ÉDITIONS DU CERF
29, boulevard Latour-Maubourg, 75340 Paris Cedex 07

SOURCES CHRÉTIENNES

The collection SOURCES CHRÉTIENNES presents works of the first centuries of the Christian era, together with introductions, notes, indexes, which facilitate their study and comprehension.

These works are of particular interest to students of Church-history as well as of the history of exegesis, liturgy and theology, the philosophy of religion, Christians apologetics, ethics and asce-tism. They are also of considerable importance in the areas of history of culture, history of literature, especially Latin and Greek, and the history of ideas.

The works in the series are presented in their integrality. In general, the volumes give, on the left-hand page, the original text, established according to modern, scientific standards, and on the right-hand side, a new French translation, accurate as well as fluent. Some of the texts are found here for the first time in a critical edition.

In contrast with the well known *Universités de France* series, which is devoted to the Greek and Roman classics, the collection *Sources Chrétiennes* presents Christian writers, Greek and Latin in particular, but also Syrian, Armenian and Coptic. A series, « Textes monastiques d'Occident », makes various spiritual works of the Middle Ages available which, despite of their importance, have been very difficult to obtain hitherto.

Sources Chrétiennes, which is published by Éditions du Cerf, was founded by the Cardinals Jean Daniélou, s.j. (✝) and Henri de Lubac, s.j., and the Rev. Father C. Mondésert, s.j. The Business Managers are the Rev. Father Dominique Bertrand, s.j., and Dr. Jean-Noël Guinot, 29, rue du Plat, 69002 Lyon (France).

N.B. – The order followed here under is that of the dates of publication (N° 1 in the year 1942). It does not in any way indicate the classification in series : greek, latin, byzantine, oriental, monastic texts of the West or joint series of parachristian texts.

Except when otherwise stated, each volume contains the original text, frequently with an entirely new critical apparatus.

The word *bis* points out to a second edition. The mention « réimpression avec suppl. » means that only spare corrections and an Appendix of *Addenda and Corrigenda* make the distinction between that edition and the former one.

Institut des « Sources Chrétiennes »
29, rue du Plat, 69002 Lyon
Tél. 78 37 27 08

IMPRIMÉ EN FRANCE